Anne

Sherle

UN PARCOURS D'HISTORIEN

DU MÊME AUTEUR

Familles marchandes sous l'Ancien Régime, 1959.
Beauvais et le Beauvaisis au XVIIᵉ *siècle* (thèse d'État), 1960.
Population in History (en collaboration), 1965.
1789 : les Français ont la parole, 1965, coll. Archives, Julliard.
Louis XIV et vingt millions de Français, 1966, éd. Fayard ;
    nouv. éd., coll. Pluriel, 1982 ; nouv. éd., Fayard, 1992.
Histoire économique et sociale de la France (1660-1789) (en col-
    laboration), 1970, Presses universitaires de France.
La Vie quotidienne des campagnes françaises au XVIIᵉ *siècle,* 1982,
    Hachette.
Initiation à l'histoire de la France, 1984, Fayard-Tallandier.
L'Ancien Régime (en collaboration avec Daniel Roche),
    Armand Colin, 1984, 2 vol.
Mazarin, 1990, éd. Fayard.

EN PRÉPARATION

Les Grands Siècles, Fayard.

PIERRE GOUBERT

UN PARCOURS
D'HISTORIEN

SOUVENIRS
1915-1995

FAYARD

À mes camarades saumurois de l'école des Récollets,
À tous mes auditeurs, jeunes et moins jeunes,
d'ici et d'ailleurs.

Pourquoi ?

Il y a bien un quart de siècle qu'on me demande ce livre, ou un autre d'un style voisin. Deux raisons principales sans doute : depuis 1950 environ, j'ai connu, côtoyé, fréquenté ou hanté bon nombre d'historiens, et pas seulement des français. On attendait quelques portraits, des témoignages, peut-être quelques anecdotes, voire des indiscrétions, qui me tentaient un peu, pas trop. La seconde raison tenait au type de carrière qui avait été la mienne, en dehors des saintes normes universitaires, puisque enfin on a dû rarement voir un non-bachelier enseigner à la Sorbonne et, par surcroît, n'avoir presque jamais suivi de cours dans aucune université.

En réalité, ce sont surtout les enfants, qui me voyaient vieillir sans laisser de témoignage, et plus encore les petits-enfants (je ne parle pas de l'éditeur...) qui m'ont vivement poussé à écrire ce qui suit, qui ne se ramène pas à des Mémoires d'outre-tombe ou à l'étalage d'une vie privée (et qui le restera). Posant vingt questions souvent naïves, ces futurs citoyens du troisième millénaire me demandaient où j'allais en vacances, ce qu'on pouvait bien m'apprendre au collège ou au lycée, comment on s'éclairait, se nourrissait, se déplaçait en ces temps sans télé, sans baignoire, sans frigo, sans beaucoup de voitures (on disait « auto » ; la voiture était attelée)... et sans tout-à-l'égout.

Les retrouvailles, assez tardives, avec une association d'anciens élèves créée par de vieux camarades de l'école primaire que j'avais fréquentée firent le reste : je pris le goût d'évoquer Saumur, la rue d'Eugénie Grandet (la mienne) et tout le voisinage entre la « guerre de quatorze » (comme on disait) et la suivante.

Si bien que ce volume se divise naturellement en deux parties – qui sont devenues trois. D'abord, l'évocation de la vie quotidienne, vue surtout au niveau du petit peuple, d'une province française entre deux catastrophes : le Saumurois, quart sud-est de l'Anjou, accru de sa très proche banlieue poitevine et tourangelle : Bourgueil est en Anjou, le pays de Gargantua le côtoie et la langue de ce dernier n'était pas entièrement perdue dans les années vingt. Ce qui m'est revenu, par flots abondants, de ces gens et de ces horizons un moment estompés, doit charrier pas mal de souvenirs reconstitués ou refondus. S'ils ne peuvent évidemment être rigoureusement exacts, il me semble pourtant que ces souvenirs ne sont pas vraiment faux. Octogénaire, je revois les lieux et les gens avec une netteté impressionnante. Naturellement, je n'ai pu tout dire, et j'ai cru devoir modifier quelques noms de personnes. Rédaction d'ailleurs éprouvante, une sorte de joie ancienne se mélangeant à bien des douleurs, du moins des mélancolies.

La seconde partie est d'une autre eau. Certes, elle comporte beaucoup de souvenirs, et la plupart des historiens que j'ai cru devoir présenter sont morts : le premier, Marc Bloch, dès 1944 assassiné. On y trouvera aussi quelques vivants, ainsi que les divers aspects et les divers lieux, parfois lointains, où j'ai rencontré ce personnage un peu mythique, Clio. Outre la beauté du nom, et le charme des neuf sœurs, Clio, plus que le terme d'« histoire », si galvaudé, a le mérite d'envelopper, de couvrir ou

10

de magnifier des idées, des croyances, des hommes, des livres, des démarches parfois minables, parfois horribles, parfois exaltantes. C'est donc sous les voiles, sous l'égide ou l'invocation de Clio que je placerai ce que je connais de l'histoire et des historiens du XXe siècle – enfin, pas tout, tant sont pesants les oublis et les convenances.

Première partie

JEUNESSE
(1915-1938)

CHAPITRE PREMIER

Famille

Parce que le cheval s'était soudain emballé, René-Pierre, mon grand-père, tomba à la renverse d'une charrette de foin qu'il avait chargée avec son voisin, et ne se releva pas. Cela se passait à La Ronde, une lieue au nord de Saumur, au début de ce siècle. Il avait tout juste dépassé la soixantaine et devait jouir depuis peu de sa retraite de cantonnier — cantonnier-chef, précisaient fièrement ses enfants : neuf, dont six vécurent fort lontemps. La petite dernière, Clémentine — née en 1899 et déclarée à la mairie sous le nom farceur de Désirée — a des chances de connaître un troisième siècle et un second millénaire dans son refuge presque charmant de Saint-Lambert-des-Levées, village dont je me suis naguère occupé. Marie-Aimée, épouse de René-Pierre, lui survécut quelque temps et mourut paisiblement, une nuit, auprès de son avant-dernière fille, Germaine dite Marguerite, qui s'en souvenait avec émotion jusqu'à sa disparition récente.

Un quart de siècle, voire un demi-siècle plus tard, leurs enfants les évoquaient avec un mélange d'émotion et presque de gaieté. La mère, totalement mère (neuf fois, plus un probable mort-né) lavait, nourrissait, habillait, occupait, surveillait, gourmandait sa couvée curieusement composée de deux tempéraments opposés : les

15

durs, les faibles. De vieilles photographies (mariage de mes parents, 1897) révèlent un corps puissant et charpenté, une figure large, paisible, très digne sous le bonnet rond et ouvragé. Chaque année, pour la Saint-Sylvestre ou pour l'Assomption, elle réunissait dans sa petite maison du Pont-Barré, modeste annexe d'une sorte de château, le plus grand nombre possible de ses enfants, beaux-enfants et petits-enfants, venus à pied ou en « carriole » pour des retrouvailles autour de la longue table de bois prolongée par des tréteaux supportant des planches. Les survivants affirmaient qu'ils étaient heureux de se retrouver, malgré des débuts de querelles vite interdites par les parents. Tous se souvenaient (et Clémentine aujourd'hui encore) de la grande marmite de riz au lait qui clôturait les agapes, lesquelles comportaient les produits du jardin et du petit élevage, les inévitables lapins de chou, une vieille poule et les possibles restes d'un cochon sacrifié pour être surtout vendu, rillettes ou rillons, et les gâteries — sucre, café, chocolat — apportées par l'épicière de la Grand'Rue, ma mère hélas toujours sans enfant après dix ans de mariage et assaillie par une demi-douzaine de neveux, tous des garçons.

Du père — mon grand-père que je n'ai pas connu, comme aucun de mes aïeux — les souvenirs et les témoignages sont plus précis. Deux photographies de groupes de mariages, de 1897, montrent, sous une chevelure noire et frisée, un visage fort vivant, coupé d'une fine moustache, surtout des yeux et un sourire qui portaient les marques d'un esprit aigu, affûté, assez ironique et quelque peu farceur. À vrai dire, les souvenirs que j'ai pu arracher à ses enfants, tous mariés (sauf une) et pères et mères de famille se conjuguent pour évoquer ce père avec une sorte de joie.

Grâce à la généreuse contribution des « maîtres d'école » du coin, j'ai pu obtenir confirmation de l'opinion parfois exprimée que la famille, non saumuroise de raci-

16

nes, était venue d'une terre bénie par les dieux de la vigne et du chenin blanc qui joint les coteaux de l'Aubance à ceux du Layon et à ceux de la Loire en aval d'Angers — point de rupture aussi où bleus et blancs se déchirèrent au siècle précédent... ce qui dut amener une rupture de la famille, qu'il ne doit pas être impossible de reconstituer.

Quoi qu'il en soit, René-Pierre, mon grand-père, était né à Soulaines le 20 mars 1844, second rejeton d'une famille qui en éleva huit sans en perdre un seul. Mon arrière-grand-père, Pierre tout court, était, lui, né en 1812 à Saint-Melaine, non loin de là, et avait épousé une certaine Marie Renou, homonyme de l'actuelle aristocratie du Quart-de-Chaumes. Ce Pierre Goubert figure d'ailleurs, m'a-t-on assuré, sur les documents d'état civil, avec les professions alternées de « cultivateur » et de « vigneron » qui indique une spécialisation. On ne sait pourquoi, en 1851, la famille migra quelques lieues vers l'est, enfantant, se mariant et mourant de Méon à Vivy, avec un long séjour à Linières-Bouton, clairière au milieu de bois et de landes, où l'aïeul mourut en 1869, laissant huit enfants dont trois n'avaient guère plus d'une dizaine d'années. L'aînée, Marie-Perrine, tout juste âgée de dix-sept ans, venait d'épouser rapidement (elle était enceinte de trois mois), un certain Adolphe Beillaud dont le frère épousa une autre Goubert, Émilie — deux familles qui produisirent des petits Beillaud que je me souviens vaguement avoir rencontrés pendant mon enfance.

René-Pierre, mon grand-père, petit garçon remarquablement doué (selon ses enfants) fort heureusement pris en main par la châtelaine du coin, fut domestique, peut-être ouvrier agricole, mais tira malheureusement vers 1864 un « mauvais numéro » qui l'expédia pour sept ans dans l'armée de Napoléon III. Durée à peine écourtée par la guerre de 1870 où il gagna (dit-on toujours) les galons de sergent « sur le champ de bataille ». Cet honneur ne l'empêcha pas de déserter dès qu'il eut compris, quelque part dans l'Est, que la partie était perdue. Il revint lentement, à pied, de nuit, de la Champagne en Anjou et retrouva sa famille à Linières-Bouton dès le printemps 1871. Il y rencontra vite une charmante et accorte jeunette qui venait d'avoir seize ans, Madeleine Boireau. Il l'épousa le 21 janvier suivant, et sa première fille, Aline, naquit cinq mois plus tard : la jeune mère venait d'avoir dix-sept ans. Elle entrait tout juste dans sa vingtième année quand naquit mon père, le 30 août 1874. Pour plaire à une nombreuse parenté, on lui infligea les quatre prénoms de Pierre, Louis, Auguste, Adolphe : les deux derniers étaient ceux de son plus jeune oncle, alors âgé de treize ans. Si je compte bien, mon futur père (qu'on appela désormais Auguste) avait déjà au moins quatorze oncles et tantes du côté paternel, et je ne sais combien du côté maternel ; quant à dénombrer les cousins germains...

C'était le temps des parentés foisonnantes, bien connues et bien groupées, qui n'empêchaient pas des brouilles plus ou moins passagères. Un temps bien révolu — sauf pour les brouilles. N'empêche qu'autour des années trente je comptais seize — puis dix-huit — cousins ou cousines germaines, tous mariés ou qui allaient l'être, mais dont le taux de reproduction devait être plus modeste, bien que le premier-né soit souvent arrivé très tôt.

De 1840 à 1914, tous ces Goubert et leurs alliés apparaissent sur les actes d'état civil (que soient vivement remerciés Robert Naulet et son épouse, enseignants en Saumurois) avec la profession habituelle de « cultivateur » ou celle, bien plus exacte, de « journalier », « ouvrier agricole », « domestique de ferme », voire de « gagiste » (domestique gagé). À travers ce que j'ai pu connaître, on peut les imaginer vivant dans de petites maisons de deux pièces, avec un jardin, quelques arbres, quelques ceps, un ou deux lopins (parfois loués), une ou deux vaches, une truie, des poules et des lapins : la modestie, non la misère. Aucun ne fut illettré, semble-t-il, et surtout pas mon grand-père, qui empruntait des livres au curé, qu'il taquinait pourtant à l'occasion.

Soudain, en 1877, trois deviennent cantonniers. L'initiateur semble avoir été Chicoisne, un beau-frère de trente et un ans, donné comme tel (et comme veuf) lors de son remariage avec une jeune sœur de René-Pierre (donc une grand'tante). Dans la foulée, la même année, suivirent donc René-Pierre et son beau-frère Pierre Boireau (il avait aussi épousé une sœur, Modeste-Perrine, gentille couturière qui devint nonagénaire, comme son mari). Le « tonton Boireau », né en 1850, décédé après 1940, ancien combattant de 70 (il portait la médaille, vert et noir dans mon souvenir) était un personnage de roman. Il habitait le Vieux-Bagneux, passait le Thouet et descendait à Saumur le samedi, jour de marché, s'il ne pleuvait pas. Droit, sec, vigoureux, joyeux de nature, fort vert de langage — il cherchait à faire rougir ses nièces — plein d'appétit, ne buvant jamais d'eau. Il trouvait toujours table ouverte pour lui et se glorifiait d'avoir été plus longtemps retraité que cantonnier actif. Sur cette « activité », d'ailleurs, on jasait : les « cabanes de cantonniers » qui jalonnaient alors les routes permettaient par exemple de dormir.

Des trois beaux-frères Goubert qui devinrent en même temps cantonniers (avec le probable appui d'un notable local, bon « républicain » comme on l'était, m'a-t-on dit, dans cette famille) seul mon grand-père eut une promotion : il devint « chef », ce qui ne l'empêcha pas d'avoir quelques ennuis avec l'un de ses supérieurs : il avait dû avoir la langue un peu longue, selon un de ses fils, Victor (qui, lui aussi...).

Un peu plus tard, vers 1890, des jugements répétés du tribunal de Baugé réussirent à faire unifier les graphies fantaisistes des secrétaires de mairie, qui transformaient les Goubert en Goubard ou en Gobard... Se méfier des homonymies !

Mis à part les promotions exceptionnelles de ces trois modestes fonctionnaires, la coutume et la nécessité firent que les membres fort nombreux de ces foyers féconds n'avaient devant eux, une fois l'école quittée — souvent dès l'âge de dix ans —, que la « mise en place » chez des bourgeois de Saumur comme domestiques, cuisinières, valets ou femmes de chambre, ou bien apprentis serruriers, menuisiers, maréchaux (ferrants), imprimeur (l'un y laissa une jambe, ce qui le fit cordonnier) ou couturière. La « guerre de 14 » étant venue, qui mobilisa les hommes (un seul Goubert tué sur deux douzaines de combattants), ils apprirent à se déplacer : ils « montèrent » à Paris ou en banlieue, toujours comme domestiques et cuisinières, mais aussi ouvriers et cheminots. Je les ai tous visités (à bicyclette), le dimanche, durant mes deux années de Saint-Cloud, découvrant des milieux aussi divers qu'inattendus : des cheminots communistes à la cuisine de M. Chausson à Asnières (les accumulateurs) et l'un des Chautemps, boulevard du Montparnasse.

Il faut bien dire que, lorsque j'eus passé, à douze ans, mon certificat d'études, mes parents n'envisageaient rien d'autre qu'une mise en apprentissage dans un métier manuel ou un emploi de petit coursier ou de « calicot » dans telle maison de commerce, ce qui me désola profondément. Peu de temps, puisque le directeur de l'école primaire et cours complémentaire des Récollets, qui m'avait vu passer le concours des bourses à Angers, intervint en personne avec une belle conviction pour laisser miroiter à ma mère, étonnée mais assez fière, qu'il ne lui paraissait pas douteux que j'entrerais à l'École normale et accéderais à l'enviable métier d'instituteur : un traitement mensuel, un logement, une certaine considération, une retraite. « Continuer aux écoles » après douze ans, on n'avait jamais vu cela ni dans ma famille ni dans mon milieu où chaque parent pensait qu'à douze ans un gamin devait « gagner son pain ». Mais ceci est une autre histoire.

Enfant, je ne compris vraiment ce qu'était cette vaste famille que lorsque des cérémonies, tristes ou joyeuses, en rassemblaient une grande partie.

Le premier souvenir, très frappant, concerne les obsèques de ma tante Marie-Louise, vers 1925. Marie-Louise et son mari Pierre Guiochereau — lequel devait avoir quelques ressources — avait créé une petite entreprise assez typique du premier quart de siècle, et dans la lignée de ce qui avait précédé. Ils tenaient une petite épicerie de gros village (Vivy), non loin de l'église, épicerie où l'on trouvait de tout : des pâtes aux bougies, du sucre aux épingles, du pétrole, de l'huile et du vin. Parallèlement, son mari, avec cheval et charrette, cheminait de ferme en hameau pour apporter à domicile les menus produits d'épicerie, de mercerie et du reste, par tous les temps. Pierre s'usa à ces randonnées, et « partit de la poitrine » quelques années plus tard. Sa femme déclina lentement de la même maladie alors à peu près incurable et continua à tenir son épicerie le plus longtemps possible, pour élever ses deux garçons, avec l'assistance intermittente d'une de ses plus jeunes sœurs, puis l'aide dévouée et intelligente d'une solide fille du pays, Honorine — dont nous héritâmes un moment pour aider ma mère parfois surchargée et qui s'occupait en outre des deux jeunes orphelins, et de leur patrimoine non insignifiant, mon père ayant été désigné fermement comme tuteur, simple hommage à sa sûreté, sa fidélité et son dévouement profond aux enfants d'une des préférées parmi ses six sœurs.

21

Ses obsèques et la liquidation de ses biens, une vente aux enchères — je n'avais jamais vu cette odieuse dispersion de ce qui restait de deux vies — ont vivement frappé l'enfant que j'étais encore. Ce fut la première fois aussi que j'eus la vision de la dimension exceptionnelle de cette famille Goubert. De la vallée et des coteaux, des franges du Poitou et de la Touraine proches, ils se trouvaient au moins cinquante, venus en carriole, par le train « de l'État » (une ligne s'arrêtait à Vivy), à bicyclette pour quelques-uns, à pied pour les plus proches, deux sœurs et leur progéniture (sept enfants). Tout ce monde, de tous âges, frères et sœurs, oncles et tantes, neveux, cousins, se reconnaissait et s'embrassait, en attendant de parler plus tard pour échanger des nouvelles. Tous avaient revêtu, outre les noirs insignes de deuil, les vêtements les plus sombres et les plus solennels, souvent fort anciens : les hommes avaient ressorti leur costume de noce, pas trop moisi, avec de très hauts cols en celluloïd qui leur écorchaient cou et menton, et un solennel chapeau noir. Les cérémonies terminées — ce fut la première fois que je vis secouer de l'eau bénite au-dessus d'un cercueil —, il fallut bien s'occuper de ceux qui s'étaient déplacés, souvent de loin. Mon père avait prévu l'indispensable. Après de longs palabres sur la place de l'église, chacun se rendit au vaste café-restaurant-auberge qui se trouvait, comme partout, en cet emplacement central. On y trouva des pains de six livres, des pots de rillettes, du pâté, de gros rillons, très peu de fromage — le Saumurois, contrairement au Poitou, en produisait et en consommait peu — ; puis apparurent de grands plats de langue de bœuf, du « bouilli », de vieilles poules bouillies elles aussi, et sans doute du lapin. D'abord hésitants et presque silencieux, les assistants, Goubert ou non, se rapprochèrent, commencèrent à s'asseoir sur les bancs ou les tabourets, sortirent leur couteau de leur poche, s'emparèrent progressivement

22

des bouteilles de vin — d'autre boisson, pas question, sauf de l'eau pour les enfants — qu'on allait remplir à la barrique à mesure qu'elles s'épuisaient, de plus en plus vite. Au bout d'une heure, les conversations montèrent, et, des souvenirs de famille ou de guerre, on passa à des sujets plus réconfortants.

Longtemps avant la fin de ce banquet de funérailles, j'avais regagné, à pied, profondément choqué, la petite gare de Vivy, où j'attendis, vite rejoint par ma mère inquiète, l'omnibus de Saumur.

Il restait à mes parents à s'occuper de leurs deux neveux, l'un ouvrier maréchal-ferrant, l'autre jeune apprenti, qui vint loger chez nous, Grand'Rue, dans une chambre du premier étage. Je me suis toujours bien entendu avec celui-ci, Marcel, qui n'avait que cinq ans de plus que moi : un garçon simple, assez sentimental, d'une intelligence évidente mais non cultivée, fort physiquement et faible de caractère. L'aîné était d'une autre trempe, surtout beaucoup plus vif.

Des rassemblements familiaux de caractère assez comparable, il y en eut pas mal d'autres, et de plus gais. Beaucoup eurent pour cadre Le Coudray-Macouard, joli village un peu perché, avec l'église et un château au vaste parc au sommet, une quarantaine de fermes non misérables tournant le dos à des ruelles concentriques, un extraordinaire sous-sol tout percé de carrières, larges, hautes, longues, interrompues par des éboulis, et tout à l'entour un riche terroir : une plaine à blé, maïs (pour le bétail), topinambours, betteraves et choux *(idem)*, de beaux prés et des luzernières cachant champignons et cailles, et pas mal de quartiers de vigne de divers cépages : blanc (le fameux chenin), rouges (de vulgaires grollots, auxerrois ou othellos — orthographe non garantie — et le non moins fameux « breton », un cabernet franc qui, bien soigné, produisait ce qu'on appelait le « sang de piron », une sorte de Champigny). En ce village où je passais assez souvent des vacances brèves, assez heureuses et toujours pittoresques, gîtaient deux de mes oncles et tantes, dont trois enfants sur cinq étaient partis depuis longtemps en région parisienne. L'aîné, un homme sec et morose, avait été huilier, (son moulin à huile de noix existe toujours et resservit même durant l'Occupation) ; son épouse, Aline, était aussi sévère et par surcroît confite en dévotion. Quant à l'autre oncle, il se nommait Victor, et va mériter un large chapitre. Ce fut autour de lui que se rassemblèrent les plus joyeuses festivités. Pour le mariage de sa fille unique, nous nous trouvions plus de soixante, festoyant tout l'après-midi et la soirée — et chantant entre les plats — dans le frais décor d'une carrière élargie au milieu de grottes recreusées et réunies. Également, pour divers « enterrements » de la vieille année, à la Saint-Sylvestre, (comme faisait jadis sa mère) au moins une trentaine, moins gais peut-être. Et puis, plus tard, lors d'un extraordinaire pique-nique un peu improvisé, au bord du Thouet, près d'un moulin (de la Motte) et d'une cave bien garnie, on finit par danser dans le pré et même sur la petite route (à l'aide d'un vieux phono qu'on remontait à la manivelle), rejoints par des passants réjouis, abandonnant leur voiture. Mais ce bal, l'un de mes derniers grands souvenirs du Coudray, se place en effet bien plus tard que tout ce qui précède, puisque nos enfants, déjà grands, étaient présents. Et Victor, octogénaire, était parti vers un autre monde, nous laissant sa petite-fille, décidée et vive comme lui.

CHAPITRE II

Parents

Tous deux étaient nés à la fin d'août, à trois ans d'écart, dans des hameaux de deux forts villages : Méon, près Noyant, au nord de la Loire, Munet près Distré, au sud, à deux pas de Saumur. Tous deux d'origine modeste : des lignées de petits paysans propriétaires ou locataires d'une maison de deux pièces avec jardin jointif, un lopin ou deux, quelques ceps, une vache, une truie, une ou deux brebis, et la volaille. Mais essentiellement manouvriers, domestiques, couturières à façon. Ce n'était pas la misère, mais une fréquente gêne tempérée par des économies rigoureuses, la nourriture et même le vêtement et le linge produits dans le foyer ou dans son voisinage.

Les Roulleau, dont j'ai pu par hasard remonter la probable origine, venaient de la région de Gennes et Cunault, en aval de Saumur, mais rive gauche : presque le Midi... Ils se sont succédé depuis le milieu du XVIIe siècle avec les mêmes prénoms de Jean, Marie, Anne-Marie, Émile, et ont mis près de trois siècles pour entrer dans Saumur : « *ten miles, three centuries* », expliquai-je plus tard à mes étudiants de Princeton, qui s'étouffaient de rire. Assez curieusement, ce furent des familles réduites, deux ou trois enfants. Ma mère n'eut qu'un seul frère, né en 1870, peu après le mariage de ses parents. Sa mère l'adorait et lui passait tout ; à sa sœur, absolument rien. Anne-Marie, dite Marie, ma mère, naquit, sans doute par hasard, sept ans après Jean, dit Émile. Elle ne garda pas un bon souvenir de sa propre mère, dure avec son père, très tôt à demi aveugle, plus encore avec sa fille. Ce père était ouvrier agricole, et la mère couturière à façon (en se déplaçant), comme sera plus tard ma propre mère. Ce ménage, dont j'ai peu entendu parler — et sans sympathie —, envoya tout de même ses deux enfants à l'école. Ma mère au moins conquit son certificat d'études primaires, en 1889, manquant d'un demi-point d'être reçue la première du canton. Elle fit encadrer le diplôme (moi aussi). Je n'ai compris que plus tard combien elle était intelligente et jusqu'où elle aurait pu aller. Immédiatement, sa mère, négligeant les scrupules du père, envoya « en place » cette belle enfant de douze ans aux longs cheveux noirs bouclés et aux yeux tristes (il a existé une photographie). Elle tomba chez un capitaine de cavalerie, à Saumur, dont la femme se montra exigeante, acariâtre et franchement méchante : elle lui faisait manger des restes et des croûtons sur un tabouret, près de la cheminée de la cuisine. Elle fut renvoyée... On dut la placer à nouveau, avant de la confier à une « maîtresse de couture » pour qu'elle devienne, comme sa propre mère, couturière itinérante. Ce fut chez une de ses « pratiques » — de bien braves gens dont j'ai connu les enfants, détenteurs d'une grosse ferme accrue d'un café, à Bagneux en face de la « pierre couverte » (le grand dolmen) — qu'elle rencontra mon père, domestique à demeure dans la même ferme, tous deux fort estimés puisque les Chumeau organisèrent l'essentiel de la noce. Y assistèrent près de cent personnes, qu'il fallut photographier en deux groupes distincts. Sa vraie famille, puisqu'elle n'aimait pas sa mère et que son père disparut trop tôt, elle la trouva dans la galaxie Goubert, dont elle estima très tôt qu'elle faisait partie, et

26

n'était en rien une « rapportée », ce qui évidemment était faux.

J'ai connu quelques Roulleau apparentés, mais de loin, qui logeaient entre le côteau de Cunault, la tour de Trèves (l'un en fut concierge) et un café de Saint-Florent ; plus un quasi-bourgeois, voyageur de commerce qui garait sa voiture dans la « remise » de mes parents, Grand'Rue.

Les Goubert, on le sait, avaient voyagé plus que les Roulleau, puisqu'on est sûr qu'ils venaient des beaux vignobles d'entre Angers et Brissac, et probablement de Normandie en des temps plus anciens (ce patronyme, répandu à plusieurs centaines d'exemplaires, est fixé, de nos jours, en Normandie pour une énorme majorité). L'un de mes collègues historiens, byzantinologue, le père Paul Goubert s.j. rencontré à Rome en 1955, voulait absolument que nous soyions cousins : chacun nous trouvait de fortes ressemblances... mais sa famille était tout entière de Gigondas ! Après un voyage dans ce beau vignoble, et dans un domaine qui porte notre nom, j'ai rencontré naguère un couple âgé, qui m'assura qu'ils étaient venus... d'Anjou pendant la Révolution, parce qu'ils étaient « blancs » et le reste de la famille « bleu ». Ils en possédaient même la preuve, m'assurèrent-ils, grâce à de vieux papiers... qu'ils ne cherchèrent pas, car ils se trouvaient en pleine vendange. Les choses en restèrent là. L'histoire est belle, mais pourquoi poursuivre ?

Mon père était l'aîné des garçons et compta huit frères et sœurs, nés entre 1872 et 1899, tous mariés, tous reproducteurs (sauf la dernière), mais plus modérément que leurs parents : cinq enfants au plus (mais une des nièces en fabriqua dix). Mon père était et fut toujours solide, doux et travailleur ; sa mère et plus tard tels de ses frères et sœurs se reposaient sur lui. Tout petit garçon, il alla à l'école durant quatre ans, de 1880 à 1884. Il « faisait sa rentrée » à la Toussaint, et sortait à Pâques, régulièrement premier de la classe, m'a-t-on assuré (de fait, il lut et écrivit toujours fort bien). Le reste de l'année, on le plaçait comme petit berger d'appoint : il gardait comme il pouvait les vaches d'un gros fermier dans les landes et les mauvais prés de Linières-Bouton ; un jour, il s'endormit, et ses vaches partirent errer ; on le retrouva pleurant... À partir de dix ans — il avait déjà quatre frères et sœurs, en attendant la suite —, on le « mit en place » à l'année. De cette époque, sans doute triste pour un être à la fois tendre et courageux, il ne parlait jamais. Il dut y apprendre, par l'exemple, les rudesses et les finesses des pratiques agricoles, viticoles et surtout horticoles où il deviendra maître. Du service militaire — un an seulement comme aîné de six, donc « soutien de famille » —, il ne parlait jamais non plus. Même de la « guerre de quatorze », il ne parlait avec ses frères, beaux-frères et neveux aînés qu'à la fin des repas de famille, après l'évocation, bien moins pénible, de divers exploits ou aventures cynégétiques. Il avait plus de quarante ans lorsque, en avril 1915, on l'expédia vers le front où il servit principalement comme agent de liaison cycliste, avec la rapidité et la souplesse nécessaires pour plonger au bon moment dans les fossés en sauvant les « plis » qu'il portait ; un moment aussi comme « cuistot », spécialité où il excellait autant qu'à la bicyclette, mais moins qu'au jardinage et à la chasse où il était fameux à la fois comme tireur et comme dresseur de chiens.

De cette longue guerre il ne revint que fort tard, en janvier 1919 — ma mère n'avait aucune nouvelle depuis des semaines et des semaines. Il avait fait un peu d'« occupation », ce qui lui procura enfin de vrais lits, avec des édredons rouges, et se perdit dans le désordre ferroviaire quand il fut enfin démobilisé, à près de quarante-cinq ans.

Il pensait retrouver son activité d'avant-guerre : il avait été de longues années livreur, avec cheval et voiture pour

le compte de la maison Griffon et Girard, énorme entre-
pôt de vaisselle, verrerie, poteries en tous genres, qui
approvisionnait dans un large cercle l'ensemble du Saumurois du Sud, avec une frange de Touraine et de Poitou. Mon père livrait et prenait des commandes au pas
léger (ne rien casser !) de Brillante, sa familière jument
blanche qui stoppait toujours devant l'épicerie maternelle, attendant sa « pierre de sucre ». Las ! la guerre
finie, Brillante avait disparu et les camions commençaient à remplacer les voitures de livraison. Mon père
dut chercher autre chose.

Il trouva Victor Boret. C'était à la fois un homme dur,
un ancien ministre de l'Agriculture, du cabinet Clemen-
ceau, et le patron d'une grande entreprise spécialisée
dans la production et l'exploitation des porte-graines, la
sélection, la conservation et la vente des graines (de toutes sortes), souvent fort loin. Mon père tenait dans cette
grosse maison installée « sur les ponts » (ce qui signifie,
à Saumur, sur l'île entre les deux ponts) deux emplois
nettement saisonniers. L'hiver, il était « au pesage »,
emplissant, coltinant, pesant, livrant des sacs de graines
qui pesaient de cinquante à cent kilogrammes. Dès le
début du printemps, on l'expédiait, avec quelques autres,
à la « Blanchisserie ». Il s'agissait d'un lieu-dit à la signification claire, où Boret avait créé, entre les contreforts de
la levée aval et les derniers puissants « manèges » de
l'école de cavalerie, un jardin qui, enfant, me paraissait
immense. On y cultivait vingt sortes d'arbres ou d'arbustes fruitiers, de fleurs et de bien d'autres plantes encore.
Je devais avoir une douzaine d'années quand je découvris
avec stupeur qu'on laissait faner les fleurs en attendant
que leurs graines puissent être recueillies et que les
melons n'étaient cultivés et longuement laissés mûrir que
dans le dessein d'en ramasser soigneusement les pépins,
une fois le fruit coupé en deux. Ces moitiés allaient au
fumier. Bien sûr, les ouvriers pouvaient se servir. Presque

chaque jour, mon père rapportait dans un sac de toile rêche quelques moitiés de melons bien choisis. Nous étions donc condamnés à la dégustation de nombreux demi-melons, souvent en guise de dessert, après avoir éliminé les moins bons, dénommés « citrouilles », destinés aux poules qui s'en lassaient vite (moi aussi). On sait que gît là l'une des tares du jardinage, même de qualité : tous les produits mûrissent en même temps, et on se voyait contraint, à une époque qui ignorait toute réfrigération domestique, de les consommer, de les donner, de les faire cuire ou de les jeter, avec un sentiment de gaspillage coupable.

Matin et soir, quand les journées étaient longues, donc avant ou après Boret, et bien entendu le dimanche, mon père se consacrait avec autant de courage que d'amour à ses jardins. Il en existait plusieurs : les quatre « maisonniers » et « le champ », découpé sur le coteau parmi les vignobles.

Immédiatement derrière la maison commençait la pente assez abrupte qui permettait d'atteindre « le fort » (le château). Quatre murs de soutènement dégageaient quatre terrasses. La plus basse, toujours à l'ombre, était difficile à mettre en valeur. Après quelques essais de haricots montants, mon père y sema un peu de luzerne (pour les lapins), puis y installa quelques pieds de « passeroses », ces roses-trémières qu'il aimait beaucoup. Il en mit aussi à l'entrée de la deuxième terrasse presque entièrement consacrée aux fleurs, sauf une petite planche pour l'oseille et les fines herbes ; le reste n'était que roses, très simples, au parfum à la fois naturel et prenant. Le troisième étage, au niveau des toits, le plus vaste, portait à la fois le poulailler — sept poules — les clapiers (une bonne douzaine de lapins, bien soignés), toujours des fleurs et des arbustes à fleurs — lilas, seringa —, une « bouillée » de lis, du romarin, des zinnias, des reines-marguerites et pieds d'alouette saisonniers, un vieil abricotier, plusieurs pêchers de tous âges et les deux poiriers Williams objets des soins les plus attentifs, et encore des pieds de rhubarbe, des cassis et des groseilliers, « castilles » rouges et blanches. Bien alignées au milieu de toute cette végétation, des planches permettaient de fournir pour la maison les carottes, les petits navets bien ronds, les petits pois « de primeur », des poireaux (la « porrée » angevine), des oignons, de l'ail, beaucoup d'échalote, cinq ou six variétés de fines herbes et de salades, quelques choux de qualité. Dans un coin, près d'une gouttière, une grosse cuve essayait de recueillir l'eau du ciel, car on pense bien que le gros problème de ces jardins aussi suspendus qu'à Babylone (mais nul ne le savait), c'était l'arrosage. Il fallait aller chercher l'eau à la pompe de la Grand'Rue, et monter deux grands seaux de métal sur près de cent marches, sans trop en renverser sur ses pieds ou dans les escaliers, et plusieurs fois par soirée, par temps sec. Il y avait aussi un quatrième étage, souvent abandonné à l'herbe (à lapins), parfois garni de pommes de terre, mais l'accès en était difficile à cause de marches brisées ou branlantes, et alors on laissait le grand laurier (sauce) et la menthe s'y étendre à leur aise. De là-haut, on dominait toute la ville, le cours de la Loire et son confluent avec le Thouet (le « bouche-Thouet »), une bonne partie de la vallée si finement cultivée ; et les bois à bruyères et girolles — alors surabondantes — au-delà de la route de Rouen.

Sis à plus de deux kilomètres, après la rude montée du château — d'où l'usage de brouettes et au moins de bicyclettes —, l'autre jardin était en réalité un champ à demi clos, bien aménagé. C'était le domaine des haricots, « pois » de toutes couleurs et formes, des pommes de terre et surtout des asperges, un très long rang que mon père avait créé et qui était son orgueil (avec les petits pois « primes » et les Williams). Les récoltes (la cueillette était ma spécialité, délicate) étaient abondan-

31

tes, de qualité, faciles à vendre pour la partie que nous ne consommions pas.

Ma mère étant retenue en permanence à son épicerie, même le dimanche, j'accompagnais mon père et je l'aidais dans la mesure de mes moyens, surtout pendant les ennuyeuses vacances d'été (bibliothèque municipale fermée en août). Si la cueillette des fruits, des petits pois (avec des ciseaux) et des asperges (avec un instrument spécial) ne me demandait aucune peine et me procurait quelque plaisir, je trouvais la corvée d'eau bien pénible l'été et bien éprouvante pour le dos (comme la vendange) le ramassage des pommes de terre, généralement dans la boue, dans la foulée de mon père, régulier et infatigable. Et puis je savais bien que le battage des haricots secs, l'éboutage des haricots verts, l'écossage des petits pois et l'épluchage des « patates » (attention ! des pelures bien minces !) m'étaient destinés.

Visiblement, mon père aurait désiré que je prenne de lui le goût du jardinage, voire du greffage (délicate technique) et du travail intelligent de la terre. Hélas ! j'aimais surtout le regarder faire, tout en admirant, et dégustant ou respirant les résultats. Quand je l'accompagnais, dès ma dixième année, j'emportais un livre dans ma ceinture. Il fallut bien qu'il se résigne à ce que je ne lui succède pas, mais ce que je devins le rendit quand même assez fier, bien qu'il soit mort beaucoup trop tôt, durant le terrible hiver de 1940, terrassé par une pneumonie double. Il ne connut même pas ses petits-enfants, pour qui il aurait été un grand-père inégalable.

Ma mère était ce qu'on peut appeler une maîtresse femme, qui s'accommodait bien du calme, de l'énergie tranquille et de la bonté délicate de mon père. Elle supportait mal mes caprices, mes désobéissances, mes colères parfois absurdes, et le fait que je m'évade souvent dans les livres ou vers les gens qui aimaient les livres. Elle souffrait assez mal que je ne me tienne pas constamment à sa disposition, pour aller chercher de l'eau à la pompe, du vin à la cave (pour les clients), moudre une livre de café à l'énorme moulin vissé sur son comptoir, ou cueillir de l'oseille au jardin (mais tu as oublié le persil, ou l'ail). Un jour, peu patient, je lui répliquai d'y aller elle-même ; or elle avait de fort mauvaises jambes, abîmées par le piétinement incessant de sa boutique à sa cuisine. Je reçus bien sûr la gifle attendue et méritée —, mais pas la seconde — j'avais fui. Ces petites mais parfois bruyantes querelles (car « je répondais » !) entre deux tempéraments assez voisins n'empêchaient pas que nous veillions ensemble, sous la lueur douce de la lampe à pétrole, elle cousant, moi étant censé apprendre des leçons (mais lisant en fait Balzac ou Zola). Elle tâchait aussi de suivre le travail que j'accomplissais ; bien plus tard, elle me stupéfia quand je l'entendis raconter à une voisine ce qu'étaient le professorat, les certificats de licence et l'agrégation. Elle était plutôt fière de ce fils insupportable qui par malheur s'intéressait à la politique (de gauche !) sous l'influence de son ami Marcel Baufrère, futur trotskiste, qu'elle aimait pourtant bien, mais avec réserves. Et puis ce fils avait des cheveux frisés (elle méprisait les cheveux plats !) et était toujours premier en classe, ce qui était faux pour l'école primaire, qui prenait en compte l'écriture et la conduite, où ce fils n'excellait pas.

On trouvait de tout dans sa vaste épicerie : des fûts de pétrole pour les lampes, des pommes de pin pour allumer les feux, du gros sel dans un casier, du café et du fromage à moudre, du fil, des aiguilles et des boutons, tous les aliments imaginables (mais non exotiques) et souvent les produits des jardins, vite enlevés. Les débouchés majeurs étaient le lait frais, trente litres venus de la ferme chaque matin, les bonbons à deux sous le cornet (l'épicerie était sur le chemin de l'école) et surtout l'excellent vin rouge que mon père se faisait livrer par des camarades de guerre, l'un près de Bourgueil, l'autre à Champigny, vin que la Grand'Rue appréciait vivement, avant de se rabattre sur le vin « de marchand », un coupage. Mon père mettait soigneusement de côté quelques bouteilles des bonnes années, pour les faire longtemps vieillir, si elles le méritaient. C'est ainsi que nous pûmes boire en 1935, du « 93 » (ou 94 ?) dont une bouteille sur trois aurait mérité un nombre impressionnant d'étoiles, si l'usage en avait été répandu.

« La boutique », ainsi ma mère nommait-elle son épicerie, c'était un esclavage : toujours présente, et justement aux moments critiques du déjeuner et du dîner : midi-sept heures invariablement, surtout pour mon père qui avait un horaire de travail strict. Il en résultait des casseroles de lait qui débordaient et des aliments qui brûlaient. Aussi, à midi, mon père, excellent cuisinier, prenait-il le repas en main : il pouvait repartir à l'heure, moi aussi, puisque l'école recommençait à une heure. Ma mère mangeait à la sauvette.

Juste compensation pour les moments de presse et d'énervement, ma mère disposait des milieux d'après-midi, surtout le dimanche. Installée sur un vieux fauteuil entouré de deux ou trois tabourets, elle « recevait » voisines et amies, qui échangeaient des boutures de fuchsia ou de géranium, prenaient parfois une petite prise (de tabac : le rite survivait) et surtout donnaient des nouvelles de tout le voisinage : une telle était enceinte, telle autre avait été rossée par son mari, tel couple était rentré « fin saoul » la veille au soir, et deux petits d'à côté semblaient prêts à « se causer » ; la guerre, la terrible guerre dont presque toutes avaient souffert dans leur parenté ou leurs amitiés venait invariablement assombrir ces colloques d'après-midi.

Et pourtant elle allait en connaître une autre et souffrit

de me voir partir, comme tant de neveux, bien qu'un nouveau concours et une solide préparation aient fait de moi... un instructeur militaire en météorologie, section sondages (en altitude), spécialité considérée sans danger, bien à tort, les « météos » opérant près des batteries d'artillerie et des camps d'aviation. J'eus la chance d'en revenir, puisque l'état-major météo avait migré très tôt vers les Pyrénées.

Mais elle souffrit comme moi, de savoir tant et tant de mes camarades prisonniers, sans compter un oncle et plusieurs cousins. Et ce fut elle qui connut la guerre, avec le bombardement de Saumur et la bataille acharnée et hélas ! inutile pour défendre les ponts sur la Loire. Elle passa plusieurs jours, avec sa belle et fidèle chienne, dans une de ces immenses caves de la Grand'Rue où aurait pu tenir un village entier, avec ses chevaux et ses charrettes. Mon père, fatigué de trop de travail, déçu de ne m'avoir plus près de lui puisque le sort m'avait transporté à Saint-Cloud, puis à Périgueux, très frappé par cette nouvelle guerre, était mort, victime de l'hiver 40. Par surcroît, le hasard administratif m'expédia à Beauvais, pour elle, le bout du monde. Il n'existait plus aucune facilité et elle n'avait plus aucun goût pour s'occuper de l'épicerie. Elle vendit, occupa un logement vide au deuxième étage (je pus venir la déménager, seul). Elle avait perdu beaucoup d'amis et quasiment son fils, après son mari. Elle avait maigri de vingt kilogrammes, et ne bavardait plus avec ses voisines. La naissance de Jean-Pierre, en 1942, puis celle d'Annie en 1947, la remplit de joie et lui donna une nouvelle raison de vivre et d'être utile. Elle passait les hivers à Beauvais, racontait des histoires aux enfants, préparait une partie des repas, se trouvait de nouveaux amis, et suivait avec curiosité le long parcours universitaire dans lequel je m'étais jeté. Sa fin eut la tristesse des vies trop longues ; ses obsèques eurent lieu à Saint-Pierre de Saumur, la vieille église familiale, comme pour mon père et tant de voisins et d'amis. Je pense que cette femme de tête, énergique et assez autoritaire jusqu'à son veuvage qui la déchira, laisse dans l'esprit de ceux qui l'ont bien connue à Beauvais comme à Saumur, le souvenir d'une vieille dame accueillante, ouverte, le plus souvent sensible et chaleureuse.

CHAPITRE III

Victor

Deux ou trois fois l'an, Victor se battait avec Baptiste. Baptiste était un grand, large et solide mulet américain, acheté dans le vaste dépôt yankee de Saumur en 1919 ; il demeurait d'ailleurs fermement marqué aux initiales de son pays d'origine. D'une force qu'on eût dite herculéenne si Hercule avait eu quatre pattes, il était le seul du village à pouvoir tirer la « chaudière » (machine à vapeur) et la batteuse (à blé) qui fonctionnaient de ferme en ferme chaque mois d'août, avec le concours réciproque de tous les cultivateurs ou de leurs valets. Mais Baptiste, qui tirait aussi fort bien des sillons bien droits, avait parfois des humeurs et des caprices que la voix pourtant familière de son maître ne parvenait pas toujours à apaiser. Son maître, c'était Victor, frère cadet de mon père — des frères très liés, bien que dissemblables, alors Victor, lui aussi grand, large, fort et têtu, décidait une séance de dressage. Écurie, bergerie, porcherie, portail, maison, il faisait tout clore et mettre de solides contrevents devant les deux fenêtres. Il faisait rentrer les « fumelles » (style saumurois, pas très péjoratif) et « Pierru » (ainsi me nommait-il) quand je me trouvais là. Il empoignait alors une solide trique, faisait sortir Baptiste, l'insultait et commençait à le battre vigoureusement, mais à des endroits pas trop sensibles. Baptiste se défendait à coups de sabots et parfois de dents ; des ruades frappaient parfois les murs ou les portes : l'une d'elles en resta même légèrement fendue. Les femmes tremblaient, pleuraient parfois ; je craignais surtout que les adversaires ne se blessent trop rudement dans leurs échanges de coups. De fait, après un bon quart d'heure, le calme revenu, Baptiste soumis et redevenu sage, Victor, en nage, réapparaissait souvent avec quelques écorchures et surtout des « bleus » qui passaient à l'orange ou au brun, au bras ou à la jambe ; un peu de teinture d'iode, un peu d'embrocation (un remède de cheval, justement), un bon verre de « breton » (le meilleur des rouges, un cabernet franc dont les plants étaient venus par la Loire, donc par la Bretagne), et il déclarait habituellement : « Me voilà tranquille pour trois bons mois. » Sa femme et sa fille aussi.

Sa femme, d'ailleurs, était celle d'un de ses anciens patrons, un « gars de la Vienne » à qui il l'avait enlevée, et ma cousine Marcelle portait le nom de Goubert illégalement... Ce fut à son mariage, vers 1926, qu'on s'aperçut avec quelque surprise — et tout spécialement son témoin, un très vieil oncle à peu près sourd — qu'elle portait le nom du premier mari de sa mère. Après quelques années et des épisodes surprenants, elle finit même par retrouver ses demi-frères, que Victor accueillit avec une magnanimité malicieuse.

Il avait été l'enfant terrible, le troisième, de parents qui avaient une haute idée de leurs devoirs et de leur autorité. Désobéissant, coléreux, chapardeur, violent, il était tout le contraire de son frère aîné, mon père, être doux et sensible que sa mère, m'a-t-on dit, préférait. Victor se battait, grimpait aux arbres, dénichait les oiseaux, abandonnait dans leur pré les vaches du voisin qu'il avait mission de garder, pour semble-t-il, aller visiter les bergères. Il fut mis de temps en temps au pain et à l'eau, trois jours étant la dose usuelle. Excédés, ses parents l'enfer-

38

mèrent un soir dans la soue à cochons. Le lendemain, il n'y était plus : de ses mains, il avait écarté la paille, arraché les vieux carreaux disjoints, puis le bas de porte et était parti se cacher. Épisode forcément vrai, plusieurs de ses sœurs me l'ayant raconté.

En 1896, il dut faire son service militaire : un an seulement puisqu'il se trouvait, comme mon père deux ans plus tôt, « soutien de famille » parce que aîné de six. Autant Pierre-Auguste fut paisible, autant Victor sut se distinguer. Doué physiquement pour toutes sortes d'activités, il avait entrepris de se mettre à l'escrime. On s'aperçut vite de ses aptitudes, on le fit s'entraîner, et il gagna le diplôme de maître d'armes, fièrement encadré, avec sa photographie au milieu — un bel athlète, au regard décidé —, toujours accroché à un mur de sa ferme dans les années trente, avec une paire de fleurets un peu rouillés. Après un tel exploit, on lui donna « du galon » (?), et surtout on lui offrit de continuer en le destinant au bataillon de Joinville, alors fameux. Victor aimait l'escrime, mais pas l'armée. Il le dit crûment et récolta un mois de prison, où il put rugir à son aise. Libéré à la fin du siècle, il reprit son travail d'ouvrier agricole ou de domestique de ferme, aussi apte au labour qu'à la moisson (à la faux), aux exercices de force qu'aux travaux délicats du jardin et surtout de la vigne.

Ce qu'il fit de 1900 à 1925, je ne sais. Mobilisé dans la cavalerie, il échappa à tout. En temps de paix, son caractère difficile et ses exploits amoureux lui valurent de changer assez souvent de maître... et de maîtresse : je le connus établi dans une exploitation non médiocre de polyculture : une partie lui appartenait, il en louait d'autres, y compris quelques lopins dont ma mère (née tout près) avait hérité d'un certain tonton Baranger qu'elle avait soigné pendant ses vieux jours. Victor m'avait pris en amitié, sans doute parce qu'il n'avait pas de fils, et aussi que j'étais un auditeur attentif et un questionneur infatigable : la Grand'Rue, malgré les jardins de mon père, ne m'avait pas appris grand'chose de la terre. Je sus comment on fanait, ce qu'étaient le regain et les prés communaux, comment on moissonnait à la faucille (le seigle, à peine mûr) et à la faux, comment on bottelait, comment on mettait en javelles, comment on nouait les gerbes (à la paille de seigle), comment on les soulevait à la fourche pour les déposer dans la « charte » (la grosse charrette), puis les disposer en gerbier en attendant les « paillers », après les batteries, cérémonial épuisant où mon père était réquisitionné pour monter, seul, les lourds sacs de grains au grenier, seul endroit d'une propreté impeccable dans la maison. Pour mon compte, je portais les bouteilles aux travailleurs par paniers de quatre, avec un litre de « demi-vin » pour qui en désirait (beaucoup). L'automne survenant (les classes commençaient alors le 1er octobre), je suivais Baptiste, Victor et la charrue de sillon en sillon, étonné du nombre de vermisseaux découverts et de la quantité de moineaux qui venaient les picorer. Puis venaient les vendanges, trop tardives souvent pour que j'y participe en « coupeur » aux reins vite douloureux ; on me déléguait alors au ravitaillement liquide et au remplissage des hottes — des vraies, en vannerie. Mon éducation vinicole devait venir plus tard, car elle consistait uniquement en exercices pratiques.

Ma tante Louise, bonne et peu bavarde sous son éternel petit bonnet poitevin, m'avait montré, avec moins de succès, ce qui était son domaine : le jardin potager (Victor consentait à le bêcher) riche de légumes vigoureux, bien engraissés par... les déchets domestiques ; la porcherie et l'étable, inégalement puantes, pas assez souvent « curées », où mes galoches de citadin (je n'ai jamais pu supporter les sabots) s'enfonçaient, glissaient, se coloraient et se parfumaient. Heureusement, le poulailler et la bergerie étaient moins éprouvants, et je plongeais avec plaisir les mains dans la laine des « ouailles », l'une blanche et l'autre noire. Ma tante Louise profita du hasard pour me donner ma première initiation aux choses de la reproduction. Une portée de petits cochons était née, pas moins de douze, une aubaine. Elle se pencha sur eux, les examina et déclara qu'il y avait un bon compte : six gorins et six gorines. Je devais avoir sept ans et je lui demandai tout bonnement comment elle savait cela. Après un moment d'hésitation, elle souleva les petites choses par la queue et me déclara : « Les mâles ont le derrière fait comme ceci, et les femelles comme cela. » Un monde s'ouvrait... Les gens de la campagne, du moins la plupart de ceux que j'ai bien connus, ont avec les choses de la reproduction des relations simples et souvent saines ; pour les humains, ils étaient à ce moment-là, vers 1925, bien plus discrets, sauf quelques histoires assez rabelaisiennes qu'il m'arrivait de saisir.

Victor, qui avait son style d'éducation, qui n'était pas celui de ma mère, entreprit, plus tard, de me montrer comment on assommait et saignait un veau, comment une vache était saillie (pas gratuitement, ce qui me surprit) et comment elle vêlait. Une initiation qui en valait bien d'autres.

Il fit plus. Me voyant m'ennuyer quelque peu, et relire sans arrêt l'almanach Hachette et le petit Larousse illustré avec ses pages roses — qui m'instruisait beaucoup, notamment en mythologie —, il m'emmena chez le boulanger « du haut », où il mettait rarement les pieds (rôle des femmes), sauf pour négocier son blé contre la fourniture du pain. Le boulanger du haut (il y en avait un autre) avait une spécialité inattendue : il détenait une bibliothèque considérable, du moins pour moi (j'avais neuf ou dix ans) qui lui était venue par héritage et qu'il lisait assidûment la nuit, près de son four. Dans ce trésor joliment relié et rangé, se trouvaient par dizaines des

41

œuvres de Victor Hugo, de Balzac, de Zola et surtout d'Alexandre Dumas. Après avoir essayé *Eugénie Grandet,* ma compatriote de la Grand'Rue, j'en saisis mal alors l'intérêt et je fondis sur Alexandre Dumas, dont je connaissais déjà les *Trois Mousquetaires* et *Vingt ans après* offerts par une de mes tantes Marie parisiennes. Je saisis donc la suite, *Le Vicomte de Bragelonne* (trois volumes) avant d'attaquer *La Comtesse de Charny* — 6 volumes — puis de fondre sur *Joseph Balsamo* et *Le Collier de la reine,* pour découvrir enfin la saga du XVIᵉ siècle, *Reine Margot* incluse. Je lisais au coin de la cheminée, sous la lampe à pétrole, dans les champs où ma cousine, gardant les deux vaches, se voyait contrainte de « rhabiller ses chausses » (raccommoder ses bas noirs, de laine, tricotés à la maison) sans que je réponde à ses questions. Un peu surpris, Victor me calma en m'emmenant à pied ou en carriole avec Baptiste pour jeter un coup d'œil (sans livre, s'il te plaît) sur ses champs et surtout ses vignes, qu'il surveillait et soignait avec une sorte d'amour. Il devait y en avoir cinq ou six, bien réparties sur le terroir, désignées chacune par le nom du lieu-dit (En Cailletaux, Les Plantes, En Poitou...) et de divers cépages, rouges vulgaires (grolot, auxerrois) ou noble (le beurton, cabernet franc) et l'ineffable blanc, un chenin. Je sus, puis j'oubliai le détail des façons, de la taille, si délicate, du sulfatage et soufrage (à dos d'homme), à l'épamprage et au choix réfléchi de la date de vendange. Un peu plus tard, vers ma quinzième année, Victor entreprit mon éducation œnologique (mot inconnu de nous) avec exercices pratiques progressifs, qui avaient pour cadre sa cave, profondément enfoncée dans le tuffeau, très fraîche, à température constante. Les barriques s'alignaient — une douzaine — et le vin en bouteilles ou en fillettes vieillissait tranquillement, vers le fond. Armé d'un verre et d'une pipette, il convenait de déguster progressivement quelques centimètres cubes d'abord, longuement promenés dans la bouche, puis recrachés, tout au moins au début. Fort sérieuse, cette analyse progressive, coupée de peu de mots, s'achevait naturellement par une fillette bien poussiéreuse, prestement débouchée (on usait d'un autre mot, plus cru) et versée lentement. L'objectif était de m'enseigner les différentes caractéristiques, l'âge des crus et leur provenance précise. Au bout de deux ou trois ans, je ne me trompais plus, au moins sur le vin de Victor. Pour lui d'ailleurs, il ne pouvait être question que de vin du Saumurois, en annexant fort justement les bourgueil ; il admettait de rares layon (trop doux !) et le chinon quand un cousin Goubert lui en échangeait contre le sien. Il avait une fois goûté le muscadet, et l'avait immédiatement craché. Plus âgé, je revenais à chaque période de vacances, à bicyclette, bavarder, entretenir mes connaissances et choisir une bouteille (« pour ton père ! »).

Victor, qui assumait la totalité du travail de vigneron (après avoir obtenu discrètement de ma mère un certain nombre de kilos de sucre), divisait sa production en trois parties : la médiocre, qu'il vendait à des négociants saumurois, experts en mélanges ; la part des « Parisiens », qu'il sucrait fortement et « pommadait » à l'hyposulfite ; et la sienne, la plus petite, toujours la meilleure, qu'il réservait à ceux qu'il aimait bien et qu'il estimait capables d'apprécier. Quand les hasards administratifs m'expédièrent vers la nordique et très sinistrée cité de Beauvais, il me demanda : « Qu'est-ce que tu vas pouvoir boire là-haut ? » En 1941, pas grand'chose...

Comme beaucoup de gens de la campagne, Victor n'était pas un tendre. Outre ses tournois avec son mulet, il ne ménageait pas ses chiens, même son chien de chasse, bien soigné seulement quand approchait l'« ouverture » (de la chasse). Les deux qui tiraient la petite charrette dans laquelle les femmes entassaient du fourrage, des haricots secs, des feuilles de « bettes » (bettera-

ves) ou de choux pour les vaches, voire de l'herbe coupée
à la faucille le long des chemins, ces deux chiens donc
étaient souvent remerciés avec un coup de pied dans l'ar-
rière-train, par une tranche de pain rassis matin et soir.
Le reste de leur pitance, ils n'avaient qu'à le trouver, au
besoin chez les gallinacés (des voisins) qui erraient. Mais
un jour que Bonnot, bâtard voué à garder les vaches et
traîner charrette (ainsi nommé parce qu'il ressemblait à
un villageois du même nom), soupçonné de dénicher les
poules, fut pris sur le fait, on le pendit. « Ce n'est jamais
que du chien », me déclara Victor en guise d'excuse
— mal acceptée. Il fit pire : il vendit Baptiste âgé au
boucher hippophagique de la place Saint-Pierre, avec
mission de nous en donner un filet. Je refusai absolument
d'en manger et mes parents en firent autant... ou firent
semblant.

Ses colères de jeunesse et son goût de la bagarre lui
revenaient de temps en temps, surtout lorsqu'il avait bu
— rarement — un verre de trop. Après avoir quelque
peu crié, son bon sens l'emportait et il allait se coucher.
Je l'ai tout de même vu plusieurs fois, soudain emporté,
tenter de frapper sa femme (sa fille courait vite) qui, au
moins une fois, attrapa une fourche pour le tenir à
distance. Épisodes sans doute, mais Victor ne fut vraiment tendre qu'avec sa petite-fille, à qui il reprochait
seulement, en plaisantant, de mettre trop de « trompe-
couillon » (rouge, poudre, fards), et qui d'ailleurs lui ressemblait — et lui ressemble toujours.

Il savait aussi témoigner une sorte d'amitié farceuse
envers ses nièces, une quinzaine. Quatre ou cinq débar-
quaient de Paris pour quelques jours en été (et plus après
les congés payés, 1936). Son ambition, largement répan-
due en Saumurois, consistait à leur faire déguster le bon,
puis l'exceptionnel vin blanc qu'il récoltait et soignait,
jusqu'à ce qu'elles disent quelques sottises, chancelent

44

un peu... et se précipitent derrière le pailler, tant son vin était diurétique.

Comme un certain nombre de Goubert — pas tous —, il avait le sang chaud et le tempérament amoureux. Je n'ai compris que plus tard qu'il fréquentait volontiers une certaine veuve qui habitait une discrète maison basse dissimulée par une plus haute, à l'entrée du bourg. Devenu veuf, il finit par l'épouser, à l'instigation mêlée de colère de sa fille furieuse de sa notoire bien qu'apparemment discrète inconduite. Mais tout se sait dans un village bien groupé. Cela ne me fit qu'une tante de plus, encore une Marie, pas désagréable d'ailleurs, et sûrement rusée. Abandonnant leurs gîtes antérieurs, ils achetèrent une assez jolie maison de pierre blanche accompagnée de jardins modestes où ils cultivaient des fleurs, quelques poiriers, une treille, et les légumes nécessaires à l'alimentation quotidienne. Il avait plus de soixante-dix ans quand je le surpris bêchant son jardin, les épaules soutenues par deux béquilles de bois, jurant tout ce qu'il savait parce qu'il n'avançait pas assez vite en besogne.

Durant la guerre, dont personne ne paraît avoir beaucoup souffert au Coudray-Macouard, sa seconde épouse et lui organisèrent, avec d'étonnantes complicités dont celle d'un groupe de cheminots, une chaîne de ravitaillement clandestin entre Le Coudray et Puteaux où sa nouvelle épouse possédait une sorte de café-restaurant de peu d'apparence, mais fort actif où le Saumur rouge arrivait par fûts et les porcs par quartiers imposants. J'ai vu ce spectacle une fois, sans joie spéciale, mais avec dégustation en supplément. Du moins, ce couple largement sexagénaire n'oubliait pas de ravitailler les couvées de neveux et nièces qui habitaient le secteur, à prix un peu réduits.

Comme cinq au moins de ses frères et sœurs (et pas mal de leurs conjoints), Victor mourut à plus de quatre-vingts ans. Sa dernière petite sœur, que l'esprit farceur de son père avait déclarée sous le nom de Désirée — sa mère avait quarante ans à sa naissance — espère bien voir l'an 2000.

CHAPITRE IV

La maison

En réalité, il en existait trois, jointives. Deux très anciennes (une date — 1789 — fut découverte sous un évier), empiétant sur l'alignement décrété vers 1830 ou 40, et jamais réalisé ; la troisième, d'un beau tuffeau encore lisse et blanc, très postérieure, construite, disaient quelques vieillards, à l'emplacement d'une vraisemblable fabrique de chapelets de buis (de fait, on en trouvait quelques débris) avec un beau trottoir bien cimenté qui séparait l'épicerie maternelle du caniveau, ici large, par où descendaient vers la place Saint-Pierre, flottant plus ou moins, les déchets et détritus de ménages logés plus en amont. Entre les trois maisons, une vaste cour dont ma mère avait colonisé un coin pour loger ses fleurs et ses « plantes vertes » (dont deux hardis palmiers). Immédiatement au-dessus, le départ du coteau, par quatre terrasses étagées, soutenues par des blocs de pierre bien taillés avec du granit à la base et transformées en « jardins suspendus » par le talent de mon père.

Ce fut vers 1900 que mes parents achetèrent, à rente viagère, qu'ils réglèrent plus de trente ans, cet ensemble sans style, assez disparate, sans autre équipement que des gouttières à peu près emboîtées, un « caniveau » dans chaque couloir, aucun poste d'eau au départ (puis un dans chaque cour), la pompe n'étant pas loin, et deux

47

lieux d'aisances, avec des fosses dites septiques qu'il fallait vidanger à peu près chaque année. Ce genre d'opération, qui réjouissait les gamins mais agressait les odorats délicats, était commun dans tout le vieux Saumur jusque dans les années trente, et peut-être après.

Mes parents occupaient tout le rez-de-chaussée, face à un mur fort haut coupé d'un noble portail rarement ouvert, qui laissait deviner le parc impressionnant d'une riche demeure, ancien hôtel du XVIᵉ-XVIIᵉ siècle dont l'entrée principale se trouvait dans une autre rue : une survivance de qualité ; il en existait d'autres dans la Grand'Rue, qui méritait jadis son nom comme voie principale de la grandeur de Saumur entre le siècle du roi René et les temps fameux de Duplessis-Mornay et de la célèbre Académie protestante. À côté, toujours en face, le domaine de Madame Jeanne qui, comme je le compris assez tard, ma naïveté égalant la pudeur de mes parents, détenait comme pensionnaires trois ou quatre « belles dames » (disais-je, paraît-il) aux atours abondants et multicolores, chargées de bijouteries probablement en toc. Madame Jeanne, au volume impressionnant, mais à peu près illettrée (elle me demanda plus tard de lui lire son courrier, ou bien le journal), avait un langage peu châtié et me manifestait bien de la gentillesse : elle m'invitait parfois à déguster le reste des sucreries et chocolats fins que des messieurs bien mis apportaient le soir, après avoir manié le heurtoir et s'être fait identifier à travers une sorte de judas. Cliente intermittente (mais massive) de l'épicerie, elle se manifestait toujours lorsqu'elle entendait arriver et s'arrêter la lourde charrette du père Froger, camarade de guerre de mon père, venu de Saint-Nicolas-de-Bourgueil livrer le meilleur produit de ses vignes dont le succès était remarquable dans un quartier dont la modestie des ressources n'entraînait pas le manque de goût dans l'alimentation, surtout liquide.

Ainsi donc, face à ces hauts murs et à cette maison de

passe, mes parents occupaient tout le rez-de-chaussée des trois maisons accolées : une remise, louée en partie comme garage à un lointain cousin Roulleau, tout le magasin, une très grande pièce qui avait servi de « buvette » avant la guerre, deux chambres à l'arrière et une vaste cuisine carrelée où l'on pouvait manger à six, et où se trouvaient naturellement la grosse cuisinière bien noire censée chauffer toute la maison (aux rudes hivers, on allumait tout de même deux Godin) ; en outre, un large évier de pierre où l'on hissait les seaux d'eau — mais où coula bientôt « l'eau de la ville », une petite table pour mes livres et cahiers ; une autre, plus haute, pour un petit fourneau à gaz à deux bouches, rarement utilisé, sauf pour les petites merveilles cuisinées par mon père surtout, le dimanche : escargots sautés, sardines sablaises grillées (le vendredi), abats ou « grenots » cuisinés avec force échalote et fines herbes, rares fritures de goujons... Pas de chaise, mais des tabourets glissés sous la table ; pas d'électricité avant 1925 (ou plus tard ?) mais le gaz de ville, bien blanc, allumé tard et éteint tôt pour faire place à la lampe à pétrole en faïence fleurie, sous l'abat-jour de laquelle ma mère et moi veillions l'hiver. Accrochée au mur, la grande cage de serins charmants et bruyants, chers à ma mère, qui pourtant les recouvrait d'un large tablier lorsqu'ils chantaient à tue-tête, le soir à la lumière.

Dans les dix appartements, souvent exigus et vétustes, qui se trouvaient en haut des deux escaliers au bois poli par l'usage, vivaient dix, puis neuf, puis huit ménages de locataires. C'était sans doute sur leurs loyers que comptaient mes parents pour payer leur viager. Il s'agissait de petites gens, âgées, dont trois femmes au moins, dans les années vingt, portaient encore le bonnet, ou la plus ambitieuse coiffe à l'angevine, qui identifiaient leur canton natal. On trouvait des manutentionnaires, des ouvriers peu qualifiés, des couturières, l'une à façon, l'autre chez un bon tailleur, une laveuse (au bateau-lavoir), une ou deux femmes de ménage, et une vieille « demoiselle de compagnie », raffinée, cultivée et royaliste, qui avait connu des jours meilleurs. J'ai été en partie élevé par ce petit monde qui, étant donné les lourdes occupations de mes parents, me recueillait au sortir de l'école, me promenait, m'emmenait à l'église voir les crèches et les « paradis » du Jeudi saint et les comparer, me prêtait des histoires saintes bien simplifiées, de vieux illustrés (ah ! l'*Épatant* et ses *Pieds nickelés* !), parfois, quand je grandissais, le journal qui circulait dans la maison *(Le Petit Courrier)* et les feuilletons passionnants du *Petit Écho de la Mode,* qu'on cousait, et ceux du *Petit Parisien.*

Beaucoup de ces locataires m'ont laissé de bons ou d'amusants souvenirs.

M. et Mme Rouault, premier à droite de la plus vieille maison, formaient un couple curieux dans lequel les querelles prenaient parfois du volume, d'autant que M. Rouault était doté d'un organe de basse profonde. Il lui arrivait de chanter des extraits d'opéras qu'il connaissait par cœur (il ne savait pas lire la musique) et particulièrement les opéras italiens : la fameuse marche d'*Aïda* le mettait en transes. Naturellement, il suivait fidèlement, des « galeries » les moins chères et les plus hautes, la totalité des représentations d'opéras, opéras-comiques et opérettes que donnaient assez régulièrement, au monumental théâtre de Saumur, les troupes sédentaires d'Angers, parfois de Tours et, ô miracle ! du théâtre Graslin de Nantes. Il arrivait que j'obtienne la permission (et la monnaie) pour l'y suivre. Grâce à mon professeur de violon, à la bibliothèque musicale impressionnante, j'avais presque toujours lu les partitions avant d'écouter leur exécution, souvent coupée, parfois médiocre.

Mme Rouault, aussi ronde que son mari était grand et sec, exerçait la profession, semi-ambulante, de couturière à façon. On la voyait partir presque chaque matin, après avoir trempé ses tartines de pain beurré dans un grand bol de chocolat, son matériel de couture d'une main, son inséparable « chaufferette » de l'autre. Chaufferette, sorte de boîte en bois solide, percée de trous en haut, ouvrable sur une face, dans laquelle se logeait une sorte de pot de terre destiné à contenir de la braise encore rouge qui réchaufferait au moins ses pieds dans des maisons souvent bien fraîches. Nous la voyions arriver, une ou deux fois par mois, pour agrandir, allonger, rafistoler, recoudre, ou façonner le linge et les vêtements de la maisonnée. Ainsi me fabriqua-t-elle des culottes courtes dans de vieux pantalons d'adulte — et même une veste. Lorsque j'étais très jeune, j'étais fasciné par la mise en train le travail et le bruit de la machine à coudre, bien sûr une Singer. J'attendais aussi avec intérêt l'heure du déjeuner. Mme Rouault jouissait d'un robuste appétit, et je savais qu'il y aurait de la soupe, bien épaisse, riche en légumes et en beurre, du lapin en civet ou « à la cocotte », et invariablement des œufs au lait, fournis par les œufs de nos sept poules et le lait tout frais trait du matin, livré entre six et sept heures par Mme Séchet, l'accorte fermière de La Ronde.

Un étage plus haut logeait le ménage Denis. Celle qu'on appelait (vraiment !) la mère Denis cumulait trois particularités : elle était une véritable artiste pour le repassage des bonnets et des coiffes encore portées par des femmes âgées d'origine campagnarde, en particulier une coiffe du Choletais, sorte d'assemblage de tuyaux amidonnés réunis par un bandeau de dentelle, dont le repassage à l'aide de joncs ou de minces branches introduits dans la tuyauterie me paraissait tenir du miracle. Sa seconde spécialité résidait dans ses talents de « conjureuse » : quelques formules et des signes de croix étaient censés apaiser le mal et éviter son aggravation lors de piqûres, écorchures, brûlures, pincements de doigts, etc.

51

Mon père ne croyait pas trop à ce cérémonial, mais montait tout de même voir la conjureuse lors des différents chocs ou menues blessures que son incessante activité lui procurait. La troisième vertu de Mme Denis fut d'avoir conçu, lors d'un premier mariage en Choletais, un fils fort beau garçon qui devint l'un de mes oncles, l'avant-dernière petite sœur de mon père (mobilisé) se trouvant alors à la maison pour aider ma mère dans la tenue de son commerce et l'éducation de son tout jeune fils. Le « père Denis », grand, brave, discret, était probablement le seul homme de toute la maisonnée à pratiquer avec régularité, sérieux et sincérité profonde tous les actes et dévotions qui avaient Saint-Pierre pour cadre. Chez lui, une place considérable était réservée aux images et statuettes pieuses, avec, me semble-t-il, un véritable prie-Dieu.

Leurs voisins, les Dillay, qui avaient été domestiques ici ou là, Tours et Paris notamment, avaient la particularité de posséder, vers les années vingt, ce qu'on appelait alors un phonographe, avec pavillon et manivelle. Très jeune, j'étais estomaqué par les romances ou les marches militaires qui sortaient de cet instrument, avec pas mal de grincements. Je demandais des explications ; on me montrait des disques et des aiguilles. Veuve assez tôt, Dillay (on ignorait son prénom) se trouvait tantôt à Saumur, tantôt ailleurs. Illettrée — mais elle savait compter — elle finit par me demander, ma mère étant rarement disponible, de lui lire son courrier, peu abondant, parfois les titres du journal, et de lui écrire les rares lettres indispensables ; elle savait signer son nom, d'une étrange graphie tordue. Je l'ai retrouvée à Paris, boulevard du Montparnasse, vers 1935. Elle était en quelque sorte gardienne, femme de confiance et cuisinière (quand il était là) d'un certain Chautemps (pas le ministre, disait-elle). Elle me fit visiter en détail ce vaste appartement cossu en compagnie d'une femme de chambre blondasse, ainsi que les réserves de vins et de liqueurs, qui me stupéfièrent. Puis Dillay, qui détestait les curés, mais allait à la messe quand ses maîtres (pas Chautemps) le lui indiquaient, disparut de mon horizon...

L'un de ses voisins, le père Bossard, manutentionnaire chez Griffon-et-Girard, grande boutique vaissellière et faïencière où mon père avait travaillé avant la guerre, offrait deux particularités. De temps à autre, il sortait ses vieux titres d'emprunts russes ou de chemins de fer turcs dans lesquels il avait, comme tant d'autres odieusement trompés, placé sa confiance et ses louis d'or et commençait à se lamenter tout haut, puis de plus en plus fort ; l'odeur de la soupe le calmait habituellement. De temps en temps aussi, il tombait comme un bloc sur le carreau de sa cuisine, évanoui. Enfant, j'étais fort impressionné. Mon père, ressource de la maison et aussi dévoué qu'habile, savait le ranimer. M. Bossard fut le premier mort qu'on me montra. On me dit de l'embrasser. Je conserve le souvenir intact de ce premier front rigide et froid.

Par inadvertance, il arriva au moins une fois à mes parents de louer deux pièces à des « poivrots du samedi soir ». L'espèce n'en était pas rare à Saumur, et notamment dans la Grand'Rue. Ce couple assez répugnant, qui travaillait « aux champignons » ou aux conserves de haricots, poussait l'alcoolisme jusqu'à la dégradation : le samedi, c'étaient des cris, des bagarres, des chutes, de la vaisselle brisée. Autant que je me souvienne, mon père, qui était fort robuste, finit par les sortir en quelque sorte par la peau du cou.

D'autres locataires, qui étaient d'une autre tenue, ont beaucoup compté dans ma jeunesse, et il m'apparaît que je leur dois beaucoup.

Je les avais toujours appelés grand-père et grand-mère. Ils avaient remplacé, avec l'aval de mes parents, mes véritables grands-parents, tous morts bien avant ma naissance. Ils s'appelaient Pommier, et on les appelait couramment la Pomme, ce qui ne les ravissait pas. Leur assez vaste appartement du second étage, qu'ils occupaient depuis 1890 au moins, me servait de refuge pour faire mes devoirs, me détendre de l'agitation et des soudaines irritations de ma mère, qui avait la gifle assez facile même quand je ne la méritais pas.

Le père Pommier, qui n'avait pas été tendre, disait-on, avec ses propres enfants, avait perdu ses deux fils à la guerre et s'entendait mal avec sa fille, fort indépendante, mais s'occupait beaucoup de moi. Né à Paris en 1842, il avait donc dépassé soixante-douze ans quand il alla, avec un de mes jeunes oncles, alors domestique, futur cheminot, déclarer ma naissance à la mairie de Saumur ; j'ai vu leurs signatures, fort nettes. Il m'a promené et parlé, dans mes jeunes années — quatre à sept ans — plus que personne d'autre. Ancien serrurier, et même ferronnier d'art, il me montrait dans la ville les serrures et balcons ouvragés qu'il avait conçus, fabriqués et posés avec son patron, un dénommé... Pucelle. Pour rendre service aux voisins et aux amis, il travaillait encore, dans son extraordinaire atelier riche d'outils mystérieux, à près de quatre-vingts ans. Il avait fait son « tour de France » et se réunissait régulièrement, avec quelques autres « compagnons » de la ville ou du voisinage, dans un café sis non loin de Notre-Dame-des-Ardilliers ; ils y buvaient chopine — on me donnait de la limonade — et devisaient longuement. Grand-père avait été communard, était passé au travers de la répression, et avait toujours refusé de retourner à Paris. Il me parlait de Badinguet et crachait ostensiblement dès qu'il prononçait son nom. Il détestait « les curés » et souffrait très mal que sa femme et surtout sa fille aillent régulièrement à la messe du dimanche. Il me construisait des jouets : une brouette, une petite voiture en bois avec son cheval et ses roues. Il me parlait longuement, coupant ses histoires de jurons inconnus, tout au long des levées de la

Loire et du Thouet, alors réservées aux seuls piétons...
Sans toujours bien comprendre, je ne me lassais pas de
l'écouter, surtout lorsqu'il évoquait les derniers bateaux
qui accostaient naguère aux solides quais de Saumur. Il
avait participé à la construction du « pont de fer » (du
chemin de fer sur la Loire) et savait même le nombre de
boulons qui avaient été utilisés. Il mourut à quatre-vingt-
deux ans, après une courte période de semi-paralysie.
Cette disparition fut sans doute la plus grande peine de
ma vie d'enfant.

Il me restait grand-mère, longue femme mince, solide,
affectueuse, généreuse, qui avait dû reporter sur moi
l'amour qu'elle aurait donné à ses propres petits-enfants,
qui ne pouvaient exister. Elle exerçait le métier bien
oublié aujourd'hui de laveuse. Elle avait ses « pratiques »,
ses clientes. Une fois par semaine, ou par quinzaine, elle
allait chercher ici et là et charger sur sa brouette des kilogrammes de linge sale, surtout des draps. Elle les conduisait au bateau-lavoir, face à la mairie, où elle avait une
place retenue parmi une quinzaine d'autres laveuses à la
langue agile, au battoir volontiers levé et au verre facile :
les bouteilles étaient au frais, suspendues par un cordon
dans la rivière (on ne disait jamais « le fleuve »). Là, dans
d'immenses chaudières posées sur des trépieds de fer,
le linge trempait, bouillait, retrempait, rebouillait, était
énergiquement frotté, puis cinglé de puissants coups de
battoirs. À demi séché (s'il y avait de la place sur les
« pendoirs » du bateau), on le flanquait dans la brouette,
lourd parce que gorgé d'eau, et le conduisait dans des
séchoirs privés (il y en avait un vieux chez mes parents),
ou directement chez la cliente. Malgré cette épuisante
besogne et tout le temps, plus doux, qu'elle me consacrait, elle devint également octogénaire comme son mari.
Je puis obtenir du directeur de l'école normale, en insis-
tant, la permission d'assister à ses obsèques. De temps
en temps, je l'accompagnais au cimetière où elle allait

55

discrètement pleurer sur les tombes de ses deux fils tués... J'avais assisté, encore bien jeune et très ému, aux retours massifs des cercueils saumurois dans un hangar de la gare de marchandises et, par deux fois, au parcours de chacun pour reconnaître les siens, au moins ce qui était inscrit sur la bière, avec un morceau de plaque d'identité...

Grand-mère et sa fille restée célibataire s'occupaient de moi le dimanche, puisque mon père jardinait et que ma mère gardait l'épicerie ouverte. C'était souvent de grandes promenades à pied dans la campagne environnante à la recherche de violettes, de muguet, de « coucous » (primevères), voire de champignons roses ou de girolles (sous la bruyère), ou de fraises des bois, voire de « cuisines de cocus » (pissenlits pour un repas) dans les prés ; nous connaissions la saison et les lieux. Au retour, parfois un « gâteau du pâtissier » (un éclair). À partir des Rameaux, il y avait presque chaque dimanche une « assemblée » dans un quartier de la ville ou les villages voisins : je tâchais d'obtenir un tour de chevaux de bois — les manèges étaient encore propulsés par un vrai cheval. Quand j'atteignis une douzaine d'années, séance le dimanche soir au Cinéma-Palace, sur le quai : de huit heures et demi à minuit, on bénéficiait d'un « grand film », très sentimental (Huguette Duflos...), d'un documentaire, d'actualités, d'un film à épisodes (ah ! l'*Enfant-Roi,* dont je manquai le dernier épisode) et enfin d'un comique, Charlot ou *Lui* (Harold Lloyd) qui me réjouissait. Dans un grand mouvement de libération, ma mère se joignait parfois à nous ; mon père, harassé par le jardin ou la chasse, gardait la maison en somnolant, son chien à ses pieds.

Toutes les fêtes et anniversaires étaient célébrés en commun : cadeaux, gâteau du pâtissier, frangipane ou savarin, saumur doux, parfois « champagne » (le mousseux du lieu). Le dernier acteur de ces festivités, Suzanne

56

Pommier, est décédée presque nonagénaire, voici quelques années, à Saumur toujours. Après s'être longtemps plus ou moins mêlée à notre vie, elle s'était effacée...

Vers ma douzième année vint s'installer au premier étage, face au long escalier de pierre qui montait au jardin, une demoiselle mince et distinguée dont les vêtements trahissaient une aisance déjà un peu ancienne, mais dont les bijoux — au moins deux fleurs de lys — gardaient tout leur éclat. Mlle Dereau (nom modifié) venait d'une famille de manufacturiers du Choletais qui avait eu des revers. On lui avait donné une éducation soignée, à la maison comme dans des « institutions » recherchées, qui s'attachaient naturellement aux bonnes manières, aux arts d'agrément, aux arts tout court et à toutes les matières qu'il convenait d'inculquer à une jeune fille de son milieu. Ne pouvant plus compter sur ses parents gênés et vite disparus, elle avait courageusement embrassé le métier de préceptrice en des châteaux ou de riches maisons, puis de dame de compagnie. L'âge venu et quelques petites rentes lui suffisant, elle avait atterri, si l'on peut dire, dans la Grand'Rue. L'entourage de la maison, un peu surpris — d'autant qu'elle nourrissait un goût immodéré pour le cinéma, coûteux... et pour le chocolat — la traitait avec une politesse un tantinet ironique.

Mlle Dereau a marqué tout un aspect de mon adolescence saumuroise. Le nombre et la qualité des livres qu'elle détenait — beaucoup de romantiques, surtout des poètes, que je goûtais fort à cette époque —, sa riche conversation, le reflet d'un style de vie que j'ignorais, sa petite chronique royaliste, tout cela me captivait. Devenue à demi aveugle, elle me choisit comme lecteur. Je venais plusieurs fois par semaine, surtout le jeudi. Melle Dereau aimait beaucoup Lamartine, le Musset des *Nuits,* le Victor Hugo des *Contemplations.* J'eus le plaisir de lui faire découvrir l'essentiel de la *Légende des siècles* et sur-

57

tout le théâtre de Musset, qui m'est toujours apparu comme une sorte de perfection par l'esprit, les thèmes et la langue. J'eus la joie de retrouver ce théâtre quelques années plus tard, chez Baty, à la Comédie-Française rajeunie, puis à l'Odéon avec « Badine ». Mais ma vieille amie n'était plus là. Avec sa finesse et sa perspicacité, elle avait insisté pour qu'on me fasse quitter ce cours complémentaire, où l'on n'apprenait pas le latin, pour me diriger vers le collège, dont l'enseignement et les débouchés lui paraissaient mieux me convenir. Mais on ne commence pas une sixième, d'ailleurs payante à cette époque, à treize ans. Et puis mes authentiques camarades et parfois amis se trouvaient au cours complémentaire des Récollets qu'animait et dirigeait le plus remarquable enseignant de lettres que j'aie jamais connu.

On avait souri autour de moi de mes relations avec cette vieille demoiselle assez démunie, et tellement entichée de cinéma. Je n'en avais cure.

Il y eut bien d'autres personnages, de moindre relief, dans le petit monde des 35 et 37 Grand'Rue. Tout ce monde a naturellement disparu, ainsi que les trois vieilles maisons, à vrai dire sans grand caractère dans un quartier où la Renaissance et l'épopée protestante avaient laissé de remarquables monuments. Il reste un parking, pas même une entrée de cave, mais tout de même quelques mottes et quelques pierres du jardin du quatrième étage, où poussaient un grand laurier et plusieurs lilas.

... La Grand'Rue qui, en cette fin du XXe siècle, ne ressemble plus — sinon par son tracé — à la Grand'Rue de mon enfance et même de ma jeunesse : celle de Balzac, ou presque.

Elle allait (elle va toujours) en se tortillant depuis la « porte du bourg », d'où partaient les volées de pierres usées qui atteignaient l'une des entrées du « fort » — le château — et descendant, avec un ressaut jusqu'à la place Saint-Pierre. Une place aussi biscornue qu'une italienne, avec, en plein milieu, un pâté de vieilles maisons coupées de venelles, une autre montée du fort à droite, près des jolies demeures du XVe siècle, celles-là restaurées, où grandit mon camarade Augereau, futur illustre cuisinier aux Rosiers. Continuant la Grand'Rue presque en ligne droite, la rue de la Tonnelle, qui conduisait justement au pont de la Tonnelle (détruit au XVIIIe siècle), ancien grand axe de la ville ; et puis d'autres ruelles encore, dont celle qu'habitait vraiment le père Niveleau, authentique usurier richissime et modèle du père Grandet, la rue du Petit-Maure, détruite aussi lors de la construction de l'ancien marché couvert.

Le plus curieux, c'est que, dans les années vingt de ce siècle, bien des gens de la Grand'Rue, qui connaissaient Eugénie Grandet, prétendaient identifier sa maison ici ou là, dans la rue bien sûr.

Cette rue était restée dans les années vingt et même ensuite à peu près celle qu'avait décrite Balzac. Sentant le vin, le graillon et l'urine, pourvue d'un solide pavé aux dénivellations impressionnantes, projetant des étincelles sous les sabots des chevaux, les grosses « chartes » de livraison et même les galoches des gamins. Deux caniveaux la bordaient, charriant un peu de tout, et même les petits bateaux de bois que les enfants tentaient d'y faire flotter. Quelques anciens hôtels de nobles, de pasteurs ou d'académiciens, fort délabrés, avaient été progressivement occupés par la frange la plus pauvre du petit peuple qui s'était emparé de la rue. Et cependant quelques très belles demeures subsistaient, l'une avec une tour hexagonale abritant un long escalier qui permettait d'atteindre le voisinage du château. Vivante dans son désordre et ses odeurs variées, la Grand'Rue était animée par des boutiques ou des ateliers : deux serruriers, un menuisier, un maçon, un peintre en bâtiments, pas moins de cinq épiceries, dont trois minuscules, deux ou trois « buvettes » débitant surtout du vin. Au milieu de la rue, au bas du mur enserrant le parc d'une noble demeure, était campée une fontaine, la seule, d'abord à bras puis pourvue d'un merveilleux et tentant tourniquet que beaucoup d'enfants, et parfois d'adultes lançaient en passant. L'eau courante étant arrivée tard dans certaines maisons, on venait y remplir de lourds seaux de métal qui meurtrissaient les jambes et inondaient les pieds. Les femmes venaient aussi y laver — c'était interdit — du linge petit ou moyen souvent usé et rapiécé, d'où des bavardages, souvent sonores, parfois aussi des querelles et des torgnoles. On vivait beaucoup de cette rue : les artisans, surtout le cordonnier, travaillaient fenêtre ou porte ouverte, se mêlant à la vie du quartier ; l'après-midi, quand les hommes étaient au travail et les enfants à l'école, quelques épicières tenaient salon, vraies gazettes de la rue, avec ses racontars et ses petits complots. Et le soir, s'il faisait bon, chacun sortait sa chaise de paille ou son tabouret pour bavarder, avec le prétexte d'un peu de couture, de tricot, de raccommodage, de haricots à « ébouter » (les verts) ou à écosser (les grenots, jeunes « pois » en langage saumurois). Parfois, deux ou trois hommes entraient boire une fillette. Certains soirs, des rumeurs ou des clameurs venaient du bas de la rue, de la vivante bourse du travail où se réunissaient des ouvriers réclamant du travail, une augmentation de salaire, protestant contre tels patrons trop durs, ou projetant une manifestation destinée à réveiller la police et à vider les rues. Au fond des couloirs, sous des escaliers ou des jardins suspendus, dans des venelles inattendues, s'ouvraient des souterrains souvent assez hauts et larges pour qu'y passent des charrettes, et qui s'enfonçaient loin sous le coteau, parfois, dit-on, sous la Loire. Beaucoup de gamins du quartier s'y risquaient, arrêtés parfois par des éboulements ou des murs de dissuasion. Le Saumurois, pays du tuffeau, avait en ville comme à la campagne son monde souterrain, où subsistent des traces d'habitation ou de culte, qu'on redécouvre peu à peu. Mais beaucoup ont été transformés depuis longtemps en caves somptueuses ou en champignonnières parfumées au crottin.

Le lendemain des célébrations bruyantes et vinicoles du samedi soir, le dimanche matin était voué au récurage familial dans des « baquets », barriques coupées en deux, aux préparatifs et surtout à l'habillage en vue de la messe (au moins quatre dans la matinée) pour une bonne partie des femmes, très peu d'hommes (la religion, à Saumur, du moins dans ce quartier populaire, était le propre de l'élément féminin presque au complet) et les enfants qui rejoindraient ensuite le catéchisme, dans l'attente de la grande fête religieuse et au moins autant familiale qu'était la première communion solennelle (souvent deux fois renouvelée), occasion rituelle de rassembler des familles souvent immenses, « rite de passage » comme disaient déjà quelques savants, que ne manquaient même pas les mécréants — toujours masculins et assez rares — qui allaient jusqu'à assister à la messe de communion, mais négligeaient les vêpres, heures de digestion et de palabres, avec leurs attendrissements et leurs disputes.

De tout cela, en cette fin du XXᵉ siècle, il ne reste à peu près rien : les promoteurs ont éventré, rafistolé, redoré et anobli à leur manière la vieille Grand'Rue, d'où tout le peuple a été chassé.

CHAPITRE V

Pierre et Saint-Pierre

Comme la quasi-totalité des enfants de Saumur, j'avais été baptisé à ma naissance. Dans l'intimité, bien entendu, puisque la plupart des pères étaient mobilisés y compris le mien qui, dans sa quarantième année, « gardait les voies » près de Nantes, avant d'être expédié dans le voisinage de Verdun pour plus de trois ans. Il n'avait naturellement obtenu aucune permission pour cette naissance, inattendue dans son heureuse issue (ma mère devait accoucher pour la quatrième fois, au moins). Une photographie où je figure vers l'âge de trois mois témoigne qu'il vint en avril 1915, avant son départ pour le front. Chrétiennement parlant, si je puis dire, j'étais effectivement baptisé, mais sans cérémonie : cette façon de conférer un sacrement s'appelait l'« ondoiement », qui reparut, difficilement, durant la guerre suivante. Dans sa sagesse, l'Église, comme la famille, attendait la fin de la guerre — et le retour éventuel des pères — pour « suppléer les cérémonies du baptême », comme on disait sous l'Ancien Régime — en fait pour les solenniser dans un large cercle de famille. Un oncle et une tante (une Marie, encore) furent parrain et marraine : c'étaient des « rapportés », ainsi honorés. Je fus Pierre comme tous les aînés Goubert au moins depuis 1812, et l'on m'adjoignit les deux prénoms supplémentaires de Marie et de Jean. Ce

« Marie » surprenait pas mal de gens et notamment de camarades, qui m'infligèrent à la maternelle (on disait : « à l'asile ») le surnom de « gars-fille » (en outre, ma mère me laissa trop longtemps les cheveux longs et fort ondulés dont elle était très fière). Plus tard, d'aucuns pensèrent que ma famille avait des affinités bretonnes, opinion curieuse quand on sait à quel point les Angevins, et surtout les Saumurois estimaient peu les Bretons... jusqu'à les chansonner. Ce second prénom m'intrigant quelque peu, je consultai ma mère, qui m'expliqua tranquillement que ce nom était porté par elle-même (en réalité, elle se nommait Anne), une grand-mère, ma marraine et beaucoup de tantes et grands-tantes. On m'aida, plus tard, à trouver l'explication vraisemblable. Ma mère était croyante, avait été élevée pieusement et, après avoir perdu trois ou quatre enfants à leur naissance ou peu après (précision jamais donnée, telle était sa retenue), elle avait dû faire une sorte de vœu à la Sainte Vierge à la probable suggestion d'un prêtre qu'elle aimait bien, qui l'appréciait et venait de temps en temps la voir dans l'épicerie où elle était quasiment cloîtrée. Ce prêtre devait être M. Bouvet, le curé de Saint-Pierre, que tout le monde estimait et saluait, même des mécréants, sauf quelques fortes têtes comme ce cordonnier nostalgique de la Révolution, qui avait appelé ses trois fils Hoche, Kléber et Marceau. J'eus la chance, par la suite, de bien connaître M. Bouvet.

Comme presque tous mes camarades de l'école publique, je fis ma première communion solennelle à l'âge de dix ans, après trois ou quatre ans de catéchisme et trois jours de « retraite » dont les instituteurs connaissaient évidemment l'existence et qui toléraient nos deux jours d'absence sans le moindre commentaire. Bien mieux, je « renouvelai » deux fois et reçus la confirmation de la main de Mgr Rumeau, évêque d'Angers, l'un des champions du catholicisme antirépublicain, ce que j'ignorais

63

et m'aurait été indifférent si je l'avais su : il s'agissait d'un autre domaine. Par la suite, il m'arriva souvent, jusque vers ma quinzième année, pour le plaisir et le spectacle, d'assister à la grand'messe dominicale, pendant laquelle se déchaînait mon vieil ami Baudoin, l'organiste, qui insérait souvent du Bach entre ses interprétations habituelles, souvent pompeuses ou trop attendues.

Je pense n'avoir jamais cru en Dieu, ni aux anges, ni au paradis, à l'enfer ou au purgatoire, ni à la comédie des indulgences. Mais, encore très jeune, de pieuses voisines de mes parents, anciennes campagnardes qui avaient conservé leur bonnet ou leur coiffe, m'accueillaient gentiment le soir après l'école, pieuses avec simplicité et me prêtaient des « histoires saintes », ou des Anciens et Nouveaux Testaments mis à la portée de lecteurs populaires de modeste culture. Je fus enchanté et comme bercé par le paradis terrestre, Abel et Caïn, Saül et David, Moïse et la manne, le Buisson ardent, la chevelure d'Absalon et la chute de Jéricho, retrouvés plus tard dans les œuvres d'art et la *Légende des siècles*. Ce merveilleux me passionnait, mais je m'attachais plus à l'histoire de cet enfant né dans une étable entre un âne et un bœuf, visité par des rois, fuyant en Égypte, qui plus tard marchait sur les eaux et transformait l'eau en vin ; et puis ce dénouement épouvantable qui allait du jardin des Oliviers à la Crucifixion, heureusement suivie par la Résurrection, l'Ascension et la suite. Tout cela en partie retrouvé dans les images, les tableaux et les belles tapisseries de l'église Saint-Pierre, en attendant bien d'autres chefs-d'œuvre. Oserais-je avouer que je trouvais ces histoires plus belles — mais pas tellement — que les exploits extraordinaires d'Achille ou d'Hector, les douze travaux d'Hercule et les prestations hors du commun et devinées parfois scabreuses, des dieux et demi-dieux de l'Olympe, de ce Zeus devenu Jupiter, de cette Héra devenue Junon, sans compter Aphrodite-Vénus, les Nymphes et les Saty-

64

res ? Je ne comparais pas (pourquoi ?) je goûtais, je rêvais — en attendant les divinités scandinaves ou wagnériennes — et tout cela me sortait des mauvaises odeurs et des promiscuités de la Grand'Rue comme du train-train scolaire et des assez strictes obligations familiales.

Les quatre ans de catéchisme — le jeudi matin et le dimanche à une heure un quart — avaient débuté par les récits, les exhortations et les interrogations de M. Bouvet, qui adorait les petits enfants, lesquels le lui rendaient bien. On nous proposait aussi des sortes d'exercices de mémoire, avec une bonne dizaine de prières à savoir par cœur, comme le Catéchisme du diocèse d'Angers, avec questions et réponses. Il existait même quelque chose qui ressemblait à des compositions de catéchisme. On se serait cru à l'école, mais sur d'autres thèmes, qui me changeaient et me plaisaient assez. J'absorbais tout cela sans mal, et je me trouvais, hélas ! toujours premier dans ces divers exercices. Aussi M. Bouvet m'expliqua-t-il gentiment qu'il convenait de me donner un *ex-æquo* venant de l'école libre, notamment pour la communion. Pourquoi pas ? M. Bouvet me demanda aussi, deux fois, d'être parrain d'enfants bien malades dans des familles très pauvres, ce qui me toucha beaucoup.

Des deux prêtres qui suivirent, l'un, grand escogriffe au visage sévère et au teint jaunâtre, parlait surtout des horreurs du péché et des flammes de l'enfer, ce qui ne m'effrayait pas, puisque j'avais cru comprendre que tout cela se ramenait à des légendes admirables ou naïvement effrayantes. Le suivant était un doux rêveur, d'allure romantique, de culture probablement approfondie, qui tenta de nous faire comprendre la signification des sacrements et de la vie aussi de certains saints qu'il révérait particulièrement, surtout saint François d'Assise, que j'ai retrouvé beaucoup plus tard... à Assise, avec Santa Chiara en cadeau supplémentaire, et dans quel cadre !

Ma première communion eut donc lieu en 1925 dans

la liesse familiale et paroissiale. On nous avait assuré qu'immédiatement après la communion nous sentirions Dieu, ou Jésus, descendre en nous et nous inspirer. Je n'ai rien senti du tout. Ce fut une certaine déception, sans plus.

Il me restait pourtant la vaste, magnifique, saisissante église Saint-Pierre que je connaissais de la crypte au clocher et dans tous ses escaliers apparemment secrets, et ses couloirs et coursives latérales, à mi-hauteur, qui permettaient, par d'étroites ouvertures, de dominer la nef d'une dizaine de mètres. Le plus impressionnant consistait tout de même à se trouver près des cloches quand elles s'ébranlaient ou à tenter de grimper dans la flèche malgré les échelles branlantes et les fientes de corbeaux.

Je devais ma connaissance intime de cette église qui me semblait immense (de « style Plantagenet », me révéla-t-on plus tard) à quelques complicités créées par... la musique. Initié, je ne sais comment, à la lecture des notes presque en même temps qu'à la lecture des mots, je me sentais poussé à la fois vers le chant — *a capella* ou non, seul ou en chorale — et vers la maîtrise d'un instrument. C'était alors devenu une mode, presque une obligation dans certains milieux de la petite bourgeoisie (la grande préférait le piano, plus noble et plus coûteux) de faire donner des « leçons de violon » à leur progéniture, douée ou non. Il y avait à Saumur deux professeurs de violon, l'un romantique et un peu fou, l'autre classique et réfrigérant, d'une certaine valeur chacun. Sur l'initiative de ma mère, qui nourrissait mille ambitions pour son fils unique, je passai de l'un à l'autre, et ne m'en tirai pas trop mal. J'appartins à plusieurs reprises à une formation d'amateurs de musique de chambre, à un orchestre de patronage et même à une assez joyeuse bande (j'étais de loin le cadet) qui allait faire danser la ville ou la campagne le samedi ou le dimanche soir... J'y gagnais même quelque monnaie — pas mal, pour

66

l'époque — que mes parents confisquaient, au moins ce que je déclarais. Il nous arrivait aussi, petit groupe d'amateurs plus ou moins qualifiés, de jouer à la grand' messe de dix heures, sous la baguette de notre professeur. Cela supposait des répétitions antérieures et vespérales, en dehors des offices. L'organiste venait nous écouter, nous aidait, nous accompagnait, puis nous précédait et nous suivait lors de notre prestation, deux ou trois morceaux, très mélodiques. Je le connaissais déjà, cet organiste. Il habitait à deux pas de chez nous, ce M. Baudoin, célibataire de noir vêtu avec col dur, cravate sombre... et pellicules sur l'épaule. Il m'expliqua en détail comment fonctionnaient les grandes orgues, depuis la soufflerie et les pédales jusqu'à ces « clés » qu'on tire ou qu'on pousse. Il joua quelques mesures pour moi, puis un peu plus, puis du Bach — une révélation. C'est un peu pour lui que je vins assez longtemps à la messe de dix heures, alors que quelques-uns de mes camarades ricanaient et que M. Bouvet me saluait d'un sourire et parfois d'une gifle feinte. Connu et amical aussi, le suisse au costume chamarré — et changeant —, sa canne scandant les offices. Il logeait avec sa famille — sa femme gérait la poussière et les cierges —, dans une sorte d'appendice de l'église, au bas d'un escalier usé qui permettait de quitter l'église presque clandestinement. La familiarité de ces excellents serviteurs de Saint-Pierre contribuait à m'attacher à cette église, toujours intacte, mais où j'ai vu célébrer trop d'obsèques. Elle m'a sans doute donné aussi le goût persistant des églises anciennes, romanes, gothiques et même d'un baroque échevelé.

La piété, dans tout cela, n'avait pas grande place. Mais la chaleur et l'amitié m'avaient aussi donné, avec le sens de la beauté, le respect de la foi, des prêtres de qualité et des croyants sincères.

CHAPITRE VI

La ville

En ce temps-là, entre le faubourg de la Croix-Verte, ses prés humides, ses jardins léchés et le grand quai monumental que surmontaient le clocher de Saint-Pierre et les tours du château, la rivière de Loire, comme on l'appelait depuis si longtemps, coulait presque libre. Elle laissait sur sa droite quelques bras morts et des « boires » stagnantes, plus une digue de pierre qui tentait de protéger la vieille ville en laissant passer un bras vivant, qui entourait une langue de terre peuplée d'un quartier grouillant autour de vieux hôtels, et d'une aristocratie de maraîchers de génie. Cette île s'appelait curieusement « les Ponts ».

Le bras principal, la vraie rivière pour les Saumurois de rive gauche — les authentiques —, large, majestueuse, riante et modeste l'été et alors encombrée de longues, mobiles et parfois dangereuses « grèves », devenait furieuse et brutale lors des grandes crues (aucun barrage en amont) qui pouvaient s'emparer de la ville basse, noyant ses caves et ses pavés ; et puis parfois, les durs hivers, elle se mettait à charrier d'énormes galettes de glace sale qui heurtaient bruyamment les robustes piles du « pont César », puisqu'on nommait ainsi le chef-d'œuvre inventé et construit au milieu du XVIIIe siècle par le presque illustre ingénieur Cessart.

68

Rivière familière que l'on s'arrêtait pour contempler, bordée de quais solidement maçonnés parsemés de robustes anneaux de métal où s'attachaient les gabarres aux temps révolus du grand commerce fluvial ; rivière toujours humaine qui portait encore de fines barques de pêcheurs attentifs, silencieux, souvent comblés : goujons et ablettes pour la friture, gardons, rares brochets, filets à saumon et alose à la bonne époque ; et aussi deux gros bateaux-lavoirs où de robustes lavandières, bras et pieds nus, le verbe haut et la chopine facile, faisaient bouillir, puis savonnaient, brossaient, trempaient, battaient le linge des bourgeois apporté à bord et remporté sur des brouettes lourdement chargées, surtout au retour, le séchage n'étant pas terminé. Rivière miroir, qui reflétait le souple et riant horizon saumurois : le théâtre, la mairie en partie médiévale, les beaux hôtels des anciens négociants sur l'eau, le dôme des Ardilliers plus loin et, dominant tout, les clochers de Saint-Pierre, les hauts murs et les tours du vieux « fort », encore entouré de vignes comme au temps des Riches Heures du duc de Berri, puis les quatre moulins à vent qui n'étaient plus à farine, mais avaient provisoirement conservé leurs ailes et même des occupants, pseudo-meuniers. Plus loin les tuffeaux et les ardoises filaient vers les clos de vigne de Dampierre, de Souzay-Champigny et, invisibles, Parnay, Turquant, Montsoreau et Candes-confluent. On devinait seulement la sombre et presque sauvage forêt de Fontevraud, pas encore ravagée par les tanks qui commençaient à s'installer dans ce qui était encore l'École de cavalerie, dans sa gloire.

On n'imaginait pas alors la ville sans la Loire, côtoyée, scrutée, offrant l'été ses grèves aux baignades du soir et du dimanche ; familles entières se déshabillant pudiquement dans des sortes de petits fourrés arbustifs dénommés « coquets » (pourquoi ?), bains rafraîchissants, gratuits, quasiment hygiéniques dans une ville assez

dénuée de baignoires et de douches, sinon un petit bâtiment municipal qui remplaçait agréablement le baquet
hebdomadaire et familial de récurage au moins partiel.

Saumur était aussi sous-préfecture, assez fière de
l'être, et pourvue d'un beau sous-préfet qu'on voyait
doré, galonné, bicorné et ceint d'une épée d'opérette lors
des grandes cérémonies civiles, militaires, même religieuses, et immanquablement lors des distributions « solennelles » — au théâtre — des prix des écoles publiques,
toujours le 30 ou le 31 juillet. On disait aussi qu'il possédait, outre une honnête résidence, quelques bureaux,
sans doute utiles. Il avait aussi un fils qui s'était attaché
à moi et que j'aidais un peu à faire ses devoirs, très gentil
garçon qui devait périr courageusement, en juin 1940,
pour défendre les ponts de Saumur. Tous ne ressemblaient pas à celui-là, mais, des sous-préfets, il y en avait
quelques centaines en France. D'École de cavalerie, une
seule.

Car Saumur, surtout alors, moins peut-être depuis la
motorisation, n'était pas peu fière d'être la ville du Cheval. Depuis plus d'un siècle, un véritable culte était
rendu à ce noble animal (et quelque peu aussi à ses vas-
saux roturiers), nourri, étrillé, et pomponné par une
armée de spécialistes, depuis le dernier des « cavaliers de
manège » — sortes de palefreniers militaires, baptisés
« philistins », on ne sait pourquoi (condition inférieure ?)
jusqu'au général commandant l'École et, par-dessus
tout, les trois douzaines de cavaliers d'élite, souvent
d'extraction noble, le Cadre noir, aussi fameux dans le
monde du cheval que le Manège espagnol de Vienne
— ce dernier franchement ignoré à Saumur. Du plus
modeste ouvrier jusqu'au plus somptueux margoulin,
l'amour et l'odeur du cheval, avec celle de la corne brûlée dans les maréchaleries et de l'abondant crottin vite
recueilli, caractérisaient et embaumaient Saumur. Et il
fallait voir, lors de la grande semaine du Carrousel, en

juillet, la campagne voisine envahir les rues jusqu'à les bloquer. Tous étaient arrivés là dans leurs plus beaux atours — car c'était une fête —, le panier de provisions au bras, par les ineffables petits trains de l'État (ou d'Orléans), en charrette souvent, à bicyclette pour les plus jeunes, à pied pour les plus proches. La plupart revenaient quelques jours plus tard, pour « les courses » (de chevaux bien sûr) qui parcouraient des hippodromes à demi improvisés dans des prairies fraîchement fauchées, à Varrains, au Breil, et plus tard sur les coteaux voisins et stériles de Verrie. Tout cela se terminait par la grande fête républicaine du 14 juillet, avec retraite aux flambeaux animée et parfois embellie par les uniformes colorés des spahis de l'École (à cheval bien sûr), puis par un concert au kiosque municipal, non loin de la mairie, et le traditionnel feu d'artifice, tiré sur la Loire proche, pas très loin du monument aux morts où figurait aussi... un cheval.

Les festivités continuaient et s'achevaient — comme chaque dimanche d'été d'ailleurs — par des bals (plus populaires au 14 juillet) animés notamment par les orchestres dits « de jazz » (mon père détestait) attachés à deux des plus grands cafés de Saumur, la Ville et la Bourse, le second estimé moins distingué que le premier, qui n'atteignait tout de même pas le prestige du café du Commerce, où l'on ne dansait, assez traditionnellement, qu'à l'intérieur. Ce dernier réunissait les officiers, les notables, magistrats ou gros commerçants, quelques « entraîneuses » aussi, plus l'irruption soudaine et presque applaudie de la patronne du grand bordel de la rue du Relais, débarquant d'une torpédo crème peinte de fleurs et d'oiseaux.

Des festivités publiques, en dehors du 14 juillet et du Carrousel, il en existait bien d'autres, tant demeurait enracinée la familiarité du peuple et de la rue. Il subsistait encore, dans mon enfance, les réjouissances et les défilés de chars pittoresques ou comiques — tirés par des chevaux — du Mardi gras ou du Bœuf gras et l'habitude du déguisement, du masque, puis du bal « paré et masque », souvent au foyer du théâtre. Même quand les cavalcades cessèrent, les enfants continuèrent de se masquer et parfois de se déguiser, en attendant les crêpes rituelles.

Un autre défilé, d'une toute autre nature, s'emparait, le jour des Rameaux, et plus tard à la Toussaint, de toutes les rues et routes qui conduisaient de la ville, après une sorte de regroupement face à l'église de Nantilly, vers le lointain cimetière de Varrains. À « Pâques fleuries », comme disent joliment Italiens et Espagnols, on faisait bénir romarins et buis pour les porter ensuite, gravement, sur les tombes familiales (et en garder une branche pour orner et bénir la chambre conjugale). À la Toussaint, des foules compactes, comprimant les derniers fiacres et les premières autos, suivaient le même chemin. Des centaines et des centaines de pots de chrysanthèmes s'en allaient orner les mêmes tombes, qu'on lavait, brossait, nettoyait des plantes mortes pour aller ensuite, faisant le tour du grand cimetière, comparer les résultats d'une sorte de concours à peine discret. À cette époque aussi, de longs et lents cortèges funèbres, occupant le milieu des rues, allaient des églises vers les tombes préparées. L'un des derniers que j'aie vus fut celui de mon père, en février 1940. Depuis, la voiture a chassé des rues tout défilé ou cortège, joyeux, funèbre ou religieux.

Plus durables sans doute, mais naturellement d'un autre style, les processions que les dévots craignirent — bien à tort — de voir interdire quand Saumur élut une municipalité radicale. Dans les quartiers de mon enfance, elles partaient de Saint-Pierre, empruntaient la vieille rue de la Tonnelle, arrivaient aux quais, les remontaient jusqu'aux Ardilliers, église prestigieuse dressée au XVIIᵉ siècle par les oratoriens pour contrebalancer la fameuse Académie protestante (supprimée en 1685). L'ordonnance des processions, particulièrement à la Fête-Dieu était naturellement réglée par les statuts diocésains et les prêtres de Saint-Pierre. Le curé, somptueusement paré, portait le Saint-Sacrement sous un dais très ouvragé ; les gens très pieux s'agenouillaient, se signaient, et se retrouvaient à un « reposoir » dressé à mi-chemin. Mais ce que bon nombre de Saumurois venaient voir, c'était la décoration — florale surtout — des maisons, des balcons, des pavés : on rivalisait dans une sorte de splendeur qui frappa beaucoup l'enfant que j'étais dans les années 25 ou 30.

Après les beaux dimanches d'été — promenades, baignades, cinéma ou bien concert de la musique municipale au kiosque, avec lentes promenades autour, puis *dancing* plus tardif dans deux cafés pourvus d'orchestre (normal, puis de jazz) — les excursions champignonnières d'automne et le rite très respecté de la Toussaint, décembre allait apporter ses réjouissances, en grande partie publiques.

Dès le début du mois, au vaste champ de foire d'abord, sur les quais ensuite, commençaient les considérables préparatifs de la foire Saint-Nicolas, devenue « la Foire » tout court, vers laquelle allaient converger, dès le premier dimanche (et aussi les suivants) des foules de citadins et de campagnards, précédées par des gamins surexcités. Fête foraine réputée, qui me paraissait immense lorsque j'étais enfant ; chevaux de bois, premières auto-tamponneuses, rapides montagnes russes, trains-fantômes dans l'obscurité coupée de fantômes et de squelettes, fabriques de berlingots devant mes yeux étonnés, gaufres, bruit des boutiques de tir où je vis une fois mon père couper une douzaine de pipes en terre, petits théâtres proposant le drame populaire ou la gentille opérette (j'y ai entendu, pas mal du tout, *Les Mous-*

quetaires au couvent), cracheurs de feu, dresseurs de chien, dans un tintamarre étourdissant et des odeurs alléchantes... La foire persistait, se clarifiant peu à peu jusqu'aux approches de Noël.

Noël religieusement ou païennement fêté (ou les deux), avec la splendide messe de minuit de Saint-Pierre — grandes orgues, cantatrice, procession vers la crèche, encens et trésors offerts un moment à l'admiration des fidèles... qui, pour la plupart, se hâtaient ensuite vers le réveillon, fastueux ici, simple chez mes parents, souvent fatigués en cette fin d'année : une simple bûche avec un Saumur doux et bien vieilli. Plus tard, lorsque mes gains de musicien de bal (!) ou la générosité de ma tante Marie (de la rue Nicolo) me fournissait quelque monnaie, je leur apportais des huîtres et du boudin noir, qu'ils adoraient, plus le savarin qui leur était cher, et la bouteille de « champagne » Ackermann partagée avec celle que j'appelais grand-mère, et éventuellement sa fille. Lorsque j'étais enfant, je me précipitais le lendemain matin vers les souliers que j'avais disposés près de la cheminée : une orange (rare et chère alors), quelques chocolats, un livre m'attendaient chez nous, et quelques petites choses chez les meilleurs voisins. Le jour même de la Nativité n'était pas fêté : l'épicerie restait ouverte et mon père s'occupait toujours.

Curieusement peut-être, la Saint-Sylvestre et le Jour de l'An étaient bien marqués. Le 31 décembre, la « mère Baranger » promenait sur sa longue charrette à bras des « mannequins », silhouettes de petits bonshommes découpées dans de la pâte feuilletée ; ils symbolisaient probablement l'année qui mourait, et ils étaient facilement vendus. Le lendemain matin, après avoir changé le calendrier des Postes, j'allais « souhaiter la bonne année » à tous les voisins et à la famille résidant à Saumur ou dans un étroit voisinage. Je recevais quelques petits cadeaux, ou une piécette, et je regardais « les grands »

74

trinquer joyeusement, et à plusieurs reprises, autour des bonnes bouteilles qui apparaissaient toujours à ce moment. Six jours après (délai alors scrupuleusement respecté : l'Épiphanie du 6), on tirait les rois, en famille ou en amicale compagnie. Et tout Saumur, sans doute, faisait de même. De tout cela, il reste quelques traces, parfois profondes, ou de vagues souvenirs.

Si le culte du cheval s'est affaibli à Saumur, et disparues aussi les grandes fêtes ou cérémonies qui peuplaient si bien places et rues, le « champagne », lui, s'est à peu près maintenu. On appelait « champagne », dans ma jeunesse, ce qui méritait le simple qualificatif de mousseux, pour prendre aujourd'hui le nom plus réjouissant de « pétillant ». Le procédé, exactement le même, semble-t-il, qu'autour de Reims, fut apporté à Saint-Florent par un certain Ackermann au début du siècle dernier. Ses descendants, ou tout au moins sa raison sociale, demeurent.

Dans une bonne dizaine de grandes caves qui s'enfoncent fort loin dans le calcaire-tuffeau des coteaux rive gauche de la Loire et du Thouet, on rassemble dans d'énormes foudres les vins de la région, souvent les moins honorables. Surviennent des manipulations, des soutirages, des ajouts, des retournements de bouteilles qui reproduisent à peu près ce qui a cours en Champagne, d'où le nom du produit et son rôle dans les fêtes et réjouissances. On pouvait visiter les caves, certaines fort impressionnantes, et assister à une partie des opérations, notamment les phases finales d'habillage et d'étiquetage. La visite (j'en ai conduit beaucoup) s'achevait rituellement par une dégustation gratuite, évidente invitation à une commande « pour les fêtes ». Ce mousseux avait un assez bon débouché local et régional, mais la plupart des caisses qu'on pouvait découvrir dans la salle des expéditions (un cousin — encore un — me l'entrouvrait) étaient dans les années 25 à 30 adressées... à Saint-Pierre-et-

Miquelon, premier client du saumur mousseux : c'était au temps de la prohibition américaine, donc de la contrebande.

Travaillaient « au champagne » plusieurs centaines d'hommes, de jeunes gens et même de femmes (à l'habillage) qui recevaient des salaires légers, mais accompagnés de quelques bouteilles au rabais et souvent d'un logement offert pour un prix modique par un astucieux patronat, à condition toutefois que les rejetons du « matériel humain » ne fréquentent que l'école libre (catholique). Sinon, c'était l'expulsion et le congédiement, pratique non exceptionnelle dans l'Ouest profond. Le « pétillant » ex-« champagne » se vend-il toujours bien ? Le vieux salariat existe-t-il encore ? En partie, sans doute.

Cité alors bruissante d'ouvriers et d'ouvrières, Saumur comptait un effectif assez considérable de ceux qui travaillaient aux chapelets, activité fort ancienne qui utilisa d'abord le buis puis, m'a-t-on dit, la noix de coco venue de Nantes par la Loire : un débouché à la fois national et international, ainsi que celle de la bijouterie religieuse et plus encore celle des médailles, surtout religieuses, qui semblent avoir parfois, disait-on encore, inondé le monde catholique. Quoi qu'il en soit, tout cela donnait beaucoup de travail aux petites gens, surtout avant l'introduction de machines perfectionnées. La présence de plusieurs conserveries (haricots, petits pois, champignons surtout) et — bien plus originale —, la fabrique de masques de « César » permettaient à beaucoup de femmes actives et fort habiles de gagner leur vie dans une atmosphère originale où les rires et les cris alternaient, et où la chopine ne se trouvait jamais très loin. Il y avait aussi Caillaud, à Bagneux, qui fabriquait (il me semble) des capsules pour bouteilles de mousseux, et dont la bruyante sirène ponctuant entrées et sorties, annonçait aussi la pluie lorsqu'elle se faisait plus bruyante (elle se trouvait à l'Ouest, d'où vient la pluie...)

Ce monde ouvrier abondant, assez désargenté mais rarement enfoncé dans une noire misère, insouciant, prompt à se fâcher comme à se réjouir, habitait les vieux quartiers de la ville ancienne, Saint-Pierre, Nantilly, une partie de Saint-Nicolas entre l'École et la Loire, les ponts, et surtout le faubourg de Fenet, entre la base du château et le dôme des Ardilliers, le plus démuni, le moins propre (rares fontaines, souvent cassées), le plus bruyant et le plus agité, spécialement les samedis soirs et les jours de fête. Les bons bourgeois ne s'y risquaient pas ; pourtant, ils n'auraient sans doute récolté que des lazzis.

Cette majorité populaire, en un temps où les nombreuses religieuses et les pieuses dames ne votaient pas, assurait à Saumur, depuis 1924, une municipalité radicale-socialiste bon teint : on y trouvait même trois socialistes d'un rouge franc, dont un bouillant professeur de mathématiques du collège, l'éloquent Georges Reynes. Ce conseil, discrètement mais efficacement soutenu par la loge maçonnique, avait effrayé clergé et bigotes qui croyaient ou feignaient de croire qu'il allait interdire les processions. Il s'en garda bien et vint même, à l'église Saint-Pierre, célébrer des grandes solennités nationales, comme le 11 Novembre.

Cette ville un peu « rouge » votait très blanc, comme la campagne, pour les élections cantonales ou législatives. Ainsi, le député, Monsieur Georges (de Grandmaison) passa aisément son siège à son fils Monsieur Robert. J'ai vu Monsieur Georges parcourir noblement l'artère principale de la ville, en jaquette, gants, canne et haut de forme, saluant gravement ses électeurs, auxquels il rendait d'ailleurs bien des services, même financiers. Ces Grandmaison, dont le patronyme était Millin (et l'ancêtre, un avocat au Parlement de Paris qui avait pris le nom d'une terre achetée à Neuilly) avaient pour aïeule la fille du richissime Niveleau, le modèle du Père Grandet qui avait acheté au duc de La Trémoïlle en 1822 le château de Montreuil-Bellay ; les Grandmaison l'habitaient encore, après en avoir hérité en 1847 (le mariage Grand-maison-Niveleau fut célébré à Saint-Pierre en 1829). Les Grandmaison sont d'ailleurs toujours présents en Anjou, mais ailleurs.

Pour l'instruction des enfants devenue obligatoire dans mon enfance, depuis moins d'un demi-siècle, à Saumur comme ailleurs, s'offraient trois solutions. Dans tous les cas, les sexes étaient soigneusement séparés, sauf à l'asile où, de trois à six ans, la mixité ne choquait per-sonne. La voie royale empruntait le collège, alors payant (seule Angers possédait d'authentiques lycées), filles et garçons bien séparés, avec leurs « classes primaires » (ce dernier mot n'était alors entaché d'aucune connotation péjorative) et leur internat. Les enfants des classes aisées, bons fonctionnaires, minorité protestante, patrons et bons artisans, solides vignerons et horticulteurs ne bai-gnant pas dans la piété et de rares boursiers en formaient les escadrons, bien vêtus, dûment disciplinés et latinisés dès leur onzième année. Les familles franchement pieu-ses, ou celles dont l'emploi dépendait de patrons ouver-tement catholiques avaient le choix entre de « bonnes » institutions et les petites écoles paroissiales dénommées « libres » où l'instruction religieuse tenait une place importante — avec quelques malédictions contre l'école « sans Dieu » — et où de mauvaises langues prétendaient que l'instruction tout court ne brillait pas toujours. Quant aux « cours » (comme le Cours Dacier) et aux ins-titutions (comme Saint-André), ils accueillaient, non gratuitement bien sûr, les « demoiselles » issues du gratin de la ville et des grandes demeures d'apparence noble du voisinage. Ces jeunes filles avaient de la toilette, du maintien et une ombre de mépris pour les gamins du populaire quartier Saint-Pierre qui fréquentaient « la laïque », il est vrai pas toujours bien vêtus et diffusant un vocabulaire peu châtié. Un peu à l'écart, entre l'École de cavalerie et la digue du Thouet, un évêque d'Angers fit élever à partir de 1872 un important collège (Saint-Louis) pourvu d'un internat, d'une belle salle de spectacle et d'une chapelle qui voulait rappeler celle de Versailles. Peut-être deux cents collégiens, en uniforme strict et belle casquette y étaient assez rudement éduqués (m'a dit un ex-pensionnaire) par des bons pères, issus des ferventes campagnes de l'Ouest et de la Vendée. Ce collège (beaucoup de pensionnaires venaient du Choletais), avait une assez bonne réputation, mais paraissait quelque peu extérieur à la ville.

À la vérité, les enfants de Saumur, et particulièrement les garçons, devaient aller majoritairement, à l'école primaire publique, la seule que je connaisse très bien, puisque je l'ai fréquentée dix années, puisqu'elle s'était accrue chemin faisant d'un cours complémentaire, préparant au brevet élémentaire et à l'école normale. Ces Récollets — du nom d'un ancien couvent dont subsistaient encore quelques murs et une partie du cimetière — furent essentiels pour moi et pour beaucoup d'autres. Il me faut les faire revivre.

CHAPITRE VII

L'école et le maître

L'école des Récollets était installée sur une sorte de replat du coteau, qui dominait l'église de Nantilly et avoisinait le très beau jardin des Plantes — ancien jardin du couvent, dont la partie haute était réservée à un véritable musée de la vigne où l'on pouvait découvrir des dizaines de cépages souvent inattendus. Une grande place, à demi herbeuse, la séparait des jardins étagés du collège de filles, ancien couvent d'Ursulines, et de la route caillouteuse qui descendait vers la ville. Les bâtiments existent encore, désaffectés et naturellement occupés par une quelconque administration, ou glissant vers le délabrement.

Dans les années vingt, l'école, la plus vaste de Saumur, comptait certainement plus de 300 élèves répartis en huit ou neuf classes. Un grand bâtiment et deux petits, la grande cour et la petite (selon l'âge), avec de beaux tilleuls bien alignés, et la presque célèbre « marquise », sorte de galerie surélevée recouverte d'un verre épais soutenue par de robustes piliers de métal peints en gris. On y alignait les punis du « piquet », et les maîtres s'y promenaient gravement tout en surveillant les récréations et en intervenant efficacement à la moindre bagarre.

Là venaient s'instruire les enfants issus du petit peu-

80

ple, ceux de la vieille ville et de l'ancien faubourg de Nantilly. Des fils d'ouvriers, de petits artisans, de petits commerçants, de modestes fonctionnaires, employés, militaires même. Tout ce petit monde portait fréquemment sarrau ou tablier, protégeant les vêtements recoupés et rafistolés de quelque père, oncle ou grand-père et était chaussé de robustes galoches à cuir épais dont les semelles et les pointes (rondes) étaient bardées de bandes métalliques de protection, fort précieuses aussi pour pousser des ballons de fortune ou des boîtes de conserve (vides) et pour tirer des étincelles de l'indestructible pavage du vieux Saumur, Grand'Rue tout spécialement. Les femmes du quartier les appelaient les « sabotins », surtout lorsqu'ils déferlaient en groupes jaillissants, lors des sorties d'abord bien disciplinées (« en rang ! ») : onze heures, quatre heures. De temps en temps, une bagarre éclatait (surtout du côté de Nantilly avec les gamins sortant de l'école libre, guerre de boutons bien plus que de religion !). Le maître y remédiait vite ; s'il était absent, quelque adulte calmait et dispersait les combattants, à coups de casquette, voire de taloches ou de coups de pied au cul (à Saumur, ce dernier mot était d'usage courant, y compris pour désigner le fond des marmites ou des bouteilles). Les écoliers en question trimballaient, matin et soir, dans quelque sac usagé de drap ou de cuir (une « serviette » pour les plus aisés), le cahier « du soir » et deux ou trois livres pour faire les devoirs (un problème, un exercice de grammaire) ou apprendre une leçon. Les autres livres et cahiers étaient laissés à l'école, dans les « cases » des petits bancs-bureaux (avec un trou pour l'encrier de faïence blanche) : en ce temps-là, on ne volait jamais rien.

Toute cette activité était, en fin de compte, fort sérieuse, car on savait bien, dans ces quartiers, que les enfants ne trouveraient de travail intéressant que s'ils obtenaient « le certificat » dans l'année de leur douzième anniversaire, et les Récollets y préparaient efficacement. Le diplôme obtenu, plus des neuf dixièmes quittaient l'école à treize ans juste, qui pour l'apprentissage d'un métier manuel, qui pour des écritures, qui pour des travaux de coursier ou de manœuvre. Aussi l'école était-elle prise au sérieux, sa discipline acceptée, de même que l'autorité, les jugements et les sanctions, y compris les taloches que certains maîtres décochaient, sans brutalité, aux récalcitrants, aux mauvais élèves, aux bavards (dont je fus), que les parents admettaient, et redoublaient parfois. Admises aussi la revue quotidienne des mains et des ongles, comme la revue saisonnière des cheveux avec une longue règle, pour la chasse aux poux — parasites qui, curieusement, étaient parfois considérés dans d'étranges familles, comme des signes de santé et de force... Pas aux Récollets : au besoin, on se chargeait de leur élimination au moins passagère !

Sur cette grande école des Récollets avait régné, dans l'immédiat après-guerre, M. Duperray, secrètement rebaptisé « Dupé » : moustache gauloise, vêtements sévères, haut col en celluloïd, canotier indévissable, voix brève et sèche, terreur de tous les galopins engalochés qu'il faisait filer d'un froncement de sourcil. À distance, souvenir réfrigérant d'une sorte d'adjudant sans doute nécessaire, sûrement très efficace, et fort respecté. Il partit en retraite en 1925 (j'avais dix ans).

Parut alors un homme d'un autre temps, le nôtre, presque celui du lendemain. Grand, mince, la tête haute, le cheveu jeune bien qu'un peu raréfié, l'allure sportive, bondissant plus que marchant, grimpant à vive allure la côte des Récollets sur un vélo rutilant et à pneus « ballon », ou bien la descendant en faisant jaillir les graviers à chaque virage, au volant d'une torpédo Rosengart qu'il maniait comme une cavale, avec une maestria et une joie évidentes. Dans la vieille école, l'ordre impeccable (« en rang par deux ! ») régnait toujours ; ce n'était plus un ordre militaire, mais une organisation peu à peu rajeunie. Après le despote rude, le despote éclairé. Une vraie discipline, acceptée, parfois spectaculaire : ce gamin insupportable — ou pire — saisi par le col et porté à bout de bras vers une sorte de « cachot », à la course le long de la marquise. Discipline parfois spirituelle : pour calmer mes bavardages et mes coups de colère, il imagina la seule punition capable de me faire souffrir : écrire dix lignes « à l'appliqué », dix lignes déchirées et redéchirées tant que la calligraphie était jugée insuffisante, ou le châtiment suffisant.

L'autorité naturelle et inébranlable de cet homme jeune — il avait trente-six ans à son arrivée — dut troubler quelques-uns de ses adjoints plus âgés : l'efficace Périer (surnommé évidemment Casimir) qui faisait recevoir une quarantaine de gamins chaque année à un certificat d'études qu'une partie seulement de mes derniers étudiants de licence auraient été capables de réussir. Le « petit père Robert » aussi, délicieux artiste barbu, aquarelliste et musicien de talent, un peu égaré dans la pédagogie, qu'il concevait d'ailleurs à sa façon, très détendue, dut contempler cette activité débordante avec un sourire indulgent. Les élèves, eux, craignaient en appréciant.

Mais ce fut dans son cher cours complémentaire, créé et élargi à partir du « cours supérieur » de M. Duperray, que cet homme exceptionnel donna toute sa mesure. Nous l'appelions « Monsieur Noyer » ou, mieux, « le Patron », et il y avait dans ce terme du respect, de l'humilité et de l'affection ; rien d'autre.

Lorsqu'il entrait, le silence régnait, presque religieux. Ayant laissé la partie math-sciences à son adjoint Edgar Faucher, brave homme consciencieux que nous chahutions quelque peu (et qui avait le génie de me punir quand je ne le méritais pas, ce qui me mettait en fureur), il s'était chargé de toute la partie littéraire, qu'il expliquait comme j'ai rarement entendu le faire. M. Noyer était un lecteur merveilleux, sensible, qui faisait tout comprendre. De temps à autre (comme avant lui M. Robert et son cher Alphonse Daudet), il nous lisait des textes en quelque sorte hors programme : Anatole France pour son très pur français et sa chronique de la Troisième République, Maupassant souvent (ses contes), Zola parfois et les pièces les plus énergiques des *Châtiments*. Parfois aussi, scandale non encore révélé, des extraits du quotidien *L'Œuvre* (surtout de spirituels billets de La Fouchardière), journal assez intelligent, d'un radicalisme bon teint, plutôt laïque, presque gauchissant (comme on ne disait pas), qui imprimait pourtant les textes délirants d'une certaine Geneviève Tabouis (bien née d'ailleurs), sorte de futurologue prématurée et systématiquement dans l'erreur (cela, je m'en aperçus bien plus tard). Mais là n'était pas l'essentiel, bien que...

À côté de ces hors-d'œuvres, deux ou trois dictées par semaine, avec leurs questions de grammaire et vocabulaire, une composition française, des « interro écrites » surprises d'histoire et de géographie, enseignées avec ambition et rigueur. Le tout corrigé avec minutie et dans un bref délai, quelquefois avec le concours de Mme Noyer, omniprésente, fine psychologue, fort aimée de ses petits élèves du cours préparatoire... et aussi des plus grands.

On ne chômait pas au cours complémentaire : six heures de cours par jour plus deux heures et demi d'« étude » pratiquement obligatoires, où les cours et devoirs continuaient. C'était du bon stakhanovisme, accru des tâches « du soir », surtout des leçons à apprendre, dont deux « récitations » par semaine (heureux les forts en mémoire, dont j'étais). Et qui ne savait pas « sa leçon » risquait d'être piqué au bord de la célèbre marquise, ou de rester en classe, ne repartant qu'après tâche accomplie et contrôlée.

À ce régime, qui de nos jours serait qualifié de répressif et policier, les résultats suivaient. Pratiquement, tous ceux qui persévéraient jusqu'au niveau du brevet finissaient par l'obtenir, pas toujours au premier essai. Les réussites à l'école normale étaient régulières, parfois flatteuses : en 1932, 8 Saumurois sur une promotion de 20, dont le premier. Incroyables parfois, les « performances » du patron : il fit plusieurs fois d'un garçon moyen et paresseux un futur et fort convenable instituteur.

Il semblait y avoir du magicien dans ce maître ; du magicien non, mais un harmonieux mélange d'intuition, de culture, de finesse, d'énergie, d'art inflexible de la persuasion ; et tout cela apparemment avec une douceur et un calme qui devaient résulter de la volonté de dominer un caractère à la fois fougueux et foisonnant. Jamais de démagogie non plus, mais une sorte de « distance » que symbolisait le vouvoiement qu'il nous adressait.

Devenu professeur, en grande partie grâce à lui, je me suis souvenu, à mes débuts, de ces fiches cartonnées où, à l'encre rouge et bleue avec des Ia, Ib et la suite, revivait en ordre exact, la matière d'un cours d'histoire et de géographie bien supérieur en contenu et en qualité à ce qu'on pouvait lire dans les manuels. Cet enseignement et cet exemple m'ont soutenu jusqu'au-delà de ma vingtième année et m'ont aussi servi de modèle à mes débuts.

Ce qui me reste du « Patron », au-delà de sa large culture, de son autorité naturelle, de son génie d'enseigner — et aussi de son pacifisme aussi intransigeant que sa conception de la démocratie —, c'est une sorte de charme discret, de présence silencieuse, l'art d'écouter, de suggérer, de secouer aussi. J'ai très rarement — jamais ? —, dans ma jeunesse, eu l'impression d'être aussi bien compris, deviné et heureusement gourmandé. Au moment de sa retraite angevine, Mme Noyer écoutait nos dialogues (en était-ce ? C'est moi qu'il faisait parler) avec ce sourire teinté d'humour et d'affection qu'elle sut toujours avoir.

En une longue carrière, j'ai connu, en France et hors de France, des hommes d'élite, souvent historiens. Un seul, en ces dernières années, m'a produit une impression comparable à celle de M. Noyer : Fernand Braudel, surtout dans ses dernières années.

CHAPITRE VIII

Amis et camarades

Ce fut tout naturellement aux Récollets, vers ma quatorzième ou quinzième année qu'émergèrent dans le réseau des camarades de classe ceux qui restèrent de bons copains et ceux qu'on peut appeler des amis.

Un premier groupe pouvait se définir par son appartenance géographique : le quartier Saint-Pierre. À 11 heures comme à 4 heures, le groupe qui descendait des Récollets en rang par deux, sage, sous l'œil d'un maître (pour les primaires surtout), se dissociait à la « porte du Bourg », vieille et exacte dénomination du haut de la Grand'Rue, où j'habitais. Une partie gagnait, toujours en rang par deux, la place de la gendarmerie ; l'autre groupe s'égaillait dans la Grand'Rue, galopant, criaillant, poussant du pied quelque boîte de conserve égarée, provoquant un chien errant, trempant volontiers ses galoches dans le caniveau de droite ou le caniveau de gauche, puis se précipitant, un peu plus loin, sur cette merveilleuse fontaine à tourniquet qui permettait aux plus adroits d'arroser les copains, et parfois les passants, qui ne couraient pas assez vite pour rattraper et châtier ces galopins galopant.

Dans ce groupe de Saint-Pierre, je sympathisais volontiers avec trois garçons qui, sauf un, vivent toujours. Tous étaient un peu plus âgés que moi, et c'est pourquoi je les perdis quelque peu une année durant. Tous étaient bons élèves ; tous, comme bien d'autres, appartenaient au petit monde du modeste artisanat (cordonnier, couturières, corsetière, employé de banque) sauf celui que voici.

Pierre M., dont les parents, assez cultivés, étaient merciers rue Saint-Jean, n'appartenait pas vraiment au petit peuple, ce qui, pour moi, ne présentait pas d'importance. Il sut me faire découvrir, grâce à son goût évident et à nos bicyclettes, les églises romanes et gothiques qui suivaient la basse Vienne depuis Chinon, et le Val de Loire entre Bourgueil et Saint-Maur. Nous admirions surtout et regardions en détail Candes et Cunault — où j'ai amené vingt ans après mes étudiants rennais. Plus tard, après avoir étudié Rabelais à l'école normale, nous avons retrouvé l'itinéraire et les hauts lieux de la guerre picrocholine : Lerné, La Roche-Clermault, l'abbaye de Seuillé chère à frère Jean des Entommeures, dont la grange avait été transformée en étable ; et puis La Devinière, lieu probable de la naissance de Rabelais, alors assez abandonné, mais que prenait en main un excellent spécialiste, M. Dontenwill... qui avait été inspecteur d'académie à Angers, un inspecteur artiste, ce qui doit être rarissime. Ce garçon assez distingué, fils unique couvé par des parents très attentifs, éveillait l'estime et la sympathie, sans aucun doute, peut-être pas la chaleur d'une amitié juvénile. Je le retrouvai à l'école normale, où il m'avait précédé d'un an, comme Roland.

J'étais plus proche, bien que nettement différent, de ce dernier : un garçon très calme, que mes parents cultivaient dans l'espoir que je pourrai lui ressembler un jour ; très raisonnable, gros lecteur, fort bon musicien et excellent ténor, féru de théâtre autant que de sport (et de montagne pendant les vacances dans les Alpes familiales, où il nous entraîna l'été 1938). Habitant à deux pas de l'épicerie maternelle, il venait faire la belote, tou-

jours bien accueilli, pendant les bien trop longues vacances d'été. Tout le quartier connaissait son père,
cordonnier au coin de la rue du Temple et de la rue
Dacier, qui travaillait près d'une fenêtre qu'il entrouvrait
parfois pour deviser ; excellent homme, solide montagnard (ne s'appelait-il pas Briançon ?), grand amateur de
musique lui aussi, comme sa femme et sa belle-sœur,
couturières dans un atelier sis derrière la cordonnerie.
Roland était un ami sûr, attentif, qu'on alla joyeusement
installer dans son premier poste d'instituteur dans le Val
de Loire et qui m'envoya de fort belles cartes du Sud
tunisien où il avait choisi de faire son service militaire (la
seule « folie » de sa vie). Et puis je le perdis cinq ans, qu'il
passa chez les nazis, d'où il tenta de s'évader. Il revint
très touché, les cheveux tout blancs, et reprit sa classe à
Baugé. Visiblement adoré des enfants, il leur enseigna la
lecture, l'écriture, et « les éléments du calcul » durant une
trentaine d'années, à la manière simple et efficace de son
modèle angevin, M. Chanteloup, de l'école d'application, admirable maître d'école s'il en fut. Je l'ai revu assez
souvent, puis moins (nous vieillissons), toujours jardinier
et pêcheur fameux (il tenta de m'initier à la pêche aux
écrevisses... en 1938), toujours lecteur et auditeur de
qualité, et, sauf erreur, plusieurs fois arrière-grand-père.

Deux autres de mes compagnons de route de la
Grand'Rue appartenaient au groupe des « mousquetaires » imaginé, constitué et animé par Marcel Baufrère,
garçon exceptionnel, éloquent et chaleureux, ami très
proche malgré quelques éclipses, dont la plus longue fut
son séjour à Buchenwald.

Il s'était attribué sans opposition le rôle d'Athos, tel
que nous l'imaginions : grand, distingué, généreux, cultivé, très sensible à la poésie, surtout romantique, mais
pas à la musique, très « littéraire », comme on disait. Très
jeune, par curiosité des idées politiques, il fut attiré par
tout ce qui allait d'un socialisme pur à l'anarchie pensée,

89

puis se centra sur le trotskisme, tendance assez cultivée, avec le pacifisme, par quelques Saumurois dégoûtés du stalinisme. Marcel essayait d'expliquer à quelques communistes sérieux (des ouvriers non fanatisés) que le bolchevisme russe était en pleine « déviation » de type directorial ou napoléonien... Ce garçon d'une sincérité et d'un désintéressement qui durèrent n'était pas bien supporté par quelques camarades de classe, prudents, rassis ou sots. Notre cher M. Noyer l'aimait bien, l'écoutait avec un gentil sourire, mais approuvait surtout sa sincérité, son enthousiasme et même quelques-unes de ses idées. Malgré pas mal d'aventures et de mécomptes, l'ancien déporté Marcel Baufrère (qui refusa toute décoration) resta fidèle au trotskisme chaleureux de sa jeunesse. Ce mouvement, devenu une sorte de cercle international, sut le faire bien accueillir dans le monde durant sa brillante carrière de grand journaliste, puis de chef de service à l'AFP.

Au cours complémentaire de Saumur, il s'était pris d'une réelle amitié, partagée, pour celui qui s'imposait dans le rôle d'Aramis. Grand, très mince, une sorte de profil d'Espagnol, André Louis ne manquait jamais la messe, ni la table de communion, exactement comme ses parents. Il disait régulièrement le *Benedicite,* ce qui ne m'étonna qu'une fois, la première. Par surcroît, il était un fervent lecteur de *l'Action française,* dans laquelle il arrivait que la qualité se mêle à la passion, sinon à l'ordure. Il nous apportait parfois ce journal avec quelque malice, provoquant plus souvent notre sourire que notre rire, et quelquefois notre hilarité ; mais nous respections cette opinion comme les autres, pourvu qu'elles fussent sincères. Il se trouvait aussi que les parents d'Aramis étaient de fervents amateurs de musique : sa mère bonne pianiste, son père ténor léger qui pouvait caresser le contre-ut (celui d'alors, plus bas d'un ton que le nôtre). Nous nous réunissions parfois le jeudi en fin d'après-midi, à l'occasion d'un délicat goûter, pour une séance de musique avec duos extraits de partitions d'opéras ou d'opérettes, ou de ces romances allemandes, italiennes ou françaises mises à deux voix à l'usage des amateurs, comme il était de coutume en ce premier tiers de siècle. Il arriva que montent de la place Saint-Pierre quelques applaudissements, pas tellement ironiques à une époque où, en l'absence de toute télévision et dans l'enfance de la TSF, on chantait beaucoup et souvent, parfois en promenade le dimanche, ou le samedi avec les chanteurs des rues, qui d'ailleurs vendaient leurs chansons. Aramis vient de mourir à Saumur, après une vie apparemment paisible dans la profession de préparateur en pharmacie. Il m'écrivait de temps à autre, lors de la sortie d'un de mes livres ou d'un de mes passages à la télévision. Son fils m'avertit de son départ, qu'il avait demandé qu'on me communiquât, dernière attention d'un homme de distinction et de fidélité.

On m'avait imposé le rôle de d'Artagnan, je ne sais trop pourquoi. Peut-être parce que j'étais nettement le plus jeune, parce qu'on me considérait comme une sorte de vedette scolaire dans ma classe des Récollets, plus simplement sans doute parce qu'il en fallait bien un (assez rond, je m'imaginais plutôt dans le rôle peu glorieux de Porthos).

Notre Porthos fut Robert, fils d'un gendarme redouté des braconniers, brave homme qui sentait le drap d'uniforme et le cuir des bottes ; sa mère, une redoutable dévote, s'usait à convertir les tièdes et les allergiques en leur fournissant notamment de pieuses et pâles lectures. Porthos avait une certaine égalité d'aptitudes et d'humeur, de la gaieté, de l'équilibre, et le goût du bal. Par hasard, nous avions des cousins communs, lui par les femmes, moi par les hommes. Ils s'appelaient Goubert et exploitaient une vaste et grande ferme où je vis pour la première fois des bœufs labourer (impensable en Saumurois !) et deux domestiques rarement lavés, qui logeaient dans l'étable. Porthos et d'Artagnan s'y retrouvaient parfois pour une semaine de vacances, rendant quelques services, tirant des oiseaux à la fronde (en vain) et courtisant quelque peu leur cousine commune, jolie et fine : d'Artagnan avait dans ce tournois bien moins de succès que Porthos, plus âgé, plus adroit, plus expérimenté. Sauf à l'école normale, où il entra à son troisième essai, j'ai peu revu ce Robert-Porthos, sinon voici une dizaine d'années, lors d'une réunion d'anciens élèves des Récollets, à Vivy, site familial des Goubert. Nous échangeâmes des nouvelles assez nombreuses, puis nous n'eûmes plus rien à nous dire.

Quant à la cousine courtisée, devenue mère, plusieurs fois grand-mère et sans doute arrière-grand-mère (moi aussi, au masculin), elle demeura poitevine et fermière à deux pas de Loudun, près d'une autre branche des Goubert, celle du plus jeune frère de mon père, un cheminot. Nous nous donnons régulièrement des nouvelles, avec plaisir je crois, et je l'ai même entendue une fois ou deux au téléphone ; nous sommes allés la voir avec les enfants, voici un bon quart de siècle. J'ai même vu et un peu conforté l'une de ses petites-filles qui avait passé une licence d'histoire... à Paris-I et quitté rapidement l'enseignement lorsqu'elle eut compris, vite, dans quel gâchis elle était momentanément tombée...

Le quatuor s'écartela naturellement en 1931. Deux partirent pour l'école normale où leurs centres d'intérêts divergèrent, Athos aux PTT, comme courrier-convoyeur d'abord (postier de nuit dans les trains), et Aramis déjà « potard » en officine.

Des douzaines de camarades furent rencontrés, fréquentés et oubliés, à Saumur comme plus tard à Angers. Il me reste quelques bons souvenirs, plus un cas exceptionnel. Autour des années trente, je n'avais sympathisé que modérément avec Marcel Appeau : les centres d'intérêt de ce garçon fort intelligent ne coïncidaient pas alors avec les miens. Vint la soixantaine : nous avions tous deux profondément évolué, et curieusement dans le même sens. Aussi nous sommes-nous non pas retrouvés, mais trouvés en nouant une amitié rare, soutenue par une fréquente communauté d'idées et d'impressions — et par la chaleur des épouses ! Mais les Récollets — qu'il a dirigés — et le souvenir de M. Noyer demeurent vivants dans ces retrouvailles.

CHAPITRE IX

Normalien à Angers

Était advenu ce qu'on me destinait depuis quatre années : entrer comme « élève-maître » (titre officiel) à l'école normale d'instituteurs d'Angers, sise quartier de la Madeleine, tout près de la route de Saumur — à plusieurs kilomètres de l'école normale des filles, ce qui, à regarder d'autres départements, constituait presque une dangereuse proximité !

Aussi, en ce premier jour d'octobre 1931, précédé par une lourde malle contenant le « trousseau » exigé dûment numéroté, je pénétrai dans ce vaste quadrilatère clos de hauts murs apparemment infranchissables (illusion). S'y trouvait un long et triste bâtiment — dortoirs au premier, salles de cours ou d'études en bas —, un jardin beaucoup trop grand et qu'il faudrait cultiver (ce que je fis très peu), quelques constructions annexes (logements divers, douches — généralement en panne) et surtout une chapelle surmontée d'une croix que personne n'avait eu l'idée d'abattre. C'est que cette école, bâtie en 1832-33 sous l'égide de Guizot (que sa mémoire soit bénie !) comme la plupart des écoles normales masculines, en comportait naturellement une, que la Troisième République transforma en bibliothèque. Et quelle bibliothèque ! Régulièrement et intelligemment enrichie par les gros envois d'un ministère alors garni de gens cultivés et

94

par les achats massifs et hardis de professeurs de lettres de qualité.

Je ne dirai jamais assez ce que je dois à cette bibliothèque. Je m'y installai immédiatement, et pour trois ans, et j'y dévorai tout ce qui était dévorable. Il est vrai que, étant entré « major » (premier), je jouissais de deux privilèges considérables, plus quelques petits. D'abord, la fonction de bibliothécaire, même si dans les premiers mois il s'agissait surtout de balayer, d'épousseter et de ranger ; mais la fonction comprenait la détention et l'usage éventuel d'une clé, énorme d'ailleurs et qui pouvait peser une livre. Le second privilège valorisait le premier. À partir de la deuxième année, le « major » (je le suis resté) disposait d'une sorte de chambre encastrée dans le « grand » dortoir (une quarantaine de lits) où il était censé maintenir une relative discipline, calmer les éventuels chahuts et présider à l'extinction des feux — neuf heures ou neuf heures et demi selon la saison. Mais rien ne me contraignait à éteindre ma propre lampe et ne m'empêchait de lire longuement, jusque vers minuit. Le matin, un « bizuth » était chargé de me réveiller, la cloche placée sous ma fenêtre manquant d'efficacité. Les privilèges adjacents consistèrent à me faire dispenser de gymnastique et de travaux de jardinage sous prétexte d'inventorier la chère chapelle-bibliothèque. En vérité, je n'ai pas inventorié grand-chose, car je plongeais vite dans un livre apparemment passionnant.

Quant à la « boîte » — comme on disait —, elle avait la fonction claire de préparer au métier (complexe) d'instituteur une soixantaine de garçons de seize à vingt-deux ans (chiffres administratifs) répartis en trois promotions et soumis à un style de vie et à une discipline que je goûtais peu.

Internat obligatoire, même pour ceux qui habitaient Angers. Peu de vacances : neuf ou dix jours à Noël et à Pâques. Droit de sortie (révocable, comme j'en fis l'expérience) trois heures le jeudi, cinq le dimanche (jamais le samedi, comme partout). Horaire strict : lever à six heures ou six heures et demi selon la saison ; une demi-heure d'étude ; café au lait et pain sec à sept heures ; « services » (nettoyage et entretien des salles, des cours et des toilettes — sommaires — entre le petit déjeuner et huit heures) ; cours toute la matinée, puis de deux à quatre ; longue étude de cinq à sept, et de huit à neuf. Aucun chauffage dans les dortoirs ni les lavabos (l'eau y gelait l'hiver), mais quelques vieux poêles en fonte dans les salles de cours et d'étude. Nourriture abondante, bon marché, fort médiocre, mais ces jeunes gens avaient de l'appétit, et souvent aussi l'habitude du ragoût graisseux, de la viande-semelle et des « fayots » souvent charançonnés, durs, voire pierreux — et tout le mois de mai du chou-fleur, abondamment cultivé dans le voisinage. Pour les habitués des pensionnats et des cantines, fort nombreux, rien de bien nouveau ; pour qui avait vécu « au sein de sa famille » avec des amis proches, une bicyclette et une relative liberté, le régime paraissait rude. Deux ou trois peut-être, et moi-même à certains passages difficiles, durent songer à fuir. Je manquai de peu le départ — par exclusion — étant donné ma fréquente indiscipline, mes protestations peu châtiées et mon irrespect des militaires à monocle, obligatoirement introduits là pour fabriquer de bons sous-officiers de réserve.

Après avoir vigoureusement contesté les vues — fausses et stupides — d'un certain capitaine sur les origines de la guerre de 1914, et avoir persisté, je fus exclu (à ma grande joie) de la PMS (préparation militaire supérieure) et menacé de l'être aussi de l'école. Ma cause dut être plaidée (sûrement pas par mes camarades), et puis enfin j'avais quelques qualités. La sanction fut néanmoins rude : on m'infligea une note « de conduite » fort basse, ce qui me toucha peu, mais surtout on m'asséna une interdiction de toute sortie pour trois mois. Cette manière d'incarcération — qui en réalité m'installa plus encore dans la bibliothèque — me permit d'établir un record tout neuf et imbattable : une centaine d'heures de « colle », que je supportai sans récriminer, et même en soignant encore plus mes « performances » purement scolaires ; de là date aussi ma première étude sérieuse de l'anglais (grammaire, dictionnaire, publications bilingues — même Shakespeare qui me donna bien du mal). Les vacances de Pâques 1932 me rendirent enfin mes parents (qui avaient été fort inquiets), ma bicyclette, mes vrais amis, et cette abondante famille, revisitée en une dizaine d'étapes parfois achevées par de rituelles « descentes de cave », au prix de réflexions devenues traditionnelles sur le « beau métier bien payé » d'instituteur, sur mes mains de « feignant » et mes vacances d'été, au moment du plus fort travail des champs.

Par la suite, on me laissa travailler, me cultiver et me distraire dans cette école normale, où toutes les journées ne furent pas grises — mais il y en eut beaucoup.

Les normaliens d'Angers étaient de bons ou très bons élèves issus du primaire. Ils appartenaient à des milieux qui oscillaient entre le petit peuple — mais pas le très petit — et ce que les Américains appellent la *lower middle class*. Fils de cheminots, de paysans moyens chargés de famille et « casant » au moins un rejeton, de petits fonctionnaires (un gendarme, un facteur), de petits employés de mairie, de modestes artisans et commerçants de quartier. Aucun ne venait de milieux franchement pauvres, bien sûr pas d'une bourgeoisie dont les fils hantaient plutôt le secondaire ou le privé huppé. En préparant le concours d'entrée, alors difficile, et même en y échouant une ou deux fois, parents et enfants pensaient réaliser une promotion sociale : un métier stable, un traitement mensuel (dans ces années trente, le chômage commençait à sévir), une retraite, une fonction qui assurait alors une certaine considération. Plutôt d'ailleurs *des* fonctions, puisque l'instituteur, spécialement dans des campagnes largement majoritaires, était une sorte de Maître Jacques : il devait souvent se muer en secrétaire de mairie, en animateur de patronage et d'équipe de « foot », et ne pas oublier qu'on le jugeait aussi par son talent à cultiver son jardin, à greffer ses arbres et à garnir et gérer une cave où il serait agréable de « descendre » de temps en temps, au risque de « remonter » plus difficilement.

À tout cela — ou presque — l'école normale fondée par Guizot et remaniée par la République devait préparer ses « élèves-maîtres ».

Il convenait d'abord d'assumer ce qui était probablement l'essentiel, l'apprentissage de ce métier qui demandait des dons, de la réflexion, de la persévérance et de l'habileté : faire la classe. Et cela sans négliger ce qu'on n'appelait pas encore « culture générale » — expression vague et molle — c'est-à-dire avancer quelque peu dans les domaines des lettres et des sciences, sans oublier des activités considérées ailleurs comme accessoires — dessin, gymnastique, musique — pour lesquelles les normaliens éprouvaient des goûts ou des aptitudes variées, mais qu'ils auraient l'obligation d'enseigner aux enfants.

Pour ces activités, il était fait appel à des hommes fort qualifiés venus de l'extérieur. Pour le secrétariat de mairie, il s'agissait du « père Andard », charmant et pittoresque personnage qui joignait à des connaissances administratives précises la présentation et le mode d'emploi de la paperasserie du temps, alors pas trop abondante et rédigée en un français presque clair. L'année se terminait justement à Andard, village proche d'Angers, par d'aimables travaux pratiques suivis d'une collation à l'angevine qui ignorait jus de fruits et pétillant américain. Ainsi, quelques années plus tard, l'un de mes anciens camarades assistait le maire du Coudray qui mariait la petite-fille de l'oncle Victor, une éclatante gaillarde.

Pour les choses de la terre, régnait l'abondance. Un

« professeur spécial d'agriculture », le directeur départe-
mental des services agricoles en personne, moustachu
rondelet à la fois solennel et peut-être timide (nous le
chahutions quelque peu) répétait chaque année le même
cours, au demeurant savant et sensé, autant que j'ai pu
en juger. Comme il suffisait de détenir un cahier venu
de la promotion précédente, on se sentait quasiment
autorisé à lire quelque roman durant ces deux heures
agricoles (à d'autres aussi). Les travaux et exposés pratiques se tenaient à l'extérieur dans un magnifique jardin
fruitier où exerçaient des « pomologues » au bel accent
de terroir et à l'impressionnante compétence, notamment dans le difficile art de greffer. On n'était pas toujours passionné, mais on pouvait s'échapper : juste en
face se dressait un « débit de boissons » où les amateurs
de belote ou de lecture pouvaient se retrouver autour
d'une chopine ou deux. Cependant, beaucoup de normaliens étaient passionnés par cette bonne initiation,
surtout pratique, en une province dont le talent horticole
n'était pas une légende. Ainsi se préparaient de beaux
jardins de maîtres d'école qui pourraient rivaliser avec
des jardins de curés, sans atteindre peut-être les petites
merveilles du Val de Loire.

L'apprentissage du métier d'instituteur, qui pour
beaucoup était une vocation — parfois un peu forcée —,
se faisait bien plus par la pratique que par la théorie.
Certes, le directeur de l'école donnait une solide initiation à la psychologie des enfants de six à treize ans, et
un exposé fort précis sur les programmes et instructions
officielles, brèves, simples, fort claires (heureux temps !).
Mais les théories pédagogiques du temps, peu nombreuses, plus ou moins goûtées quoique présentées en bon
français — ce qui n'est plus —, étaient honnêtement
exposées, mais avec un certain détachement ; elles ne me
passionnaient pas.

En vérité, le métier s'apprenait sur le tas. Il était confié aux quatre « maîtres d'application » de l'école de la Madeleine (nom de la rue). Il faut bien dire que ces hommes de terrain étaient tout à fait remarquables, sauf un peut-être, légèrement chahuté. Ils nous montraient d'abord les erreurs à ne pas commettre, puis nous livraient peu à peu leur classe, sous leur contrôle bien sûr. Ces hommes rayonnaient, les enfants (parmi lesquels les frères Poperen) les adoraient presque, et nous gagnions (je gagnais) beaucoup à les écouter, y compris durant les récréations et après la classe. Comment ne pas se souvenir de M. Chalopin, le directeur, maître sensible, cultivé, énorme lecteur, heureux vivant, savoureux conteur ? ou de M. Chanteloup, du cours préparatoire, chez qui tous les enfants, sauf un ou deux malheureux, apprenaient à « lire, écrire, compter jusqu'à 100 et les quatre opérations » par les méthodes les plus classiques et les plus sûres ; un homme long, sec, rude, qui gérait la discipline d'un battement de cil, féroce à l'égard de la méthode dite globale qui, soutenait-il, « apprend à ne pas lire » ? Ces stages, de vrais stages, ont marqué et inspiré presque tous les normaliens.

Pour ma part, j'avais compris que je n'étais pas doué pour enseigner aux jeunes enfants, pas plus que pour goûter la littérature d'un certain Piaget (qu'on m'avait obligé un jour à présenter et dont je citai quelques belles phrases) ou le charme des méthodes dites actives, ou celles du courageux, intelligent et inefficace (?) Célestin Freinet ; pas doué non plus pour bêcher un jardin, tailler des rosiers ou remplir les paperasses communales. Tout cela me fut épargné, d'un souffle, par un heureux hasard.

En trois longues et grises années, l'agriculture, la pomologie et la pédagogie sérieuse, c'est-à-dire appliquée, n'occupaient tout de même pas toute la journée. Il y avait « les cours ». Ils continuaient, en les développant plus ou moins heureusement, l'enseignement habituel (mais, à Saumur, exceptionnel) des « matières » scientifi-

ques et littéraires. Des professeurs inégaux, souvent peu
exaltants, portaient la mathématique (celle d'alors)
comme les trois « sciences » (physique, chimie, histoire
naturelle) à un niveau assez élevé, mais pas beaucoup ;
ni très difficile ni très gratifiant non plus, sauf quelques
aspects de la physique, et, pour les « manuels », des côtés
expérimentaux, manipulatoires et collectionneurs qui
séduisaient bien des garçons (pas moi). Les langues
vivantes — l'anglais tout seul — étaient pratiquement
sabotées. D'ailleurs, aucun enseignant, ni enseigné
n'avait mis les pieds outre-Manche : un peu de grammaire et de vocabulaire, des verbes irréguliers et des *daf-
fodils,* quelques courtes versions, rien de plus ; l'instituteur devait rester attaché bien fort à sa classe et à son
département. De langue ancienne (d'ailleurs inutile à
l'école primaire) pas question : ce privilège était réservé à
ceux du secondaire, qui en tiraient vanité et méprisaient
ostensiblement les « primaires », ces hilotes. La philosophie, sciemment sacrifiée, avait droit à une heure hebdomadaire en troisième année : quelques grands thèmes,
sommairement exposés, et quelques grands penseurs y
paraissaient néanmoins ; j'attrapai Bergson au passage.
Mais de sérieux éléments de la toute neuve sociologie,
surtout durkheimienne, nous avaient été dispensés en
deuxième année : ils séduisirent beaucoup d'auditeurs.
   De ces heures et de ces mois d'enseignement et
d'étude se dégagent une poignée de réussites, et presque
de coups de génie. De l'histoire, habituel exercice de
mémorisation facile et de récits modérément passionnants, deux aspects neufs et riches ont émergé. L'un, dû
à une jeune et charmante suppléante, concerne un aspect
de l'histoire de l'art que j'ignorais : la peinture, en gros
celle du Quattrocento italien et de Rembrandt, présentée
avec beaucoup de goût. La seconde nouveauté fut la
découverte de l'histoire ancienne, des Égyptiens aux
Romains, mais surtout des Grecs, objets d'une passion

postérieure et immédiatement d'une plongée dans Sophocle, Euripide et surtout Aristophane, au complet, traduits et présents dans la chapelle-bibliothèque.

La seconde réussite de cette école normale, sans doute parce qu'elle était d'Angers, ville musicienne, et qu'un remarquable professeur de musique, simple instituteur de statut, y régnait sans partage, ce fut le chant, surtout le chant choral tel qu'il l'installa à l'école. Une partie de notre chorale allait de temps à autre renforcer l'excellente chorale Sainte-Cécile dans les concerts donnés deux fois l'an au cirque-théâtre, curieuse construction ronde naturellement démolie. On ne craignait pas d'y montrer — en civil bien sûr —, avec l'appui de solistes parisiens, la *Messe en si* (ou en ut ?), *Tannhaüser* et *Lohengrin* au complet, et même l'éclatante *Damnation de Faust*. En outre, trois ou quatre « voix » (dont la mienne) se joignaient régulièrement, le jeudi, aux répétitions de « la Sainte-Cécile », qui nous gâtait... notamment en nous invitant à son banquet annuel présidé par André Cointreau. Ces épisodes heureux marquèrent d'ailleurs la fin de mes relations avec la musique, jusque-là fort étroites. Dans les années qui suivirent, loin de Saumur et d'Angers, je compris qu'il n'était possible de suivre sérieusement et passionnément qu'une seule voie. La musique fut sacrifiée, et, pour ne pas la regretter, je m'en éloignai franchement.

L'essentiel, dans ces écoles normales des années trente, fut pourtant l'enseignement du français. Les remarquables programmes du brevet supérieur, étalés sur deux ans, n'insistaient pas trop sur l'histoire littéraire apprise par cœur dans le Lanson, mais sur la connaissance et l'analyse d'une douzaine de grands textes, si possible dans leur intégralité, plus une initiation aux littératures anciennes et étrangères (traduites). Trois chapitres de Montaigne me conquirent pour toujours ; Polyeucte m'ouvrit un monde et des émotions inconnues ; de Racine, *Phèdre* remplaçait enfin la triste *Andro-maque,* et tout Molière (sauf *Don Juan*) s'offrit enfin, depuis l'*École des femmes* jusqu'au *Tartuffe* et à l'inégalable *Misanthrope* que j'eus l'heureuse surprise de voir à Paris un peu plus tard, au Français ou chez Jouvet. En même temps, confirmation d'une culture rien moins que « laïcarde » (comme disent de bien tristes sires) de longs passages des *Pensées* de Pascal — alors rééditées —, qui, pour moi, ouvraient un monde nouveau et saisissant, et la profondeur impressionnante du *Sermon sur la mort,* accru d'une ou deux oraisons funèbres. Oserai-je dire que je croyais les entendre ? Le XVIIIᵉ siècle me passionna moins : *Candide* m'agaçait, le *Promeneur solitaire* m'a toujours ennuyé, mais je goûtais l'admirable langue de Montesquieu, même dans ses *Considérations sur les causes de la grandeur des Romains et de leur décadence.* Je connaissais déjà fort bien les romantiques, dont j'avais lu (et aimé un peu naïvement) toute la poésie (même *Jocelyn* !) et tout le théâtre (même les pompes de Victor Hugo). Pour le reste, je connaissais à peu près l'essentiel (même la plus grande partie des *Rougon-Macquart*), mais on nous fit découvrir Maupassant et surtout Verlaine, inoubliable Verlaine, dont la poésie commentée et célébrée me permit sans doute d'échapper au métier d'instituteur.

Notre chance, ce fut aussi que ces programmes intelligents fussent traités par des professeurs aussi différents que remarquables.

Le premier, un Périgourdin fantaisiste, assez fêtard (on le voyait rentrer à l'école, où il logeait, en habit et haut-de-forme, très tôt le matin), négligent, assez paresseux, mais spirituel, inattendu, cultivé avec raffinement, et capable, de temps en temps, de composer une leçon d'un brio rare, même quand il s'agissait de grammaire comparée. Le cher homme ne se doutait pas que des performances de ce style pouvaient donner à tel de ses auditeurs l'envie de ne pas se confiner aux petites écoles d'Anjou, surtout dans son occident granitique... J'eus la surprise de le retrouver un peu plus tard en banlieue parisienne, marié, assagi, gourmet, un peu éteint.

Sauf par la culture, plus sérieuse pourtant et moins pointue, son successeur, vigoureux Bourbonnais fleuri de santé, ne lui ressemblait en rien : solide, rigoureux, presque systématique, plein d'un talent rhétorique assez rare en ces lieux. Il me donna ce qui me manquait : la raison, la maîtrise d'une plume trop bavarde, la technique du plan en trois points, alors presque sacré. Pudique aussi et presque rougissant quand il abordait un Rabelais en édition pourtant expurgée (je découvris l'autre), un Baudelaire sulfureux, un Aristophane dans sa savoureuse liberté, et les aventures parfois lestes d'un Roland pas toujours furieux et de ses aimables compagnons et compagnes (preuve, en passant, qu'on savait, dans ce lieu, sortir de ce qu'on n'avait pas encore osé appeler l'Hexagone). Et pourtant il nous demanda un jour d'ajouter un chapitre à l'*Orlando furioso*. J'osai trousser une vingtaine de pages hautes en couleur qui amusèrent bien la classe (cela circula)... et scandalisèrent quelque peu l'imprudent professeur.

Ce fut là, avec la musique, la bibliothèque et quelques rares bons camarades, l'un des bons moments de cette période angevine, tout juste adoucie par la gentillesse d'un couple de cousins — une « maréchalerie » fleurant la corne brûlée —, qui, le dimanche (quand je n'étais pas « collé ») m'accueillaient, me nourrissaient, m'abreuvaient, me sortaient, plus souvent au stade avec Maurice qu'avec sa bien jolie femme, surtout curieuse de cinéma et de danse, ce qui n'était point ma spécialité, ni ma fonction.

Délaissant en juillet l'école sans charme qui les avait hébergés mille trente-trois jours (disait-on), les normaliens attendaient avec quelque appréhension la nomination (provisoire, le service militaire suivant) dans un premier poste, presque toujours dans une classe unique, dont ils espéraient qu'elle ne se situerait pas dans un petit village du Choletais, traditionnellement hostile à « la laïque ». L'année précédente, j'avais aidé à s'installer des camarades saumurois plus âgés : voyage à vélo, réception à l'angevine par le maire et l'aubergiste de tel petit village de la Vallée. Ils semblaient heureux.

En septembre 1934, mon tour vint : au garçon de dix-neuf ans que j'étais, on octroya une classe unique avec 60 enfants inscrits, et deux salles de 40 sièges chacune, tout de même communiquantes, un logement communal délabré, mais un immense potager-verger qui ravit mon père (seul). Un étrange village divisé en deux hameaux, l'un « bleu » et l'autre « blanc » : la vigne les réunissait, et ils occupaient la mairie tour à tour. Nous vînmes à quatre, à bicyclette (trente kilomètres). L'accueil fut des plus chaleureux en cette période d'imminentes vendanges. Deux ne purent affronter le voyage de retour et prirent un petit train régional. Assez effondré, je me demandais comment j'allais m'en tirer... Le 30 septembre, arriva une lettre urgente *(sic)* qui m'apprenait enfin que j'étais reçu à un concours que j'avais passé trois ou quatre mois plus tôt ; j'allais pouvoir aller à Rennes (comme boursier) préparer un concours plus hasardeux encore : l'entrée à ce qu'on appelait l'École normale supérieure de l'enseignement primaire à Saint-Cloud où je n'avais jamais mis les pieds. Dans l'immédiat, j'y voyais surtout le considérable agrément d'être délivré de l'étrange école qu'on m'avait assignée. Quels qu'aient été le charme du village et la qualité de son vin blanc (un layon), je n'y suis jamais revenu.

Il n'en reste pas moins que cette sérieuse école normale d'Angers a contribué à former de solides maîtres d'école, que j'ai quelque peu revus, après le séjour qu'ils firent presque tous en Allemagne nazie, en bons officiers et sous-officiers qu'ils étaient et qui ne concevaient pas, en juin 40, qu'on puisse fuir en abandonnant les hommes qui leur avaient été confiés.

Un dernier mot pourtant. Dans cet Anjou si nettement partagé entre catholiques très conservateurs et radicaux laïques, je n'ai jamais entendu, à l'école normale, de discours anticléricaux et encore moins antireligieux. La religion était affaire privée, et la politique se faisait à l'extérieur.

CHAPITRE X

Saint-Cloud
et sa banlieue (1935-37)

Après une année dite de préparation (préparation nulle ou pire, sauf en géographie), année grise qu'illumina seulement le sourire de celle qui devait m'accompagner durant près de quarante années, le hasard ou les dieux voulurent bien me propulser vers la capitale, à peu près inconnue de moi puisqu'on m'y avait seulement mené, vers ma huitième année, visiter l'unique oncle maternel et sa troisième épouse, une Marie bien sûr, et bien sûr cuisinière en maison bourgeoise, rue du Bac, chez un sénateur. À ma grande surprise — j'avais travaillé modérément — et surtout à celle de ces piètres enseignants rennais que je cultivais fort peu, je me trouvais admissible à l'École normale supérieure de Saint-Cloud dont j'ignorais tout, même les matières d'oral du concours (j'appris qu'elles comportaient de la grammaire...)

Ainsi, par une fort belle après-midi de dimanche, début juillet 1935, je gravissais en taxi la côte de Saint-Cloud, accompagné d'une autre tante Marie, celle que j'ai toujours préférée pour sa bonté, ses talents et son esprit (divorcée de l'oncle maternel, heureusement pour elle). Marie Pasquier, puisqu'elle avait repris son nom de jeune fille, née aux confins de l'Anjou, « montée » à Paris au début du siècle, régnait sur des fourneaux de qualité, proposant ses menus, choisissant ses fournisseurs (qui savaient l'en remercier) et à l'occasion ses patrons aussi, et choyant ses cousins nantais et leur fillette, Christiane, qui venait de faire, en robe blanche, sa première communion.

Nous montions donc cette avenue alors bordée de joyeuses guinguettes et sillonnée de cyclistes et « tandémistes », pour accéder aux grilles du parc, à d'autres guinguettes, à des rosiers, aux pelouses du tapis vert et du fer à cheval, aux bassins ronds ou étagés qui attiraient les fervents de pique-nique qui bavardaient, criaient, s'embrassaient ou dormaient. Peu après l'entrée se dressait — se dresse toujours — un grand et noble bâtiment, apparemment du XVIIIe siècle, ancienne demeure des officiers de la Garde impériale (Napoléon aimait Saint-Cloud, l'impératrice Eugénie plus encore : Winterhalter vint y faire son portrait, au creux d'un bosquet alors bien conservé) : c'était, avec des bâtiments annexes moins nobles, le gîte et le lieu d'étude de ceux que l'administration appelait des « élèves-professeurs » à qui le parc semblait appartenir en dehors des dimanches de pique-nique. Un peu plus haut que le grand bâtiment, à gauche, la célèbre et admirable terrasse de Saint-Cloud, avec la Seine en bas et tout Paris en face. Vers l'arrière, des arbres et des allées majestueuses, vers Sèvres, vers Versailles. Face à cette merveille inattendue, je me reprochai rudement de ne pas avoir préparé sérieusement ce concours, donc de m'apprêter à renoncer à ce que je voyais et à ce que je pourrais découvrir dans ce Paris à portée de main.

Un nouveau coup de chance voulut que je revienne en ces lieux bénis. Trois mois plus tard, je remontai l'avenue déserte de cyclistes, toujours accompagné de ma tante Marie, assez fière et surtout heureuse d'avoir à choyer quelque peu le garçon qu'elle n'avait pu avoir, fils par surcroît de ce Pierre-Auguste pour lequel elle avait toujours manifesté un léger faible.

Cet été 1935 avait définitivement orienté ma vie.

Il fallut d'abord reconnaître les camarades de promotion : douze « littéraires » (extraits de 250 candidats), autant de scientifiques, seulement deux promotions présentes. Bref, 48 « élèves-professeurs », logés admirablement (mais avec un « confort » ancien), nourris médiocrement, non stagiaires, non rémunérés (sauf une « allocation » mensuelle de 150 francs, réduite de 10 % par l'illustre Pierre Laval). Tous heureux d'ailleurs de se trouver dans un cadre exceptionnel avec le parc comme cour de récréation et Paris à portée de marche — ou d'autobus quand on pouvait le payer. Le but des créateurs de cette école, en 1882, avait été de sélectionner les meilleurs élèves des écoles normales primaires de Guizot pour en faire les cadres et les animateurs : d'abord comme professeurs, puis, après un court stage comme inspecteurs primaires, passer à la direction de ces écoles, le tout dans un esprit de franche neutralité et de tolérance (certains de ces directeurs furent de bons catholiques, à titre privé, notamment dans ma promotion ; mais ils constituaient une minorité).

En 1935, le schéma initial avait été quelque peu modifié. De solides « primaires », certes, comme Daniel Mireux, benjamin de promotion si je n'avais eu trois jours de moins que lui, franchirent souvent le barrage élevé par les aristocrates du secondaire pur et dur, pour attraper sans peine l'agrégation, dont Daniel manqua d'un souffle la première place ; primaire aussi d'origine, ce brillant et fragile Poitevin Paul Chartier dont les joutes oratoires avec un certain Yvan Audouard, Arlésien échappé d'une prestigieuse « khâgne », nous ont souvent ravis. En fait, trois ou quatre astucieux « khâgneux »,

109

dont mon fidèle ami rennais Jean Auneau, s'étaient introduits dans le circuit bientôt appelé « cloutier » ; d'autres ont suivi, nombreux. Au réfectoire qui les réunissait tous autour d'épaisses tables de marbre, ces quarante-huit garçons d'une vingtaine d'années, pleins d'appétit malgré la chère médiocre, joyeux le plus souvent, se lançaient les plaisanteries rituelles (notamment sur la « goinfrerie » des scientifiques), commentaient les derniers exploits des Marx Brothers ou les défis du cartel Jouvet-Baty-Dullin-Pitoëff (le dernier surtout), puis se retrouvaient, nombreux, à la guinguette du Fer à cheval, dans le parc bien sûr, où Mme Cendrier confectionnait un honnête café à prix réduit servi par sa blonde fille et nous régalait de crêpes à la Chandeleur et à la Mi-Carême (nous payions seulement la matière première).

Outre le charme du lieu, il y avait Paris : longues promenades, musées (pas trop), stations et conversations chez les bouquinistes, souvent savoureux, cinémas d'essai : trois, dont les impérissables Ursulines, où nous fut révélé le *gospel* noir, notamment grâce aux *Green Pastures* (oubliés ?) ; queues le lundi avant onze heures (c'était ma fonction) pour obtenir des places peu coûteuses chez Jouvet, Baty, Dullin (où je vis débuter un peu plus tard un certain Barrault dans *La Faim,* de ce Knut Hamsun que j'aimais bien) — et surtout chez les chers Pitoëff qui nous descendaient régulièrement du « poulailler » à l'orchestre ; longues traversées ouest-est à bicyclette, accroché ou non à un autobus à plate-forme... Joies et découvertes pour les petits provinciaux d'origine modeste que nous étions souvent.

Il y avait néanmoins des cours à Saint-Cloud. L'admirable, vu d'aujourd'hui, c'est qu'aucun ne prétendait nous introduire, nous futurs professeurs, à on ne sait quelle pédagogie, théorique, savante, ou tout uniment pratique. Parmi nous, personne ne songeait à s'en plaindre, et d'ailleurs personne n'y pensait.

110

« Grande école » officiellement, bien que de classe considérée comme modeste, il avait bien fallu nous imposer une sorte de préparation militaire, elle aussi supérieure. Elle sévissait, le lundi après-midi. Nous jouions quelques tours sans méchanceté aux braves sergents de carrière qui tâchaient de nous faire manœuvrer et de nous « instruire » militairement, et nous écoutions, ahuris, des sortes de cours délivrés par des officiers à beaucoup de galons et au moins autant de décorations. Ils nous vantaient les victoires de la Grande Guerre, la grande leçon de Verdun, et proclamaient que « le Boche » serait le cas échéant bien attrapé, puisqu'il y avait la ligne Maginot, « infranchissable » (les Ardennes l'étaient par définition, et les Belges avaient le canal Albert). Ayant un jour osé dire que la ligne Maginot s'arrêtait à Sedan, je m'entendis répondre que j'étais un mauvais Français, peut-être communiste. Par je ne sais quel stratagème — nous avions déclaré un effectif inférieur à la réalité, ce qui permettait quelques dérobades —, on ne me revit guère à la PMS (déjà un sigle). Je la remplaçais par les cinémas d'essai. D'autre part, on sentait la guerre approcher ; les littéraires étant systématiquement versés dans l'infanterie, nous fûmes plusieurs (Mireux, Auneau, Roger Duma, Porcher et d'autres) à préparer le fort sérieux concours de météorologiste militaire, jumelé à l'ONM, où nous finîmes tous comme instructeurs... de mars 1939 à mai 1940.

On n'entrait tout de même pas à Saint-Cloud pour cela. Même si le dessein primitif des disciples de Jules Ferry (sur qui on a propagé tant de sottises) était de bien former les cadres moyens et supérieurs d'écoles normales laïques, donc neutres, ils avaient eu pourtant le courage, peut-être la témérité et sûrement le grand mérite de choisir soigneusement les professeurs habituels et les conférenciers exceptionnels parmi les plus solides « profs de khâgne » parisiens et les meilleurs sorbonnards. Ils s'atta-

111

chaient souvent d'abord au site de l'école, ensuite au petit nombre d'auditeurs (une douzaine), généralement ouverts, et enfin à la générosité des rétributions horaires (j'en fis plus tard l'expérience) — sauf quand les cloutiers unanimes opposaient leur veto à celui-ci et réclamaient celui-là. À quelques exceptions près, il s'agissait d'une élite de la science, de la pensée, de la culture. On comprendra aisément que les cours de Marc Bloch ou les entretiens apparemment à bâtons rompus avec le jeune Raymond Aron ne nous incitaient pas à préparer l'inspection primaire et ses suites. Orientation à la fois malicieuse et généreuse, due peut-être à Félix Pécaut, directeur unanimement respecté, et même plus, avec qui j'eus la chance d'avoir un entretien d'un quart d'heure ; il quittait l'école en même temps que j'y entrais : un souvenir imprécis, mais heureux.

Pour les douze littéraires de l'an 35, comme pour les précédents et quelques suivants (tout changea ensuite), il fallait choisir entre deux options : littérature-philosophie-langue vivante ou histoire-géographie. Tout m'inclinait vers « le français », mes lectures, nombreuses et larges, mes goûts, mes réussites aussi (pourquoi le cacher ?), mais je nourrissais à l'égard de la philosophie (et de son manuel-vedette, le Cuvillier) une sorte d'inappétence accompagnée d'une franche incapacité à l'abstraction sérieuse ; quant à la langue anglaise, je ne la connaissais qu'écrite et ne la pratiquais que sous forme de versions. La géographie d'alors m'attirait beaucoup, et l'on trouvait de remarquables géographes, d'une large culture, que j'avais lus : Sion, Sorre, Demangeon, Blanchard (de Grenoble, une lumière) et surtout Roger Dion, son *Val de Loire* (le mien) et ses paysages ruraux, une « première ». Alors essentiellement diplomatique, juridique, politique et militaire, l'histoire m'apparaissait comme un exercice mnémonique que je pratiquais sans mal et sans goût réel, sauf quelques épisodes : les siècles des croisades et des cathédrales, et surtout celui de La Fontaine et de Molière. En fait, je n'avais pas le choix : aucun espoir d'issue dans la première option, surtout par mon ignorance des langues anciennes ; donc la seconde s'imposait. Au moins y retrouvais-je mon ami rennais Jean Auneau et deux nouveaux, aussi attachants que différents, Paul Chartier et Daniel Mireux (plus deux indifférents) : les quatre premiers se retrouvent ou s'écrivent sans faille depuis soixante ans.

Je penchais vers la géographie humaine, lorsqu'apparurent deux révélations. La première concernait l'histoire de l'art, enseignée ou plutôt évoquée avec une sorte de génie oratoire par Louis Hourticq — Quattrocento et Pays-Bas notamment — immédiatement illustrée par des pèlerinages au Louvre. Cependant, il s'agissait d'une passion, assez durable, mais pas de l'amorce d'une carrière. D'autres, prestigieux, parurent alors. D'abord André Piganiol, très lié au paysage et à l'école ; ce petit homme rond, simple, bègue avec éloquence, nous parla de la République romaine d'incroyable manière : il étalait sur le large bureau les sources, livres ou photographies, nous les présentait, sommairement ou non, puis en extrayait la moëlle, pour finir par proposer un récit ou un tableau : nous voyions ainsi au travail un véritable historien, et un grand. Il procédait de la même manière pour l'histoire grecque, en s'excusant presque qu'elle ne fût pas sa spécialité. Aux quelques brefs exposés qu'il nous demanda de présenter, son commentaire, toujours délicat et bien sûr judicieux, se terminait invariablement par cette question (que j'ai reprise plus tard) : « Si vous n'aviez qu'une phrase à dire sur ce sujet, quelle serait-elle ? » Il m'a fait regretter de ne pas être expert dans les langues anciennes : je l'aurais volontiers suivi...

Alors parut Marc Bloch, qui succéda, à notre demande, au médiéviste méprisant de l'année précédente qui se contentait de nous débiter son manuel, bien bon pour des « primaires ». Deux ou trois d'entre nous avaient découvert, dans la salle de lecture où arrivaient journaux (de *L'Humanité* à *L'Action française*) et revues, l'une de ces dernières, fondée en 1929 par Bloch et Febvre, ces *Annales d'histoire économique et sociale* où l'histoire se faisait vie et s'élargissait dans l'espace comme dans les thèmes découverts ; on y voyait de vrais paysans, de vrais navires, des moulins et de vrais écus — et ce que nous appelons interdisciplinarité y était généreusement pratiquée. Il est sûr que cette revue et cet homme, tous deux exceptionnels m'ont donné, d'un coup, le désir de devenir historien, pour pratiquer au moins une histoire qui ne se réduise plus aux grands monarques, aux grands généraux, aux grands ministres et aux hommes de génie. Cette évidente et soudaine vocation, sa réalisation ne pouvait qu'être remise à plus tard. Mais elle naquit là.

Cependant, entre octobre 1935 et juillet 1937, la France, l'Europe et le monde évoluaient gravement et dangereusement. Nous ne l'ignorions pas, nous en parlions, entre nous ou avec des enseignants comme Aron, qui revenait d'Allemagne, comme Léon Cahen, fin analyste politique, ou Raymond Ronze, antifasciste résolu et futur résistant. La majorité des cloutiers éprouvait de la sympathie pour le Front populaire, et nous allâmes ostensiblement voter pour lui à la mairie de la très conservatrice ville de Saint-Cloud, qui élut un Croix de feu. À l'école, existait une poignée de communistes, fanatisés par un « littéraire » d'une rare intolérance. Mais on y trouvait aussi un fort groupe de chrétiens qui se réunissaient pour prier et méditer, le plus souvent disciples de Marc Sangnier et surtout de Mounier et de son personnalisme — amorce du MRP. Plus qu'à ces deux styles de pensée, nous étions sensibles à la remilitarisation de la rive gauche du Rhin, annonce évidente de ce qui allait suivre, et à la lamentable réplique du ministre Sarraut. Sensibles plus encore à la guerre d'Espagne qui en annonçait d'autres, et dans laquelle Italiens et Allemands intervenaient à leur aise, encouragés par la lâcheté des gouvernements anglais et français. Aucun pro-franquiste sans doute parmi nous, mais bien des incertitudes sur la « non-intervention » que Blum fut contraint de pratiquer. Nous pressentions presque tous qu'un terrible conflit approchait.

Cette préoccupation rendait dérisoire les quelques prestations d'intellectuels ou d'hommes politiques que nous avions entendus dans un café de la porte de Saint-Cloud ou dans la salle de lecture de la rue d'Ulm, où l'on nous invitait de temps à autre. S'y produisaient des hommes de lettres comme Paul Nizan, qui m'enchanta, ou des politiciens dont deux m'ont beaucoup frappé : Campinchi et Thorez.

Le premier, un radical, nous expliqua qu'il existait deux sortes de partis : les partis « de gouvernement » (dont le sien) et les autres, sortes de doctrinaires. Peu d'écho...

D'une autre trempe était Maurice Thorez, colosse au regard direct, à la voix puissante et aux certitudes enracinées. Exposé communiste classique. Première question : « Que pensez-vous de Trotsky ? *Réponse* : C'est le chef d'une bande d'assassins » (deux ans plus tard, Staline réussissait enfin à le faire assassiner). Autre question concernant le récent virage du parti (à la suite des accords Laval-Staline, début 1935), symbolisé par l'adoption conjointe du drapeau tricolore et de la *Marseillaise*. Réponse : « Le parti communiste a toujours raison. » Le faire croire fit très longtemps sa force.

En juillet 37, après avoir obtenu un sursis qui nous faisait espérer au moins un an de vie civile, on nous envoya enseigner pour un an dans des écoles normales : Jean Auneau à Saint-Lô, près de chez lui, Mireux à

Agen, moi à Périgueux : dernière année de notre jeunesse, dans un monde de plus en plus inquiétant.

Mais les deux années de Saint-Cloud demeurèrent un lumineux souvenir. Je rêvais d'y revenir. J'y revins, vingt ans plus tard pour enseigner.

CHAPITRE XI

Premières classes
en Périgord

Dans l'omnibus cahotant qui nous menait d'Angou-
lême à Périgueux, tôt le matin, montèrent peu à peu des
femmes chargées de larges paniers débordant de légumes
et de fruits destinés au marché. Brusquement, nous res-
pirâmes le parfum des figues et des chasselas, puis celui
des girolles et des cèpes. Je venais d'être nommé à l'école
normale de Périgueux. Pour la première fois, je dépassais
sensiblement les limites sud de l'Anjou. C'était une initiation, une découverte même, d'autant plus surprenante
que je ne comprenais pas le langage ambiant, une branche des trois ou quatre parlers périgourdins. Nous avions
vingt-deux ans, nous étions mariés depuis deux mois et
nous arrivions avec deux valises, sans avoir eu l'idée de
retenir un quelconque logis. Nous déposâmes les baga-
ges dans un modeste hôtel du centre ville (qui se révéla
le lendemain au cœur de l'odorant marché), et nous
cherchâmes un meublé, vite trouvé chez de bien sympathiques retraités, purs Périgourdins habitant près de la
vieille ville gallo-romaine, non loin des arènes et de l'imposante tour de Vésone. À deux pas aussi de l'Isle, qu'on
pouvait traverser pour deux sous par un bac rudimentaire, et parvenir à une guinguette et à deux collines,
Boissière et Écornebœuf, couvertes de grands châtaigniers, d'une colonie de girolles et de quelques bolets.

117

Odette, demi-Languedocienne, était ravie. L'inspecteur d'académie, Pierre Flottes, sorte de poète fantaisiste et spirituel, lui trouva, après quelques suppléances, une classe toute neuve de « scolarité prolongée » (après le certificat). Après m'être présenté à Flottes — fin littéraire, sympathie immédiate —, il me restait à affronter le directeur de cette école normale où j'allais débuter. Celui-ci, robuste montagnard à l'accent rugueux, se montra modérément accueillant : sans doute n'était-il pas ravi de toucher un jeunot d'une vingtaine d'années, qui n'avait même pas fait son service militaire. Il me fit remplir quelques papiers — peu, on a fait mieux depuis — et me donna un emploi du temps qui comportait peu d'histoire et de géographie, précisa-t-il avec un certain sourire, vaguement goguenard, puisqu'une collègue plus âgée s'en chargeait traditionnellement. Me voir confier tout l'enseignement du français en deuxième et troisième année, avec l'admirable programme du brevet supérieur, était bien loin de me déplaire. Je rencontrai aussi quelques collègues : un scientifique barbichonnant et sarcastique, un matheux encore jeune et bien fleuri, d'autant qu'il remplissait aussi les fonctions d'économe. Restaient les « élèves-maîtres », comme on ne disait pas. Avant de les découvrir, ce qui m'impressionnait (mes premiers élèves), il fallait liquider la session d'octobre du brevet élémentaire et du brevet supérieur.

Dans la cour de l'école normale, des candidats me demandèrent, selon la formule consacrée, si j'avais « bien gazé » ; pas mal, leur répondis-je ; ils furent assez surpris de me retrouver examinateur à l'oral. Pour le brevet supérieur, qui se déroulait en trois étapes avec interrogation d'histoire (de l'Antiquité à 1914 !), la scène se transporta à l'école normale de filles, dont la directrice m'accueillit avec une surprise aimable. À l'oral, de timides jouvencelles, et quelques garçons « tiraient » des sujets devant moi ou devant une jeune collègue. Je devais paraître peu redoutable, et l'on vint tirer surtout chez moi. Las ! une apparemment timide jeunette choisit un papier qui la bouleversa ; elle allait larmoyer, je lui en fis « tirer » un autre. Seconde candidate, même scénario, mais elle pleura deux fois ; je finis par l'interroger sur le roman et le gothique du Périgord et du voisinage, dont elle avait vaguement entendu parler. Parut une troisième, prête à réitérer la comédie. Un peu honteux, je l'expédiai à ma collègue, plus âgée, qui souriait. Tels furent mes débuts ; en réalité, une préface...

Dans le premier contact avec sa classe, la première heure est généralement décisive : à la fin, on sait si l'on a gagné ou perdu. Mon expérience d'ancien élève m'était seule utile ; Saint-Cloud ne nous avait diffusé ni doctrine ni expérience pédagogique. À nous de nous débrouiller. Ma référence, c'était l'exemple des maîtres de mes premières années, essentiellement à Saumur. Néanmoins, je ne pus dormir la nuit qui précéda mes débuts. Je savais que je devais « entrer » dans *Athalie* en deuxième année, dans *Les Châtiments* en troisième... J'appelais au secours le souvenir de M. Noyer, le « patron » de Saumur : comment aurait-il procédé à ma place ?

Ce lundi-là, je me trouvai devant une classe de dix élèves, puis une de douze : les temps étaient durs, et sévère la sélection pour entrer à l'école normale : un reçu pour douze ou quinze candidats. Il en résultait une qualité certaine, que j'allais vite découvrir.

J'eus l'idée de faire lire le groupe des dix, afin de les identifier vite. Il s'agissait d'*Athalie*. *Athalie* avec un rude accent périgourdin, j'ai failli m'étouffer de rire. Puis l'habitude vint ; et je fis peu à peu parler ces garçons venus de milieux modestes, mais pas trop, qui avaient eu de bons maîtres et qui avaient de la lecture, de la gentillesse, presque toujours de la finesse et un remarquable sens de l'humour. Nous avons parfois navigué en dehors du programme, pourtant riche, du brevet supérieur, notamment avec Musset (surtout son théâtre) pour lequel j'avais un culte qui les amusait. *L'École des Femmes* figurant à leur programme, je retrouvais les accents de Jouvet, que j'avais vu jouer trois fois la pièce à l'Athénée. J'y joignis d'autorité *Le Misanthrope,* chef-d'œuvre absolu, fort bien compris, sauf d'un ou deux rustres. Ce fut une belle année, enrichie par les splendeurs du Périgord, visité à bicyclette ; enrichie aussi par la proximité des normaliens, à peine mes cadets, avec qui je parlais de tout (d'Hitler notamment, hélas), avec qui je jouais au ping-pong et que je défendais vigoureusement lorsque l'un d'eux, dans un régime de rigueur, était amené, pour quelque peccadille, à passer en conseil de discipline (y étant passé moi-même quelques années plus tôt, je prenais ma revanche). Le cas le plus grave fut celui de Maurice Delage, qui rentrait souvent bien tard le dimanche et qui, ô scandale ! avait peut-être « fait le mur » pour aller retrouver Madeleine, que nous finîmes par rencontrer aussi. Parmi d'autres, aussi doués, mais plus sages, j'avais vite remarqué ce garçon, impétueux, frondeur, cabochard, généreux. Nous nous retrouvâmes chez Madeleine, et entreprîmes des excursions à quatre, vélo et tandem, allant pique-niquer çà et là le dimanche, notamment sur la terrasse de Domme, avec du foie gras et du montbazillac empruntés au père Delage. Tous ces garçons — et leurs éventuelles fiancées — riant à la vie voyaient assez bien la guerre qui pointait à l'horizon. Le jour de l'Anschluss, Odette et moi filâmes en vélo jusqu'à Brive, pour nous étourdir : une auberge du terroir nous y apporta quelque apaisement. Plus tard aussi, lorsque montaient les dangers, une longue randonnée dans les vallées de la Dordogne et de la Vézère nous aida à prendre congé de cette province inépuisable, après que les normaliens eurent fêté, à leur manière, notre présence qui s'achevait. Nous ne pensions qu'à y revenir. Il fallut attendre presque dix ans pour cela et retrouver aussi Maurice et Madeleine, et leur précieuse automobile.

120

Joie de la découverte, joie de « faire la classe » à des garçons chaleureux, dont deux vinrent me retrouver à la météo militaire : Maurice, bien sûr, était l'un des deux. Après les sombres années que nous avons tous les quatre (plus nos enfants) traversées sans graves dommages, nous nous retrouvions régulièrement, en Périgord puis en Agenais. À Pâques ou en été, il nous arrivait de débarquer chez eux, avec enfants ou non : l'amitié était toujours présente, la table toujours dressée, la chambre toujours prête, et les nouvelles de leurs anciens camarades souvent évoquées. Retraités, ils ont construit, en partie de leurs mains, une maison toute proche de leurs anciennes salles de classe, non loin d'Agen où, l'an dernier encore, nous avons dégusté le confit et le buzet, une amitié plus que cinquantenaire. Sans doute auraient-ils pu tous les deux aller bien plus loin qu'un poste double d'instituteurs de campagne. Du moins l'ont-ils tenu avec cette science et cette conscience qui ont fait et font peut-être encore l'honneur du vieux métier de maître d'école.

Deuxième partie

CLIO ET LES SIENS

CHAPITRE XII

Vocation

J'ai enseigné pendant neuf ans les lettres, les vraies, celles qui émanent de textes de premier plan, pour un public assez réceptif, et avec joie... Subsidiairement un peu d'histoire et de géographie, aux programmes officiels précis, que je suivais d'ailleurs peu ou prou. C'était cependant de l'histoire à coups de rois, de généraux, de batailles et de grands hommes, plus une collection de prépondérances (espagnole, française, anglaise, etc.) saupoudrée de quelques onces d'économie et d'art. La géographie se présentait mieux, grâce aux disciples de Vidal de Lablache : il s'agissait surtout de situer, de décrire et de comprendre. Ce n'était pas désagréable, mais ce n'était rien à côté de la présentation de Pantagruel, de Phèdre, d'Alceste, de Musset ou de Verlaine. La lecture, parfois passionnante, parfois éprouvante, de paquets de dissertations issues de plumes périgourdines, puis beauvaisiennes ne constituaient pas une charge effrayante : entre quinze et vingt copies par semaine. Tout cela ne m'empêchait pas de me consacrer, tard le soir, au projet conçu dès les années 35 grâce à Saint-Cloud, aux *Annales* et à Marc Bloch : devenir historien — ce qui n'était alors pas très simple pour qui sortait du primaire et donc n'était pas bachelier.

Cependant, dès 1938, sur ma demande motivée, les

hautes autorités de l'enseignement supérieur voulurent bien m'accorder (à mon ami Mireux aussi) la dispense du baccalauréat afin de pouvoir préparer l'indispensable licence dite d'enseignement (j'enseignais déjà, mais pas dans le secondaire) qui seule permettait d'accéder au « diplôme » (dont on a fait la « maîtrise ») d'études supérieures, alors indispensable pour oser préparer l'agrégation, pratiquement indispensable aussi pour réaliser mes ambitieux projets. J'arrivai, sans cesser mon enseignement, à passer un certificat de licence par an, et donc à lire beaucoup. L'agrégation fut attrapée sans peine — elle requérait essentiellement de la mémoire et de la rhétorique. Ce brillant concours nous permit, dans un premier temps, d'acquérir une magnifique cuisinière à gaz, et de ne plus trop redouter les fins de mois. Elle m'interdit aussi d'enseigner désormais le français : passé au lycée, je compris vite que ma destinée consisterait à enseigner, pendant des décennies, les campagnes de Napoléon, les révolutions de 48, les unités italienne et allemande et la subtile diplomatie d'entre 1871 et 1914. Mais, grâce au « diplôme », la parade était déjà trouvée. Pour ce travail de vraie recherche, je m'étais adressé à Augustin Renaudet dont j'avais admiré, dans ses livres et ses cours polycopiés, l'érudition dominée, la qualité de la pensée et la clarté de la langue. Je lui écrivis. À ma grande surprise, je reçus assez rapidement une lettre longue, précise et encourageante. Vous habitez Beauvais, disait-elle en substance, vieille ville drapante avec un évêché-comté-pairie prestigieux, un riche chapitre cathédral et plusieurs abbayes, sûrement aussi un hôtel-Dieu et un hôpital, cherchez les archives... Il n'était que de les trouver (1946).

Augustin Renaudet, de qui tout est parti, doit être bien oublié, sauf de quelques spécialistes. Il fut, entre les deux guerres, un maître incontesté dans l'étude de l'humanisme et de la pré-Réforme. Il avait fait beaucoup de

126

recherches en Italie et trouvé à Florence une *contessa*, femme d'une aristocratique simplicité que j'ai parfois rencontrée. Renaudet était un solide huguenot d'esprit très ouvert, apparemment grognon, mais probablement tendre, doué d'une acuité de jugement que je n'ai retrouvée que chez Labrousse et, dans un autre style, chez Braudel. Il suivit mon premier travail de recherche avec une pénétration et une intelligence rares, signalant les fausses pistes aussi nettement que les bonnes. La soutenance passée (il s'agissait des pauvres à Beauvais sous Louis XIV) avec l'assistance d'un second examinateur, André Aymard — rencontre inoubliable d'un être exceptionnel qui sut aussi me suivre —, il m'appela chez lui, rue Guynemer et, tout bourru, me dit : « Maintenant, l'agrégation ; vous serez vite reçu ; revenez alors me voir afin de penser à un sujet de thèse, probablement autour de Beauvais. » Deux ans plus tard, trop vieux, me dit-il, et passé au Collège (où il s'ennuya) je ne puis vous « diriger », il me signala que deux jeunes de qualité avaient fait de bonnes thèses et pouvaient s'occuper des plus jeunes : Mousnier, Labrousse. Il réfléchit quelques secondes et me donna l'adresse du second.

Au fond, tout est venu de lui, comme je le lui déclarai lors des *Mélanges Lucien Febvre,* en 1953 sans doute ; Labrousse, présent, le remercia du « cadeau ». C'était bien la première fois qu'on me qualifiait ainsi.

Il me faut le déclarer nettement : n'est pas vraiment historien — du moins pour l'époque que j'avais choisie — qui ne s'est pas sali les mains et quelque peu usé les yeux dans le monde immense, précis, vivant et chaleureux des archives manuscrites — dès qu'on a dominé leur graphie. Après avoir lu et assimilé, en une dizaine d'années, de grands livres, de solides manuels (type Hauser), des thèses, des recueils de textes anciens, sans omettre le juridique et le religieux, et maints articles dispersés, il me restait à plonger dans ce monde que j'ignorais, dont on ne m'avait parlé que par rares allusions. Me trouvant à Beauvais, je tentais de suivre les conseils de Renaudet.

Las ! me dit-on dès que je commençai à me renseigner, les archives communales ont brûlé en 40 dans la cour de la mairie où on les avait oubliées. Quant aux archives départementales, elles étaient inconsultables, parce que toujours « pressées » : cet étrange qualificatif signifiait que l'archiviste, pour éviter un possible incendie de ses trésors, s'était procuré une énorme presse, haute de deux étages, y avait entassé et comprimé des masses de vieux papiers qui restaient à décompresser, nettoyer et reclasser, ce qui pouvait être long. En attendant de voir plus clair dans ces deux assertions, naturellement fausses, mais qui confortaient la paresse administrative, je m'enquis d'éventuelles archives hospitalières, dont personne n'avait entendu parler. Mais, comme avaient échappé à l'incendie de juin 1940 le vieil hôtel-Dieu et les bâtiments (XVIIe siècle) du Bureau des pauvres (antérieur à l'Hôpital général de Paris, mais remplissant les mêmes fonctions), je n'hésitai pas à m'adresser franchement au directeur de cet établissement, toujours en fonction. Je trouvai un homme aimable, disert, compréhensif, qui n'ignorait pas les trésors qu'il détenait. Tout d'abord, cinq ou six énormes registres, inventaire détaillé et calligraphié, dressé vers 1760, de la totalité des archives hospitalières de Beauvais, y compris de vieilles maladreries insoupçonnées. Me voyant interloqué, cet excellent homme m'apprit, souriant, que tout ce qui était inventorié dans ces in-folios existait encore, dans une vaste salle bien sèche et bien close, rangé et disposé sur des rayons depuis près de deux siècles et dans l'ordre de l'inventaire, avec les cotes afférentes. Un coup d'œil rapide, et je compris que le diplôme dédié à Renaudet allait se faire

128

sans peine, en attendant mieux. Pour en finir avec ces pérégrinations archivistico-comiques, j'appris vite que le plus précieux, et de loin, des archives de la ville avait été mis à l'abri dans un caveau vide et bien sec du cimetière de Beauvais. Il ne restait qu'à les exhumer, ce qui fut fait après quelques courtelinesques délais administratifs. Quant aux archives départementales, sises (avec la préfecture) dans une ancienne et fort belle abbaye retapée au XVIIIe siècle, rien n'avait brûlé, tout n'avait pas été pressé — et surtout pas l'essentiel — et je finis, avec de la patience et une aimable corruption des commis, à obtenir le « dépressage » ; quant au classement, je préférai m'en charger après avoir extorqué la clé du dépôt, et effectuer mon tri, qui devait se révéler fort riche.

Il faut en revenir à ce qui fut la primeur et un peu la merveille : les remarquables archives, si bien classées depuis près de deux cents ans, du Bureau des pauvres de Beauvais. On y trouvait sous Louis XIV trois cents pensionnaires, hommes, femmes et enfants, évidemment misérables, logés et nourris selon les habitudes du temps, à condition qu'ils tissent des serges pour le compte de l'établissement. Ce dernier secourait aussi les « pauvres du dehors » en leur distribuant du pain et quelques deniers deux fois par semaine et en subventionnant aussi quelques apprentis (j'ai retrouvé plus d'un millier de contrats). Existaient toujours les registres des pensionnaires et ceux des assistés : nom, domicile, métier, famille, maladies et infirmités. Dans les bonnes années, on secourait une bonne cinquantaine de familles ; en 1693-94 et en 1709-10, plusieurs centaines, par semaine ; au début de mars 1710, on atteignit la « pointe » de 732 familles ; après quoi les pages ont été arrachées. Ainsi constatai-je clairement les ravages de ces hivers, ceux du premier se trouvant les moins connus. Non loin de ces registres, une grosse liasse cotée G 6 (je m'en souviendrai toujours) contenait une enquête, paroisse par paroisse et foyer pauvre par foyer pauvre, effectuée par les douze curés (tous jansénistes) de Beauvais en décembre 1693. Plus de 1 200 familles rassemblant près de 3 600 personnes (le tiers de la population urbaine) ont été décrites avec soin : rue, nom, âge, métier, oisifs (chômeurs) ou non, avec le détail de « ce qu'ils peuvent gagner par semaine », la liste des maladies et des infirmités (souvent horribles), et comment il convient de les secourir. Ce tableau, exact, triste, non noirci (comme d'aucuns l'ont prétendu !), fut mon premier contact avec les Beauvaisiens de la fin du XVIIᵉ siècle. Tel fut le début, agrémenté d'une rapide visite aux archives départementales où l'archiviste était par nature absent et d'ailleurs peu compétent et ses trois subordonnés aussi incompétents, mais aimables et compréhensifs, puisqu'ils m'ouvrirent le dépôt et permirent que j'y jette un premier coup d'œil, qui me réconforta. Puis je pus obtenir la permission — tacite et peu légale — d'y fouiner à loisir durant plusieurs années.

La première fois que je pénétrai dans cet asile sacré, obscur et malodorant (l'archiviste y cuisinait, quand il passait), je tombai en arrêt devant une fort belle collection de registres reliés, bien rangés sur de larges étagères. « C'était l'état-civil ancien », me dit-on ; autrement dit, des registres paroissiaux. J'attrapai le premier venu, qui portait sur la tranche : « Saint-Sauveur, 1690-99 ». Instruit par mes découvertes au Bureau des pauvres, je l'ouvris aux années 1693 et 1694. Ce que j'y trouvai — des décès en masse, surtout des décès d'enfants, précisément notés (plus quelques baptêmes et de rares mariages) — me montra que je venais de mettre la main sur une source de premier ordre. Des registres de la ville, je passai à ceux de la campagne, qu'on voulut bien m'envoyer, ou que j'allais consulter à bicyclette, notamment à Auneuil. Je n'avais jusque-là que de vagues notions de démographie ; je fus bien contraint de m'instruire, et

130

continuai quelque temps dans cette voie (que j'abandonnai plus tard). On le comprend, je suis devenu démographe par hasard : les registres paroissiaux étaient les seuls documents reliés et abordables, vers 1946, aux archives de l'Oise.

La recherche qui suivit visait à connaître et comprendre le mode de vie et l'activité des paysans, des ouvriers en laine, des artisans drapiers, des négociants, des chanoines, des officiers. J'y parvins, au moins en partie, grâce à l'extraordinaire richesse des fonds d'archives ecclésiastiques, si bien conservés par une Révolution qui sut (au moins ici) bien plus souvent préserver et classer que détruire. Naïvement, j'avais supposé que toutes ces liasses — des centaines — devaient se rapporter à la théologie et aux exercices de la piété. En réalité, elles détenaient presque exclusivement des comptabilités, des baux, des procès, des documents seigneuriaux et donc judiciaires, puisque toutes ces pieuses institutions, largement propriétaires et seigneurs des dizaines de fois, avaient soigneusement conservé leurs papiers, jusqu'au décompte des pots de beurre venus du pays de Bray et repartis vides. La chance supplémentaire provenait du fait que l'évêque, comte et pair de France, était seigneur de Beauvais comme de nombreux autres lieux (avec son opulent chapitre). Si bien que les archives essentielles de la ville (notamment économiques) se trouvaient, intactes, dans les considérables archives de l'évêché.

Pour qui veut approcher presque physiquement les sujets des premiers rois Bourbon, rien de plus vivant que les inventaires après décès dressés souvent avec précision par les greffiers de seigneuries (ailleurs par les notaires). Ils détaillent le mobilier, les « hardes », les outils, le bétail, les récoltes, les papiers (beaucoup de reconnaissances de dettes) et plus rarement l'argent-monnaie, absent ou dissimulé. J'eus aussi la chance de tomber sur une série de rôles d'imposition des Beauvaisiens : tous devaient y figurer, puisqu'on n'avait pas oublié les exemptés par la condition (clergé, nobles, officiers) ou par la misère. Des liasses insoupçonnées, poussiéreuses, jamais ouvertes depuis plus de deux siècles, permettaient des découvertes : une enquête sur les revenus — non médiocres — de plus de trois cents curés ; une autre sur les revenus de la noblesse possessionnée dans le bailliage (les financiers anoblis en tête) ; un paquet de lettres d'anoblissement (payé six mille livres) des dernières années du siècle (impubliable) ; des plans parcellaires de seigneuries, ecclésiastiques toujours, dès 1672 ; et la statistique annuelle des « métiers battant »... dans les papiers de l'évêché.

Ces découvertes inattendues — suivies d'autres dans d'autres provinces, comme la Bretagne plus tard — remettaient en cause quelques idées reçues et quelques interprétations gratuites. Ainsi sur la misère des curés de campagne, sur les mirifiques ordonnances de Colbert, non appliquées ici ou franchement ignorées ; sur un prétendu apogée de la draperie (elle se place sous Louis XIII). Ou bien — *horribile dictu* ! — que tous les paysans n'étaient pas des « animaux farouches » (il y en eut) mais que toute une gradation allait du simple manouvrier au gros fermier-laboureur et receveur de seigneurie (et de dîmes). Je découvris aussi que les hommes se mariaient tard, que les enfants ne venaient guère que tous les deux ans, que les familles vraiment nombreuses étaient rares, qu'un quart des nouveaux-nés n'atteignaient pas leur premier anniversaire, ni un autre quart l'âge du mariage. Cette dernière constatation, devenue banale, me valut alors de rudes sarcasmes — je noircissais... — auxquels j'ai dû répliquer rudement.

J'eus certes la chance de tomber sur le trésor d'archives de Beauvais et du Beauvaisis. Il m'aida à illustrer le type d'histoire dont je rêvais depuis plusieurs années : regarder de près le petit peuple et le peuple « moyen »

— sans négliger, naturellement, les divers privilégiés — et partir de leurs troupes nombreuses et souvent ignorées pour remonter vers les sommets du gouvernement et de la royauté. En somme, voir l'histoire en remontant du bas vers le haut, ce qui n'empêcherait sûrement pas — mais plus tard — d'envisager la démarche inverse.

Les premiers résultats de ce travail parurent en 1952, et la thèse, terminée en 1957, soutenue en 1958 parut en 1960. Dans l'intervalle, je fréquentai le Congrès international de Rome (1955), j'écrivis ici et là, y compris dans des revues anglaises ; j'entrai aux Hautes études, VIe section, en 1955 et à l'université de Rennes en 1958, en attendant la suite. Vinrent aussi de nombreuses invitations pour parler ou enseigner à l'étranger, souvent fort loin, ce que n'aurait jamais pu imaginer le gamin né et élevé dans la Grand'Rue de Saumur, parmi le petit peuple.

CHAPITRE XIII

Labrousse

Il parut comme un éblouissement, dans l'une des salles les plus tristes de la triste Sorbonne. Il me fut signalé par l'enthousiasme d'une de mes récentes (et meilleures) élèves de Beauvais. « Il ne ressemble à personne d'autre, me disait-elle, il est comme une lumière parmi tant de... chandelles », comparaison un peu exagérée, mais enfin pas trop. C'était, je crois, en 1947. Labrousse venait d'avoir cinquante ans. Après une thèse à la fois éblouissante et savante *(La Crise de l'économie française à la fin du XVIIIᵉ siècle)*, la Sorbonne, dont certains membres, comme Renouvin, sentaient la nécessité d'un réveil, lui donna le choix entre la chaire de la Révolution, jadis illustrée par Aulard et Mathiez, et que l'admirable Georges Lefebvre venait d'abandonner (limite d'âge) et la chaire plus récente d'histoire économique, où avaient brillé Hauser et Marc Bloch. Labrousse choisit tout naturellement la seconde, aux plus larges perspectives. Je m'évadais de Beauvais un jour ouvrable pour aller l'écouter : économie, statistiques, prix et revenus, cycles, intercycles, mouvements de longue durée (Braudel n'a pas tout inventé), le tout reposant sur des hommes de chair — rentiers, laboureurs, manouvriers, vignerons surtout — dans un XVIIIᵉ siècle rajeuni et comme repensé. Plus prenantes encore, s'il se peut, la phrase et la parole :

une sorte d'éloquence maîtrisée, retenue et pourtant presque chaleureuse (jamais trop) et cette voix que j'entendrai toujours, comme tant d'autres qui se sont tues, avec des résonances où les cuivres l'emportaient souvent sur le violoncelle. Éloquence naturelle ? certes, mais probablement contractée, au moins en partie, au contact de celui dont il fut un moment le secrétaire : Jean Jaurès, à qui Braudel, bien plus tard, le comparait presque, en feignant de regretter l'orientation choisie : nous avons perdu un Jaurès, constatait-il avec un soupçon de malice... Je sus ou devinai assez récemment le fond de l'affaire.

Ce fut au début de 1949 que, à l'instigation de Renaudet, je gravis pour la première fois les cinq étages qu'ont escaladés, longtemps après moi, des dizaines et des dizaines de « thésards », également séduits par le rayonnement du maître des lieux. L'accueil fut simple, direct, avec une sorte d'amabilité mesurée. Après avoir sobrement dit d'où je venais, je présentai, oralement bien sûr (avec Labrousse, l'oral fut toujours l'essentiel) ce que j'avais découvert dans des archives à peu près vierges : ville textile, ouvriers en laine, dénombrement des pauvres, premières constatations démographiques, premiers excursus ruraux, en avouant que, bien sûr, il ne s'agissait que d'histoire « locale », et non de « grande » histoire. J'eus deux réactions : un sourire et une dénégation au sujet de l'histoire locale — la seule histoire sociale possible, dit-il, comme l'avait écrit Lucien Febvre bien plus tôt — et une invitation à venir le revoir lorsque j'aurais avancé mes travaux.

Ce que je fis durant huit années environ. Je montais les cinq étages tous les deux ou trois mois, apportais des résultats, surtout sous forme de graphiques ou de tableaux ; je me rendais compte peu à peu que tout cela devait l'intéresser (quarante ans plus tard, évoquant ces débuts, il me dit beaucoup plus). Et puis, ayant vu et écouté, il se lançait : c'était un jaillissement d'idées, de suggestions, de mises en garde qui me laissaient parfois sans voix : face à une telle acuité d'esprit et souvent de profondeur de pensée, que dire sinon en profiter ? À part ces rares moments, l'homme demeurait discret, réservé, peu souriant, sauf lorsque entrait sa femme, qui gérait téléphone, rendez-vous et agenda. Je compris sa confiance lorsqu'il me suggéra — fermement — d'aller voir Febvre et Braudel ; plus encore lorsque, dès l'été 1951 — il me connaissait depuis juste deux ans —, il me fit quitter le lycée de Beauvais et détacher au CNRS pour trois, puis quatre ans. Ainsi, durant quatre années, je pus me consacrer presque entièrement à découvrir, déchiffrer, interpréter des archives d'une grande richesse, lire et relire les bons auteurs et même les autres, fréquenter les archives parisiennes et les rares historiens qui m'attiraient, surtout Jean Meuvret, en quittant Beauvais un jour par semaine.

Puis, en 1955, à l'issue de ces longues et heureuses années, mes trois mentors (les deux autres étant Braudel et Meuvret), n'imaginant pas de me voir « retomber » dans le secondaire (seulement des sixièmes, plaisantait Labrousse) trouvèrent le moyen de me faire entrer dans une institution de choix, la VIe section (connue à l'étranger sous ce seul nom) de l'École pratique des hautes études, inventée et présidée par Febvre, en une sorte de prolongement de l'ancienne, fort savante et un peu vieillote création de Victor Duruy, sous Badinguet. Mais c'est une autre histoire, qui mériterait d'être reprise, pour une fois sérieusement.

Après la préparation et la soutenance de ma thèse sur *Beauvais et le Beauvaisis au XVIIe* (1958), qu'il avait suivie puis présidée avec une sorte de légèreté dans la confiance, mon entrée en faculté et mon déménagement à Rennes m'éloignèrent quelque peu de Labrousse. Je le retrouvai quand je devins parisien, en 1965, et le revis fréquemment jusqu'à la veille de sa mort en 1988. Ce fut, au fond, la période où je pus mieux comprendre une personnalité naturellement voilée par une sorte de discrétion voisine de la pudeur.

Ni normalien, ni agrégé d'histoire, ni parisien, ni issu des marges du Nord ou de l'Est comme tant d'autres (Lefebvre, Febvre, Braudel, par exemple), il était de Barbezieux en Aquitaine, ce Centre-Ouest qui sent déjà le Midi, le charme, la lumière, la réserve et la nuance. Après des épisodes que je ne connus que plus tard, Claude-Ernest (ses vrais prénoms, mais le premier tomba) fut découvert par des connaisseurs au flair sûr, Georges Lefebvre et Lucien Febvre, à travers sa thèse dite de droit, en réalité d'histoire, de statistique et de pensée économique (1933), chef de file d'une école, et manière de chef-d'œuvre trop oublié. Aussi le soutinrent-ils à leur façon (entrée aux Hautes études, IVe ou VIe section, articles, exposés...) avant que la Sorbonne, pour une fois bien inspirée, ne lui offre une place de choix qu'il honora sans doute trop aux yeux de certains pense-petit.

Des centaines et des centaines d'étudiants, à Paris, en Europe, ailleurs, découvrirent sa voix vibrante, ses gestes souples, le bonheur de ses formules, les chemins tracés vers une recherche neuve. On se pressa à Paris pour qu'il accepte de diriger des diplômes d'études supérieures et des thèses de doctorat. Pour ces dernières, j'ai été témoin de la soixante-dixième inscription, que je n'ai pas approuvée (si j'avais su ce qui m'attendait !). Des langues jalouses ont susurré qu'il s'en trouva jusqu'à cent. Il était heureux de cette confiance, mais secrètement, sauf une fois où il éclata de joie devant moi, ahuri : « J'en ai autant que tous mes collègues réunis», ce qui était bien possible, sinon raisonnable. Il est de fait qu'il forma la plus grande partie des historiens des XVIIIe et XIXe siècles de ma génération et même de la suivante.

Serein, sûrement heureux, invité partout, présidant

colloques, thèses et congrès, il survolait les triomphes avec simplicité. Toujours pressé, après vous avoir décoché un regard qui transperçait et pourtant rendait confiance, il regagnait de son pas rapide son perchoir de la rue Gay-Lussac, enfin pourvu d'un ascenseur.

Une incroyable santé, une résistance de fer (ses journées commençaient à six heures), une grande pudeur, une vraie fidélité — mais plus complexe que je n'ai cru d'abord — au vibrant socialisme de sa jeunesse et au contact de Jaurès chez lui rue de la Tour, à *L'Humanité*, dans les couloirs de la Chambre, dans ses réunions de province... tout cela que je ne découvris qu'en 1973, lors d'un chaleureux et magnifique congrès organisé à Santiago de Compostelle par Antonio Eiras Roël et où il se confia enfin, à soixante-dix-huit ans, devant quelques disciples sûrs et pas seulement français.

Pendant quelques années encore, je retrouvai ce maître de toute une génération, appuyé sur une épouse exceptionnelle et trop tôt disparue et sur une fille attentive, à peine vieilli, toujours lucide, apparemment encore heureux, marchant légèrement comme au-dessus d'un monde dont il refusait de considérer les petitesses, qu'il connaissait pourtant. Comme Braudel un peu plus tard, je l'ai trouvé plus que retrouvé, proche et chaleureux, lors de cérémonies plus ou moins universitaires, dont il s'éclipsait vite, comme jadis, moins bavard que moi, mais ayant dit fermement ce qu'il sentait. Je ne puis oublier son déchirement lors des obsèques d'Albert Soboul qui lui rappelait son cher Georges Lefebvre, et de tous les disciples qu'il vit partir avant lui, ce drame des existences trop longues. Au moins disparut-il à son tour à la veille d'un bicentenaire dont il n'osait plus attendre la célébration, qui l'eût sans doute bien déçu.

J'avais toujours pensé que bien des éléments me manquaient pour comprendre vraiment Ernest Labrousse. Lors de son quatre-vingt-douzième anniversaire, il se confia à Jean Nicolas, son jeune disciple, son ami, et le mien. Jean Nicolas eut l'heureuse idée de rédiger ces véritables confidences, la délicatesse de me les communiquer et de permettre d'en faire connaître l'essentiel.

L'ascendance d'Ernest Labrousse, à la fois diverse et assez courante, se situe dans une ville franchement « républicaine », Barbezieux, dans un Angoumois très conservateur. Un grand-père maréchal-ferrant, et aussi franc-maçon — le seul de la famille —, avait curieusement fait des études classiques et légué à son petit-fils des dictionnaires de grec et de latin. Ce dernier fréquenta beaucoup sa grand-mère maternelle, boulangère à la fois croyante (elle inscrivit sa fille dans une pieuse institution des Sables-d'Olonne) et anticléricale (« ils sont toujours à demander de l'argent », disait-elle des prêtres) ; cette étonnante grand-mère, franchement républicaine, admirait beaucoup Raspail dont elle suivait les méthodes médicales. Ce personnage tout en contrastes (comme le sera peut-être son petit-fils, qui sut les dominer) subventionna intégralement le premier (et unique) numéro de *L'Avenir* daté du 27 prairial de l'an 117 de la République française (1910), étonnante feuille révolutionnaire, organe du « Club des Jacobins », expression du petit groupe « socialiste-révolutionnaire » animé par un garçon de quinze ans qui faisait néanmoins de solides études secondaires. Il dévorait aussi la *Révolution* de Michelet comme la plus sage *Histoire de France* d'Henri Martin, et se trouvait à la fois en conjonction et en opposition avec son père, assez important marchand de nouveautés, à la fois radical, anticlérical et auteur d'hymnes religieuses qu'il chantait volontiers à l'église, notamment pour la communion du jeune Ernest. En 1911, ce dernier osa créer un Groupe d'études sociales, dont un tract, toujours payé par la grand-mère) dénonce vigoureusement le conservatisme d'une SFIO insuffisamment révolutionnaire, révèle une forte influence des thèses anarchistes sérieuses et appelle enfin à « l'émancipation du prolétariat ». « Nous avions toutes les ambitions », disait, soixante-quinze ans plus tard, le professeur Labrousse, peut-être nostalgique.

Un peu épouvanté par l'activité politique du jeune Ernest, son père l'expédia à Paris pour préparer une licence d'histoire. Le jeune homme avait dix-sept ans ; il rencontra l'illustre Aulard (dont le frère logeait chez une de ses tantes), l'écouta pendant deux ans à la Sorbonne, et plus encore l'inspirateur de celui-ci, Jean-Jaurès, qui deviendra le sien. Il amorce dès 1913 un diplôme d'études supérieures sur le Comité de recherches de la municipalité parisienne, préfiguration d'un Comité de la Convention bien connu. Il milite en même temps au Groupe des étudiants socialistes révolutionnaires, la gauche de la gauche (faut-il rappeler que le Parti communiste n'existait alors pas ?), puis s'attache à la personne de Jaurès, qui saisit vite l'agilité intellectuelle et la ferveur du jeune homme, le prend en somme avec lui, au journal — *L'Humanité* — où il écrira plus tard, à la Chambre pour « faire les couloirs » (il continuera) et dans les réunions publiques, pour l'assister.

Ce fut à Compostelle en 1973 et chez moi où il vint une fois pour faire un pèlerinage à la Villa de la Tour, rue de la Tour où habitait Jaurès (ce que ne signale aucune plaque), qu'il évoqua la parole du tribun, le silence de la foule (pas de micro) et l'enthousiasme qui suivait. Je l'ai entendu au moins deux fois conter ceci : à Dijon où il allait prendre la parole, on téléphona à Jaurès qu'était égaré le manuscrit de son article pour *L'Humanité* du lendemain. Jaurès dicta un texte au téléphone ; le manuscrit retrouvé, on s'aperçut qu'il ne différait que de quelques mots du message téléphoné. On comprend qu'un tel exploit ait frappé un garçon de dix-neuf ans. Nonagénaire, Labrousse témoignait toujours de l'émotion, avec une sorte de tremblement dans sa voix, lorsqu'il parlait de Jaurès.

L'assassinat du grand homme dut le déchirer, comme sans doute la rupture de son parti au congrès de Tours (décembre 1920), où il assistait. Mais il n'en parla pas, sauf à partir de 1965, en cours.

Mobilisé, puis réformé pour raison de santé (la poitrine ?), le voici professeur délégué à Rodez, puis à Cognac (1916-1918). « Petit animal politique assez précoce », avouait-il à Jean Nicolas, il milite en pleine guerre au Parti socialiste, renverse la majorité de la section de l'Aveyron (en battant Ramadier !), plaide pour les initiatives pacifistes de certains socialistes d'Europe, se fait repérer par l'Administration qui le rétrograde.

Nouvellement marié, il « monte » de nouveau à Paris, commence à préparer l'agrégation d'histoire, renonce et entre comme rédacteur à *L'Humanité* ; il y est chargé de l'information parlementaire (les couloirs...), rédige quelques articles de politique générale, interviewe Combes en 1920, mais surtout les trois vedettes du radicalisme (Painlevé, Aulard, Buisson) entre les deux tours de l'élection difficile d'André Marty en 1919. Il se réjouissait encore, en 1987, d'avoir contribué au succès, de justesse, du « mutiné de la mer Noire », alors emprisonné. Rédacteur à *L'Humanité,* il cessa de l'être en 1924, pour des raisons jamais exprimées, mais évidentes : 1924, ce fut la mort de Lénine, la montée de Staline, l'effondrement de quelques illusions.

Désormais, l'ancien étudiant d'histoire, l'ancien militant socialiste (qu'il restera discrètement) se tourne vers les facultés de droit, les seules où il puisse alors envisager l'apprentissage de l'économie. Éliminant naturellement le concours de l'agrégation de droit (un ancien rédacteur à *L'Humanité* chez les juristes du Panthéon !), il étudie la pensée des grands économistes (Lescure, Aftalion, Simiand et d'autres), se plonge dans les archives du Contrôle général (XVIIIe siècle), dépouille l'essentiel de leurs statistiques (il me montra ses fiches), dresse et interprète ses graphiques, comprend tout et le fait comprendre. Premier article en 1931 sur le prix du blé au XVIIIe siècle, thèse dite de droit intitulée, on l'a vu, *Esquisse* (!) *du mouvement des prix et des revenus* (1933), immédiatement remarquée par de très grands historiens non traditionalistes, comme Georges Lefebvre et Lucien Febvre. Suivirent nombre d'articles et de communications préparant le grand ouvrage paru en 1944 qui suscita surprise et admiration et dont l'introduction, d'une cinquantaine de pages, demeure l'un des grands morceaux de notre production historique.

Par ses dernières confidences, Ernest Labrousse a peut-être désiré qu'on le connaisse mieux. Connaître, même incomplètement, ce parcours, m'a aidé à mieux comprendre l'homme complexe et discret que j'ai découvert et suivi entre 1949 et 1988, en admirant son ouverture, sa clarté d'esprit, ses intuitions soudaines, la sûreté de ses reparties et de ses péroraisons dans une langue improvisée où l'on ne décelait ni accroc ni rupture. Mais toujours courtois, intuitif, élégant, l'homme se dérobait tout à coup, prenait congé rapidement et s'éloignait de ce pas rapide et léger qui se ralentit à peine dans ses dernières années. Homme des fidélités discrètes — tout naturellement au généreux socialisme de sa jeunesse — et des encouragements rares et fermes, il fallait lontemps pour le pénétrer et pouvoir écarter sa pudeur. Même Fernand Braudel, qui le connaissait bien et qui peut-être eût aimé être ce qu'il fut (?) éprouva une légère difficulté à le définir dans la préface du livre d'hommages que nous lui offrîmes, bien tard, en 1974. Voici les derniers mots, relatifs au choix effectué en 1924 : « Je puis le dire à Ernest Labrousse : il nous a privés d'un second Jean Jaurès. L'histoire seule y a gagné. »

CHAPITRE XIV

Les deux fondateurs
Marc Bloch, Lucien Febvre

Marc Bloch

Après mon extraordinaire maître du cours complémentaire de Saumur, quasiment adoré de tous, et qui le méritait, Marc Bloch fut le second maître à me marquer profondément, bien que trop brièvement. Naturellement, je connaissais bien les thèmes si vivants, si larges, si neufs qu'il avait abordés et approfondis dans les *Annales,* et ces *Caractères originaux de l'histoire rurale française* dont la géniale nouveauté avait tellement rebuté les éditeurs « bien de chez nous », racornis dans leur train-train, qu'il avait fallu un Norvégien pour l'éditer, en français malgré tout. Il fallut aussi l'insistance quasi féroce d'une poignée de « cloutiers » — je ne fus pas le moins éloquent — pour chasser le médiéviste à figure de manuel qui visiblement nous méprisait (des primaires !) et osa insister pour revenir *(money, money...)* et pour imposer Bloch à notre administration.

Et nous le vîmes chaque mardi à partir d'octobre 1936. « Normaliens en guenille déshonorant le parc » (écrivait *L'Action française*), nous guettions, non loin de l'admirable terrasse, l'arrivée de sa vénérable automobile qui avait assez péniblement gravi la côte de Saint-Cloud.

Après quelques manœuvres, il jetait un coup d'œil sur la Seine et Paris, à ses pieds, pénétrait dans l'immeuble principal pour aller saluer le directeur, personnage myope, onctueux et lointain que nous connaissions à peine (sauf quelques courtisans) et signer le lourd registre des conférences (vingt et même trente ans plus tard, il me parut être le même). Cet homme apparemment fragile, modestement vêtu, se dirigeait ensuite vers notre salle de cours en gradins, vestige probable d'une ancienne serre du château, vite démolie par la construction de l'unique autoroute d'alors et l'amorce du fameux tunnel. Il entrait ; nous étions debout — une petite douzaine —, nous saluait d'un bref signe de tête, calait sa canne et son chapeau, posait sa lourde et vieille serviette de cuir, puis commençait doucement à parler. Nous retrouvions la fermeté et la sobriété, la clarté et la rigueur, la vaste et pourtant discrète culture, la palpitation de la vie ; rien d'oratoire, mais tant de pénétration dans la manière de dominer ! Nous découvrions aussi son regard, l'un des plus beaux regards d'homme que j'aie jamais reçu : lumière, intuition, profondeur, rigueur, tout ce qui annonçait ce livre saisissant, sévère et juste, *L'Étrange Défaite,* qu'on devrait encore et toujours méditer, notamment dans notre actuel zoo politique, s'il pouvait comprendre.

Bloch nous parlait du Moyen Âge, car si sa curiosité était multiple, il avait d'abord été médiéviste, médiéviste sans bornage — et encore ignorions-nous ses *Rois thaumaturges.* À la seconde partie du professorat, présenté à la fin de la deuxième année, sorte d'ancêtre du CAPES en plus rude (en 1937, on reçut dix jeunes gens), était au programme un de ces sujets qui m'aurait rendu géographe si d'autres qu'un Cholley avait régné *in Sorbona,* ou m'aurait mis au grec pour devenir un vrai classique, mûr pour « faire lettres pures » (pures !). Il s'agissait des relations entre la papauté et l'Empire de Grégoire VII à

144

les empêchait ni de connaître ni de sentir et de comprendre les divers types de croyances, mieux peut-être que bien des dévots. Naturellement, une culture de dimensions et de qualité comparables et la même audience internationale. En dehors de cela, qui est essentiel, rien de commun.

Grand, large, vigoureux, fleurant les bonnes choses de la vie — plus que Bloch —, volontiers gai et enthousiaste — bien plus que Bloch —, aussi féroce dans le fond de sa critique, mais beaucoup plus dans la forme — quel envol ! —, Lucien Febvre impressionnait en public comme en privé, et il le savait bien, et il en jouait parfois.

Je le découvris en partie dans l'un des entretiens qu'il m'octroya vers 1952 ou 53, parce qu'il était l'un des rares à avoir lu la petite chose expédiée par Renaudet, qui me servit de « diplôme », et surtout parce que Labrousse me catapulta vers lui — provincial, j'avais mal compris pourquoi. Cet entretien, qui fut plutôt un monologue, nous conduisit de la rue de Varenne, où naissait un Centre de recherches historiques encore modeste (mais qui grossit beaucoup) à la rue du Val-de-Grâce où il perchait au n° 1, très haut. Tout au long de ce parcours, Febvre me donna, ou me joua, un résumé de ses visages. Le penseur sage, qui a fait le tour des choses et des hommes (il m'en croqua quelques-uns, dont son futur successeur, Braudel, bien sûr) et me disait qu'à son âge, qu'il jugeait avancé (un peu plus de septante), il voyait la terre « de Sirius », ce qui lui permettait d'aller à l'essentiel, donc de mieux comprendre. Comprendre, c'était son maître-mot, et comme il avait raison ! Mais je trouvais alors Sirius bien lointain et soutenais (je soutiens toujours) qu'il fallait de temps en temps mettre le pied dans la glèbe. Chemin faisant, du VIIᵉ au Vᵉ arrondissement, il me poussait, franchissant tel portail, dans des cours minuscules ou grandioses, heureux de me faire découvrir des chapelles, des hôtels

147

nobles, de magnifiques escaliers, un jardin ignoré : manière plaisante de jauger mes réactions, qui durent être juvéniles malgré ma proche quarantaine. La promenade n'était pas gratuite : Febvre me proposa soudain de lui servir de modeste secrétaire pour une entreprise éditoriale qu'il installait chez Colin : il s'agissait de *Destins du Monde,* titre un peu fracassant mais tout à fait dans son style. Mon habitat provincial et l'impossibilité de me déplacer sans cesse me fournirent de bonnes raisons pour refuser — et d'ailleurs, je me sentais impropre à ce genre de besogne. J'utilisai les mêmes raisons, quelques années plus tard pour refuser à Braudel une autre offre, encore plus reluisante, et plus impérieuse. Du moins Febvre ne m'en voulut-il pas et favorisa même mon entrée aux Hautes Études en 1955. À vrai dire, il ouvrait déjà les bras à Robert Mandrou, son dernier et peut-être son plus cher disciple, très proche de lui par l'objet de ses recherches, sa forte culture germaniste et sans doute son tempérament vif et séduisant.

Il fallait surtout le voir officier comme président de la toute neuve section des Sciences économiques et sociales qu'il avait réussi à faire adjoindre en 1947 à la vénérable École pratique des hautes études, que Victor Duruy fit créer sous Napoléon III pour compléter utilement les aimables conférences prononcées à la Sorbonne. Ladite École, essentiellement pratique, comprenait cinq sections, dont trois discrètes ou moribondes, les deux autres s'occupant de philologie, d'histoire des religions et même d'histoire de type chartiste. Fort aidé dans le monde politique, Febvre installa donc la VIe, dont les débuts sonores firent sensation. Il y rassembla quinze ou vingt spécialistes de qualité, dont plusieurs (parmi lesquels Labrousse et Braudel) venaient de la IVe section. À l'étranger, où on l'apprécia vite, elle n'était connue que sous ce nom, et l'on se demandait bien ce que pouvaient être les cinq autres. La VIe eut le front de s'installer dans

148

les locaux — moyennement fréquentés — de ses deux aînées qui renâclèrent un peu, sur le flanc Saint-Jacques du quadrilatère sacré, dont les principaux occupants se voilèrent la face ou ricanèrent. Belle revanche de la part d'un homme qui, après l'avoir sérieusement brocardée, avait eu le toupet, sans doute conscient, de se présenter aux suffrages de ceux de la vieille maison qui naturellement (et heureusement !) lui préférèrent un quidam. Mais le Collège de France l'attendait.

Le net dessein de Febvre était celui des *Annales* : élargir le champ de l'histoire, l'aérer, pratiquer la pluridisciplinarité bien avant le mot, dans une rencontre de philosophes, de sociologues, de géographes, d'ethnologues, de spécialistes des terres lointaines, de juristes, d'économistes et de psychologues : ceux qui comptaient, en France et hors de France ; en même temps, excommunier par des articles vibrants et parfois féroces la médiocrité des cloportes du politique et du diplomatique, enfermés dans leur domaine bien clos. Quand j'entrai dans cette VIᵉ section, je devais représenter la naissante démographie historique.

Je pus ainsi assister à quelques-unes de ces deux ou trois réunions annuelles qui rassemblaient deux douzaines d'enseignants et de savants qui n'étaient pas des médiocres. On y entendait de belles joutes : Gabriel Le Bras, Ernest Labrousse, François Perroux, Claude Lévi-Strauss (épaulé par Soustelle). Quel spectacle ! Un autre consistait à voir Febvre présider, ou plutôt régner, souplement ou non, avec à son flanc un silencieux secrétaire qui prenait des notes, sous la chevelure immaculée de Fernand Braudel. Il dominait l'ordre du jour, s'arrangeant pour placer l'essentiel à la fin, quand les chaises commençaient à remuer. Il donnait ou ôtait la parole au gré de ses desseins ; il enlevait les élections par le silence, le glissement sur l'aile, ou bien à la hussarde. Organisateur et entrepreneur né, il savait aussi projeter, provoquer, susciter, inspirer : il suffit d'ouvrir la table des *Annales* de son temps pour comprendre tous les chantiers qu'il a ouverts : sorcellerie, psychologie collective, livre, utilisation des inventaires après décès, etc. Ce semeur d'idées avait été aussi, comme Bloch, un grand défricheur, un grand lecteur de vieux papiers, les plus difficiles, ceux du XVIe siècle français. En ce temps-là, on croyait encore que l'historien devait se nourrir d'archives (au pluriel, le singulier, avec une majuscule, est une prétentieuse ineptie) autant que de problématique, qu'il était un artisan, pas un manœuvre bien sûr, mais sûrement pas un bavard solennel, ni un saltimbanque.

CHAPITRE XV

Jean Meuvret

Si la dénomination, peu courante en 1947, de « directeur d'études » revêt un sens profond, celui-ci s'applique pleinement à Jean Meuvret qui « dirigea » à sa manière inégalable on ne sait combien de disciples de qualité, de la création de la VIe section à sa mort en 1971. Labrousse et Braudel m'ont confié tous les deux, séparément, qu'ils l'avaient « sorti » d'un passage bref, mais éprouvant, dans l'enseignement qu'on appelait secondaire pour l'installer, parmi la première quinzaine de titulaires dans la fonction qu'il remplit de manière aussi exemplaire qu'extraordinaire. Dans le cercle assez étroit des historiens internationaux, Jean Meuvret était surtout connu comme un érudit spécialiste du XVIIe siècle, du monde paysan, des problèmes de prix et de subsistances. Il avait aussi rempli fort longtemps dans l'auguste maison de la rue d'Ulm les fonctions successives (ou parallèles) de bibliothécaire — ce qui l'installait au centre d'un royaume — et de « caïman », agrégé-répétiteur préparant à l'agrégation, ce qui l'obligeait à présenter des exposés nourris sur les grandes (ou moins grandes) questions d'histoire « moderne » (XVIe-XVIIIe siècles) qui figuraient au programme du concours. Ainsi fut-il amené à fréquenter pendant des lustres quantité d'hommes de qualité souvent exceptionnelle, rue d'Ulm et aux alentours, proba-

151

blement d'une autre trempe que les rhétoriqueurs intarissables que nous produit le temple de l'Énarchie (bien que certains...).

Je suis allé vers Jean Meuvret en 1951 — lorsque Labrousse m'expédia au CNRS comme « attaché de recherche » (c'était le titre) parce que j'éprouvais le besoin de trouver quelqu'un à qui parler du siècle qui me passionnait et des gens qui le peuplaient, ce qui n'était pas le cas de Labrousse dont la compétence, franchement reconnue, ne remontait guère en amont de 1700. À vrai dire, je cherchais un auditeur, un tuteur, un guide. Deux articles qui portaient sur les problèmes des blés et des « mortalités » — que j'avais rencontrés — me décidèrent : si le second parut en 1947 dans la jeune revue du cher Sauvy (que j'ai aussi fréquenté), *Population,* il me fallut aller chercher le premier, de 1944, dans le *Bulletin de la Société statistique de Paris.* Ce fut un choix sans réserve et sans regret. J'écrivis à Meuvret pour lui demander la permission d'assister à son séminaire de la VIᵉ section ; il ne me répondit pas, comme il en avait l'habitude (que j'ignorais alors) par probable paresse ou inadvertance. Je me présentai néanmoins à son premier séminaire du jeudi, 9 heures (il me fallait partir de Beauvais par le train ouvrier de Creil, où j'attrapais le direct). Nous étions cinq ou six, dont Pierre Jeannin et la remarquable et trop modeste Micheline Baulant. Parcourant la fiche que j'avais remplie, Meuvret se précipita vers moi, en jurant qu'il s'apprêtait à m'écrire ; c'était probablement vrai, mais ses futurs furent souvent indéterminés. Naturellement, il me mit à l'épreuve (technique que je lui empruntai plus tard) en me demandant deux exposés : le premier sur mes recherches et donc leurs sources, le second en me priant d'analyser une sorte de livre de raison — assez étonnant — tenu par un juge du bailliage d'Issoudun au XVIIᵉ siècle. Il retint de mon premier exposé que j'avais retrouvé six mercuriales du prix des grains aux archives de l'Oise, dont une magnifique, celle de Beauvais, mais inattendue dans les archives de l'évêché)... et lui aucune (il vint les voir plus tard). Quant au second exposé, il le consacra en déclarant : « Je n'ai rien à ajouter. » Ce fut le début de longues et fréquentes rencontres, durant vingt ans.

Elles commençaient à la Sorbonne, dans l'étroit salon-couloir que les messieurs de Sorbonne avaient abandonné, provisoirement, aux gens des Hautes Études, se poursuivaient au Balzar où tout le monde le connaissait, où il prenait, vers onze heures, un petit déjeuner tardif, en imposant un Martini blanc ou une grande bière à ceux qu'il invitait — Français, Belges, Polonais, en attendant les Japonais — puis l'illustre Boris Porchnev, flanqué de son garde du corps, qui nous fit avaler, vers midi, un demi-litre de vodka. Assez vite, Meuvret m'invita à le suivre, en devisant, jusqu'à son domicile, quai de l'Horloge, au quatrième ou cinquième étage d'une vieille et belle maison qui appartenait à Daniel Halévy (qu'il me présenta), lequel logeait aussi son gendre, un certain Louis Joxe, qui fut ambassadeur et ministre. Si la vieille bonne-intendante-gouvernante de cette famille un peu bohème n'avait pas été prévenue (plus tard, elle m'attendit !), le pauvre Meuvret était privé de viande (il se rattrapait autrement) ; mais il n'oubliait jamais le vin, que ce quasi-Bourguignon puisait dans sa cave ou chez un vieux marchand de vin (disparu) du quai. Il était presque intarissable, mais n'ennuyait jamais. Sa connaissance des hommes, des problèmes et des archives tenait du prodige : même Labrousse se distrayait parfois à l'entendre, si Braudel tiquait quelque peu ; Mousnier le respectait et l'utilisait. Jamais personne n'a connu le XVIIe siècle, le monde de la terre et même le monde politique comme lui. Son expérience des hommes, qu'il jaugeait vite et désignait souvent par des rébus, stupéfiait le provincial de modeste extraction que j'étais resté. Il avait une con-

153

naissance des archives et des archivistes jamais égalée, sauf par notre ami commun Richard Cobb. Il la rafraîchissait chaque année en accomplissant un « tour de France » archivistique ponctué de haltes à de bonnes tables, qu'il signalait. Sur les archivistes du temps (on nous les a changés, sans doute heureusement), il débordait d'anecdotes savoureuses (j'en ajoutai une ou deux) : un tel élevait des chats dans les archives ; tel autre avait dispersé les siennes en seize ou dix-huit dépôts ; celui-ci n'accueillait que les « clients » munis d'une offrande (du Martini, précisait Cobb) ; celui-ci s'affairait à inventorier les archives perdues, et ce dernier proclamait avoir choisi les archives comme terre d'émigration contre la République, puisqu'il était éperdument royaliste. C'étaient là confidences plaisantes, mais rigoureusement privées, qui assaisonnaient un travail approfondi. En revanche, Meuvret savait être discret et professait toujours un solide respect des « maîtres » : ainsi, il confiait que Hauser, son ancien patron, avait erré en ce qui concernait la noblesse ou l'histoire des prix, et que même Marc Bloch — qu'il révérait — n'avait pas bien compris la vaine pâture. Ce ne fut que très tard qu'il évoqua l'échec de Febvre à la Sorbonne (mais cacha celui de Braudel) : deux échecs bienheureux, ai-je toujours pensé. Du monde universitaire, de ses cachotteries, de ses petitesses et de ses quelques traits de grandeurs, il m'instruisit avec discrétion, quand il eut compris que je n'y connaissais rien. Cet homme qui ne finit jamais la sienne me poussa à achever plus rapidement une thèse autour de laquelle il m'arrivait de muser avec un certain plaisir. Et ce fut lui aussi qui m'expédia presque *manu militari* au congrès de Rome de 1955 et m'obligea à parler pour la première fois devant la Société internationale des historiens modernistes dans laquelle j'ai pénétré grâce à lui : les Anglais avec Hobsbawm, génial polyglotte qui m'extorqua immédiatement un article, les Belges avec Paul Harsin, les Néerlandais avec le si remarquable Slicher Van Bath, qui avait créé à Wageningen un Centre d'histoire rurale de premier ordre, et Franco Venturi qui était son ami, et le trop discret Takahaschi, maître des études japonaises, déjà rencontré chez Labrousse et qui nous envoya ses meilleurs disciples avant de nous inviter chez lui... Et puis des Tchèques, des Polonais, des Russes (trois par trois), mais pas encore d'Américains ni d'Espagnols — à venir. Tout cela dans la splendeur étouffante de Rome, ville découverte au mois d'août et souvent revisitée.

Pourquoi ne pas conter la fin des jeudis passés avec Meuvret ? la marche vers la BN ou les archives, les recettes ou les astuces pour le bon usage de l'une et de l'autre, les longs entretiens au coin des rues, avant de nous précipiter pour de dangereuses traversées..., mes tardifs retours à Beauvais, la tête pleine d'idées ou de projets.

Jean Meuvret avait déposé avant la guerre, sous la houlette de Henri Hauser, un sujet de thèse : le problème des subsistances en France sous le règne de Louis XIV. Il y travailla trente ans, butina autour, écrivit une quarantaine d'articles brefs, lucides, neufs, divers, sobrement rédigés dans la belle langue de son temps. Vers 1952, la première grande partie de la thèse était rédigée : je l'ai vue, elle fut publiée... après son décès. Il avait même obtenu de la Sorbonne, le « visa et permis d'imprimer » qui lui aurait permis de la présenter comme thèse de doctorat. Il ne le fit jamais. La véritable raison, qu'il me laissa deviner, fut qu'il ne pensait pas qu'un jury constitué vers 1955 serait apte à comprendre et apprécier ses travaux — sauf peut-être Labrousse, bien que non spécialiste de ce siècle. Il avait raison : ces éventuels « juges » ne le valaient pas. Et puis que lui importait de « coiffer le bonnet de docteur », comme il disait ? Son œuvre, il le savait bien, c'étaient ses disciples : une incomparable brochette de jeunes spécialistes venus d'Europe, d'Amérique, du Japon, qui savaient recueillir

155

et méditer son intarissable et pourtant légère érudition, et le trésor de ses réflexions, ironiques, coléreuses, para-doxales, généreuses, toujours profondes, surtout quand elles n'en avaient pas l'air. Maître à penser, inépuisable directeur d'études et de conscience, sorte de Socrate iro-nique et pas toujours deviné, cher au cœur de tant de mes contemporains et de mes plus jeunes amis.

CHAPITRE XVI

Fernand Braudel

D'entrée de jeu, comme il aimait à dire, je ne sais comment évoquer cet homme que j'ai côtoyé ou fréquenté pendant plus de trente années avec des pauses, des moments de mésentente, pour d'autres exaltants, surtout les derniers. Le mieux, sans doute est de présenter l'homme tel que je le vois si peu de temps après son départ, puis de retracer, non pour l'anecdote, mais pour le mieux connaître, la courbe assez ondoyante de nos relations.

« J'ai passionnément aimé la Méditerranée », écrivit-il en 1946 (sans doute) dans ce livre de plus de onze cents pages qui fut publié chez Colin — maison des *Annales* — en 1949. Bien d'autres, pas forcément lorrains ont célébré *sa* Méditerranée, enchantés par ce livre rayonnant et neuf, œuvre saisissante et charmeuse, comme l'auteur (quand il y consentait). Je ne puis le relire, dans mon vieil exemplaire écorné et barbouillé, sans me réjouir de cette profondeur et de cette légèreté, et sans entendre cette voix musicale et souvent veloutée où le violoncelle alternait avec la flûte traversière.

Cette Méditerranée, la première — car elle fut réécrite, ce que lui seul pouvait oser et réussir — fut à la fois un point d'aboutissement et un départ. Ces deux aspects importent pour comprendre suffisamment cet homme, bien plus complexe et nuancé que ne le présentent habituellement ce qu'on appelle les médias.

Né lorrain, élevé parisien, élève exceptionnel du lycée Voltaire, tôt attiré par de nombreuses voies dont la médecine, il brilla en Sorbonne et, tout juste majeur, décrocha sans peine l'agrégation d'histoire et de géographie. Les deux disciplines étaient alors unies, et il fallut Vichy pour les séparer. Fernand Braudel admirait d'ailleurs autant le géographe Albert Demangeon que l'historien Henri Hauser. Qui a fréquenté les œuvres de ces deux maîtres trop oubliés le comprend aisément : d'ailleurs Braudel s'inspira de l'un et de l'autre. Cependant, après avoir proposé en vain une étude sur les frontières de la France de l'Est, il prit comme sujet de thèse, après quelques péripéties, la politique méditerranéenne de Philippe II, thème diplomatico-politique à la mode du temps, une mode coriace ; avec l'aide de Febvre, il sut le transfigurer en inversant les termes du sujet.

...Et surtout en saisissant la mer intérieure depuis Alger et son « grand lycée » (devenu lycée Bugeaud) où il enseigna huit ans. Un de ses anciens élèves des années trente, Norbert Lehmann, devenu mon ami, m'a parlé, voici plus de dix ans, du jeune Braudel avec l'enthousiasme et l'espèce d'adoration que savent garder les septuagénaires quand ils restent jeunes : beau, passionnant, inattendu, solide, exigeant, toujours brillant, un tantinet comédien comme tous les grands professeurs, éclatant de bonheur. Comme je lui rapportais tout cela, Braudel, très ému, me fit sentir à son tour tout le bonheur qu'il connut en Algérie, « le seul moment, ajouta-t-il en une pirouette, où je me sois senti vraiment intelligent ».

D'Alger, cet enseignant du « secondaire » commençait à publier articles et comptes rendu : dès 1927, dans la *Revue africaine*, portant sur l'histoire de l'Algérie. Une quinzaine d'autres suivirent, se déplaçant vers l'histoire espagnole, puis portugaise, puis italienne. En passant, il parlait avec sympathie du monde islamique et de l'Amicale des étudiants musulmans (*Revue africaine*, 1930). Toujours studieuses, comme pour bien d'autres, les « vacances » scolaires se passaient à courir les archives méditerranéennes. Le retour à Paris, puis le départ pour le Brésil, creuset d'amitiés, contribuaient à avancer la future Méditerranée. On sait qu'elle fut écrite, en grande partie, sur des cahiers d'écolier, dans un Oflag ; cahiers confiés à Lucien Febvre qui, craignant le perfectionnisme de son disciple, répugnait à s'en séparer. Et le livre lui fut dédié « en témoignage de reconnaissance et de filiale affection ». Filiale, c'est bien le mot : Febvre lui légua presque tout, et d'abord la co-direction des *Annales* et sa chaire au Collège de France.

« Nouvelle histoire » que cette Méditerranée qui a marqué deux générations d'historiens ou presque avant d'atteindre le grand public ? Sur ce point, il convient de montrer franchise et précision. Ce premier grand livre, pas plus que les suivants (1979) n'a créé la « nouvelle histoire » : la chose, si l'on peut dire, est bien antérieure — 1929 —, mais le qualificatif est bien postérieur et, comme tel, galvaudé. Braudel n'a jamais chassé de l'histoire ce qu'on appelle, si pauvrement, l'« événementiel » : qu'on lise donc les 360 dernières pages de la première Méditerranée, récit de batailles, de négociations et de pirateries, évidemment dominé et comme sublimé par une plume souveraine. Et rappelons que Braudel participa courageusement dès 1980 à la lutte pour le retour à un enseignement sérieux, continu et daté de l'histoire de base, au moins pour les enfants et les adolescents que ne sauraient encore nourrir les mets fascinants et parfois complexes de l'« école des *Annales* ».

Une école (en fut-elle vraiment une, ou une gerbe ?) qui n'a pas clamé sa nouveauté lorsque, dès 1929, Bloch, Febvre, Pirenne, Demangeon le géographe, Halbwachs le sociologue, Charles Rist l'économiste, André Siegfried et quelques autres lancèrent l'interdisciplinarité sans le nom, la liaison passé-présent, les grands thèmes de la charrue, du moulin et de l'or, avec une vision globale des hommes en société, le grand air des économies appréhendées concrètement, et l'étude amorcée des croyances, des cultures et des civilisations. La nouveauté date de 1929 et non de quarante ans plus tard.

Pour une bonne part fils spirituel du survivant des créateurs, Braudel élargit l'horizon, magnifia dans son style les prises de vue et créa apparemment (elle était amorcée, même par Labrousse) l'histoire à trois vitesses : la lente, structurelle (mais non structuraliste), la moyenne, conjoncturelle, qui passionna surtout, et l'accélérée, celle des faits (qui existent) et des hommes, même petits, qu'il n'abandonna jamais. Il plaida pour la « longue durée », déjà dégagée par les statisticiens et Labrousse, avec insistance, sans être toujours bien compris. Il élargit, parfois démesurément — mais la démesure est parfois saine — les ambitions des anciennes *Annales* rénovées par Febvre, toujours présent. Ce dut être ce dernier qui le conduisit à la présidence du jury d'agrégation, poste stratégique éminent, tout en lui laissant à la fois la revue, le Collège et la VIᵉ section. En 1956 enfin, il put développer la totalité de ses talents, pas forcément prévisibles, mais redoutables et subtils, de chef d'entreprise, de *manager* et de dénicheur d'hommes.

Admirablement installé aux postes clés de son empire (qui n'était pas le seul), Braudel allait régner, despote souriant et fort éclairé, ami sûr, exigeant, sévère, parfois imprévisible, découvreur de talents et de fonds de toutes sortes, mobiliers et immobiliers, fort lié avec les grandes fondations internationales, notamment américaines. Sur l'emplacement d'une vieille prison, le Cherche-Midi, il sut faire un palais de verre où il installa la Maison des sciences de l'homme (qu'il présida aussi) et la VIᵉ section rebaptisée École des hautes études en sciences sociales,

160

rajeunie, élargie avec une joyeuse démesure. Au concours fort traditionnel de l'agrégation, il dépoussiéra
quelque peu les programmes, leur injecta de l'économique et du social, et surtout sut y repérer d'un coup d'œil
habituellement infaillible les jeunes gens qui montraient
de l'étoffe ou de la race, ou les deux. La plupart l'ont
suivi aux Hautes Études, parfois au Collège et y sont
encore. Accroissant toujours son territoire, il créa à
l'« École » (tout court désormais, comme s'il n'y en avait
qu'une) de nouveaux séminaires, de nouvelles fonctions,
invita des étrangers prestigieux ou prometteurs, lança
des séries de publications. Chaque printemps, à Prato,
près de Florence, il présidait avec son ami Melis, des
« semaines » qui, autour d'un thème, rassemblaient une
élite quasi mondiale d'historiens. Il voyageait et parlait
un peu partout ; une vingtaine d'universités l'ont fait
docteur *honoris causa* (ce doit être un record), une
dizaine d'académies se le sont adjoint comme correspon-
dant, avant que la nôtre ne s'honore en l'appelant, bien
tard. Il recevait tous ces hommages avec une probable
joie intérieure, mais sans ostentation. Tout en connais-
sant parfaitement sa valeur, il pratiquait la modestie et
l'humour, qui constituent la marque propre du génie
véritable.

Dans le petit monde pas toujours exaltant des historiens français, la puissance et le talent de Braudel susci-
taient des réticences, probablement des jalousies, parfois
des vilenies ; il est vrai qu'il pouvait, en échange, avoir
la dent dure. Mais qui a été invité hors de France peut
témoigner du respect et de l'admiration qui montaient le
plus souvent vers son œuvre et sa personne. À son pays,
qu'il aimait tant, il consacra sa dernière œuvre, forte et
surprenante, qu'il n'eut pas le temps d'achever.

Retraité sans joie en 1972, après avoir tenté de passer
le flambeau à ses meilleurs disiciples, il se réfugia dans
l'exigeante joie d'écrire où les siens l'entretenaient et le

choyaient. Le terme de père ou de « pape » de la nouvelle histoire qu'on lui appliqua ou qu'on fit semblant de lui appliquer ne le ravissait pas. Il n'avait rien d'un pape, les slogans empruntés au médiocre monde de la publicité le laissaient pour le moins de glace, et il reconnaissait fort inégalement ceux qu'on disait ses enfants spirituels. Il était bien au-delà et au-dessus de ces agitations et se contentait d'être Fernand Braudel.

Je le rencontrai pour la première fois dans le petit bureau du modeste Centre de recherches historiques que la VIᵉ section venait d'installer rue de Varenne, avec un personnel qui comptait au plus quatre personnes. C'était en 1952. Poussé par Labrousse, je découvris donc, sous la chevelure blanche que j'ignorais (« comme Tapié », grommelait-il), ce regard, ce sourire, cette voix, ce talent d'écoute et une sorte de délicatesse dans l'espèce de « sondage » que je subis, auquel d'ailleurs je m'attendais. Face à l'homme de la Méditerranée, et riche seulement, outre d'assez vastes lectures, de l'expérience archivistique menée dans un bailliage boueux, ma proche quarantaine ne fut pas trop intimidée. Naturellement, Braudel me fit parler. Puis, m'ayant à peu près deviné en me « respirant » en quelque sorte, trouva les questions, les inflexions et les directions qui convenaient. Rencontre assez vite confiante, donc heureuse, qui aboutit à quelques confidences, dont j'aperçus mal la portée et les probables regrets qu'elles exprimaient : « on m'a empaillé vivant... on m'a mis au musée ». Le musée, c'était le Collège, et j'ignorais, j'ai longtemps ignoré que la Sorbonne — donc Renouvin — lui avait fermé ses portes. Heureusement !

D'autres rencontres suivirent. Braudel, qui m'avait demandé un article pour les *Annales* (fin 1952), accueillit mon texte et le retailla fort judicieusement. Puis il me confia la responsabilité d'une « enquête démographique », prématurée, que je ne pus ou ne sus mener à bien. Il fit l'essentiel, en 1955, avec Jean Meuvret, pour que je puisse entrer à cette fameuse VIᵉ section, juste au moment où le CNRS me lâchait. Il m'offrit aussi d'imprimer gratuitement mes thèses (il en existait alors deux) : la petite, trop oubliée, la grande, trop louée et en partie périmée. Ce fut une première belle époque. Puis les vents tournèrent. Avec Braudel, les choses n'étaient jamais simples : il pouvait passer de la douceur charneuse à la colère tout juste contenue : la tempête méditerranéenne, disait Jean Meuvret, violente, mais courte. J'en ai subi quelques-unes.

La première fut inattendue, et brutale. Après une sorte d'exposé que j'avais donné devant quelques directeurs d'études escortés de leurs séminaires, il m'assena avec la dureté dont il était parfois capable une volée de critiques inégalement justifiées, qui en fin de compte se ramenaient à son éternel reproche : pourquoi un si petit « pays », ce Beauvaisis ? (« je n'aime pas les petits coins », précisa-t-il plus tard ; « et moi, pas les surfaces liquides », osai-je répliquer, ce qu'il accueillit médiocrement). Et puis pourquoi le XVIIᵉ siècle et non le XVIᵉ (le sien), le seul « grand », avec ses navires, ses marchands-banquiers, ses foires de change et sa belle écriture (ce qui prouvait qu'il n'avait pas ouvert alors les archives françaises) ? D'autres étaient sûrement visés, ce jour-là, à travers moi, ce que je ne sus pas deviner. Alors, désarçonné, humilié, me forçant aussi à ne pas éclater, je ne répondis rien, rentrai à Beauvais et me préparai à demander ma réintégration au lycée. En attendant, je me mis en congé de thèse. Inquiet à juste titre, Jean Meuvret alla jusqu'à m'écrire — « les tempêtes de la Méditerranée... » — et dut arranger les choses. Je finis, un bon moment plus tard, par revoir Braudel, qui m'offrit alors l'impression de ma thèse et, peu après, quelque chose que je compris mal : un poste auprès de lui, non médiocre, à condition que j'habite Paris. J'ai refusé, comme précédemment à Febvre, pour des raisons familiales et financières qu'il dut mal comprendre. D'ailleurs, une collaboration (une vassalité ?) étroite et durable était impensable : les heurts étaient inévitables entre deux caractères entiers. Et puis, enseignant de goût, presque chevronné, c'était l'enseignement qui m'attirait.

Vint l'an de grâce 1958, avec ma thèse en mars (on m'avait fait attendre un an), de Gaulle en mai, les élections législatives à l'automne. Sitôt élu député, Henri Fréville (que Braudel m'avait fait agréablement connaître) me demanda d'assurer sa suppléance à Rennes. J'acceptai, puisque j'avais toujours eu le goût de parler aux jeunes, aux jeunes de plus en plus nombreux, ce qui n'était pas le cas aux séminaires souvent intéressants mais parfois confidentiels que j'assurais depuis trois ans aux Hautes Études (et que j'ai pourtant tenus un quart de siècle encore, mais dans d'autres conditions).

Fernand Braudel prit très mal cette option, qu'il considéra sûrement comme une trahison. En séance pleinière des directeurs d'études (alors une trentaine), il m'invectiva rudement, avec un *crescendo* coléreux qui, pour une fois, ne me parut pas feint ; il exprima aussi son profond mépris pour les facultés, surtout de province (il ne dit rien de Paris), avec une violence que je ne compris pas. J'osai me lever et répliquer, calmement pour une fois, en arguant de ma liberté personnelle, et en suggérant que le poste « plein » que j'allais laisser arrangerait bien quelqu'un (en fait, un de ses amis). Je n'ai jamais rien regretté, sauf cette rancœur braudélienne longue à s'apaiser, marquée par des épisodes rudes, même des médisances, dont je souffris peu, pas plus que d'un compte rendu assez aigre de ma thèse (qu'il avait publiée !) dans les *Annales* de 1963. Ayant assez bien

164

deviné le président blessé, je savais qu'on pouvait toujours faire appel de Braudel à Fernand.

Après une période d'abandon, voire d'exclusion (il ne
m'invita jamais à Prato, même quand le thème retenu
me touchait de près — mais j'avais dû lui dire que le
temps pascal appartenait à ma famille et non aux colloques), quelques éclaircies apparurent. Au congrès d'histoire économique d'Aix, août 1962, nous plaisantâmes,
dans une chaleur nouvelle, de notre commune incapacité
de bien comprendre les langues étrangères quand elles
étaient parlées ; nous confrontâmes nos avis, généralement convergents, sur tel ou tel conférencier ou « intervenant » ; nous parlâmes aussi d'un jeune homme qui, à
Montpellier, rédigeait dans le doute (j'ai pu le rassurer !)
une thèse de doctorat appelée à la gloire (le jeune
homme aussi) ; je recueillis, de sa bouche autant que
d'une autre, de bien pénibles confidences, non conver-
gentes, sur les papiers de Lucien Febvre en partie disparus.

Décidément, la vieille complicité reparaissait. Je fus
invité à quelques colloques. À l'un parut l'admirable artisan bourguignon que fut Pierre de Saint-Jacob, que
Braudel considérait avec une curiosité sympathique ;
mais il était question de l'assolement triennal, qui ne
l'« amusait pas », comme il disait. Un coup de téléphone
rapide une ou deux fois l'an : un avis sur un homme (le
Montpelliérain), un avis sur un livre, ou sur un projet. Il
grimaça quelque peu sur mon *Louis XIV,* moins sur les
vingt millions de Français ; il précisa même dans l'envoi
de son premier tome du *Capitalisme* : « valable pour bien
plus d'un siècle et de vingt millions d'hommes ». Pour
mon *Ancien Régime* (1969), il m'écrivit une lettre chaleureuse, perdue comme tant d'autres. De temps en temps,
un déjeuner, toujours de qualité, souvent en tête à tête.
Comme lui, je suis resté fidèle à Tiburce, rue du Dragon,
où l'on me donne toujours la table qui était sienne...

D'autres fois nous nous rejoignions à Lyon, le temps d'une thèse ou d'un solide colloque, retrouvant nos amis respectifs, Gascon et Léon, bavardant un peu trop durant les offices. À Lyon, où se noua, bien trop tard, la belle et trop tardive aventure de ce qui était en train de devenir une amitié.

Après de dures épreuves et l'abandon de l'enseignement, je me trouvais poussé vers des travaux d'écriture que je n'avais jusqu'alors pratiqués que durant les vacances universitaires, au grand dam des miens. N'étant, comme Fernand Braudel, ni bricoleur, ni jardinier, ni suffisamment amateur d'art ou de jeux, que me restait-il d'autre, hormis quelques voyages ? Comme Braudel, l'écriture encore et toujours, avec un bon lot de thèses attardées, dont je ne gardais que les meilleures, comme Braudel. Nous ne pouvions que nous rencontrer à nouveau.

Commença alors la dernière et belle période.

Elle débuta à Lyon, lors de la soutenance de thèse de Françoise Bayard, dernier disciple — et quel disciple ! — de notre regretté Richard Gascon. Braudel me tutoya soudain : « Tu vieillis bien, mon petit Pierre. » *(sic)* Je réplique : « Vous, c'est comme le bon vin. » Et ce fut l'accolade, la première, entre un presque-septuagénaire et un presque-octogénaire. La suite fut aisée : complicité dans la critique souriante et le compliment perfide ; joie dans la convivialité lyonnaise du « pot » final ; et surtout ce délicat dîner chez Marie-Claude et Maurice Garden où, pour la première fois, Braudel, gourmet vite rassasié, se livra pendant deux bonnes heures, évoquant ses joies et ses déceptions, croquant gentiment ou cruellement ceux qu'il avait aimés et aidés, et ceux qui lui avaient manqué, parfois les mêmes. Plus de mélancolie que d'irritation, plus de secrètes dilections que de joies éclatantes, et quelques confidences qu'on ne peut rapporter. Le violoncelle braudélien vibra toute la soirée, mais dans le médium et dans le grave, jamais dans l'aigu. Nous étions six à l'écouter. Chacun se souvient.

À l'occasion de quelque cocktail ou de telle cérémonie parisienne, le charme opérait à nouveau. Un nouvel élément s'y était ajouté. Christiane, comme Paule et Fernand Braudel, avait longtemps vécu en Algérie, et dans les mêmes lieux — Tiaret, Constantine, Alger — et aimait, tout comme eux, ce pays que j'ignore et dont je n'avais recueilli que des échos très partisans, dans un sens ou dans l'autre. C'étaient de beaux duos, que je goûtais comme je pouvais, sans d'abord comprendre. Cela vint.

L'un des derniers grands souvenirs fut un long entretien sur le trottoir, face au Luxembourg. Une heure, peut-être, l'une des plus belles de ma vie ; de la sienne, je ne sais ; sans doute quelque peu. Et je n'entendis plus cette musique.

Et pourtant je l'entends encore, car le souvenir des voix et des regards m'est resté très vivace. Fernand Braudel et moi, avons-nous manqué quelque chose ? Sans doute pas.

CHAPITRE XVII

Denis Richet

Il parut à mon séminaire des Hautes Études en novembre 1956. Comme une bonne partie des jeunes gens de son temps, il avait été nourri de marxisme (mais lui avait lu Marx), avait adhéré un temps au Parti communiste, s'en était détaché peu à peu, après de vives attaques dans sa cellule (on lui reprochait notamment de ne pas être fils de prolétaire ; on lui enjoignit même de « montrer sa feuille de paie ») ; il en sortit, écœuré comme bien d'autres par le coup de force soviétique sur Budapest, béni par les têtes pensantes du parti. Ses amis les plus proches, et notamment son beau-frère François Furet, souvent anciens « khâgneux » de Louis-le-Grand, ne sortaient effectivement pas du petit peuple : on comptait un fils de banquier, un fils d'ancien ministre, et Denis lui-même descendait de l'illustre professeur Charles Richet, et sa mère était née Monnet, ce que je n'ai d'ailleurs su qu'assez tard et par inadvertance. Tous avaient gardé des restes du marxisme, qui n'était pas un système absurde, loin de là, mais principalement valable pour la période où il fut conçu, et surtout pas pour la sixième décennie du XXe siècle ; mais aucun de ceux-là, en 1956, ne lui vouait la haine profonde que certains étalèrent par la suite. Ils avaient en commun une vaste culture, une intelligence rapide et, pour la plupart, la chance d'avoir passé l'agrégation sous le pontificat de Braudel, qui les avait rapidement distingués avec la sûreté de jugement qui le caractérisa presque toujours. Denis l'avait particulièrement séduit et il lui garda durant une trentaine d'années, une estime et même une affection particulièrement chaleureuses. Moi aussi.

Mais, en 1956, j'exposais essentiellement mes recherches démographiques, rurales et même ouvrières (les ouvriers en laine de Beauvais et d'alentour), avec les comparaisons requises. Je fus écouté, suivi, interrogé, critiqué. Les principaux intervenants — dont Solange et Pierre Deyon — ont fait ce qu'on appelle une belle carrière et sont surtout devenus et demeurés des amis, délicats, chaleureux avec distinction, secourables et précieux aux moments difficiles ou pénibles.

Il y avait chez Denis une puissance d'écoute, un regard pénétrant et naturellement charmeur, une parole aisée, brève, incisive sans jamais la moindre méchanceté, une ironie légère et d'autant plus frappante, une souriante simplicité, une bonté naturelle et presque sans limites. Parisien de toujours (bien qu'heureux aussi de séjourner parfois dans la belle demeure tourangelle de ses parents), il avait fréquenté le lycée voisin de son domicile, Janson, intégré une khâgne fameuse où il présenta l'originalité d'être le seul élève marié, négligé les concours pour attraper licence, diplôme et agrégation ; il enseigna un moment au lycée Condorcet, mais, comme il fréquentait des séminaires de Sorbonne tout en ayant choisi la période la plus difficile comme sujet de recherche — la fin du XVIe siècle —, il fut vite distingué par Tapié et Mousnier qui, avec l'appui de Renouvin (son cousin) le choisirent comme assistant. Je crois qu'il le resta cinq ans. Je suis sûr que ses exposés clairs, neufs, brillants au meilleur sens de ce terme galvaudé, furent tellement appréciés des étudiants qu'il récoltait de chaleureux applaudissements, manifestation fort rare en ce temps et en ce lieu. Cela n'entravait pas son travail de recherche, de publication, bientôt de directeur de collection chez Fayard.

La durée normale de son assistanat en Sorbonne se trouvant terminée, s'ouvrit pour lui une voie nouvelle, assez imprévue. C'était le temps où la forte génération du *baby-boom* d'après-guerre se croisait avec une montée croissante du taux de scolarisation. Il en résulta un premier afflux vers les études supérieures, pour lesquelles rien n'avait été prévu. Il fallut créer de nouvelles universités et de nouveaux postes de professeurs. Une curieuse université fut improvisée, à cheval entre Tours et Orléans. Mais on manquait de docteurs d'État pour y enseigner. Des « thésards » de qualité pouvaient convenir. Renouvin et quelques autres pensèrent à Denis qui devint professeur d'université sans le titre, mais avec toutes les tâches.

Il enseigna donc un peu à Orléans, surtout à Tours, non loin de la résidence familiale d'été, pendant plusieurs années. Surchargé, il eut besoin d'assistants et me demanda de l'aider à en trouver ; je lui en ai conseillé deux bons, un « cloutier », une Rennaise. Ils s'y sont enracinés. Par eux et par quelques autres me parvinrent les échos les plus chaleureux concernant Denis, son enseignement et sa personne. De ce garçon exceptionnel, le souvenir n'est pas perdu sur les bords de la Loire. Et pourtant il partit, après avoir noué de nouvelles amitiés.

Il partit apparemment parce qu'il ne terminait pas sa thèse, obligatoire pour son maintien, s'il l'eût désiré. Mais il ne le désirait pas. Il partit parce que Paris, sa famille, ses amis, ses éditeurs et toute une atmosphère intellectuelle lui étaient indispensables. Et puis, aux Hautes Études, Braudel, Meuvret et bien d'autres l'attendaient, pensant qu'il y trouverait l'atmosphère qui lui permettrait de pratiquer ce qu'il avait toujours préféré, la recherche pure. Élection triomphale. D'anciens et bientôt de nouveaux cercles amicaux l'attendaient. Un moment pourtant — car l'enseignement universitaire lui manquait un peu —, il songea à reprendre sa thèse, bien avancée. Mais il désirait changer de « patron » ; il me sollicita ; mais les textes comme l'atmosphère du temps rendaient la manœuvre impossible. Affaire classée : Hautes Études jusqu'au bout, avec joie d'ailleurs.

La richesse, apparemment discrète, de Denis tenait à la fois à la diversité et à la qualité de ses activités d'historien. D'abord une indispensable érudition, chez lui exceptionnelle, comme je le découvris, ébahi, lors d'une première visite rue de Berri, où il habitait et travaillait. De longues boîtes garnies de fiches couvertes de sa fine écriture : des milliers, qui visaient, à partir d'une « taxe des aisés » de 1572 ou 73, à reconstituer la plus grande partie de la bourgeoisie parisienne du temps. Partant du rôle des impositions, il avait plongé dans les papiers de notaires, de justice et bien d'autres, et était pratiquement arrivé à ses fins. Il ne rédigea pourtant pas la synthèse qui était à sa portée : la recherche l'avait comblé. Mais il laissa fiches et travaux en cours à ses meilleurs disciples. Tout naturellement, il fut conduit vers l'étude des guerres de Religion, des idées, des hommes et des forces qui les soutenaient. Il aurait pu écrire longuement sur ces sujets ; il passa le flambeau à ses plus jeunes amis.

Parallèlement, et j'en fus surpris, il travaillait, à l'initiative d'un éditeur bien inspiré, dans une communauté journalière avec François Furet, à cette *Révolution française* en deux volumes magnifiquement illustrés qui parut en 1965 et 1966. Elle fut vite célèbre par son talent et sa nouveauté : elle sortait enfin des thèses assez fatiguées de Gaxotte bien sûr, mais aussi de la tradition jacobine, puis jacobino-marxiste qu'avait illustrée ou soutenue Albert Mathiez le passionné, puis l'admirable Georges Lefebvre puis, en forçant trop sur le marxisme, mon vieux camarade Albert Soboul. Je lus les volumes qui

171

m'étaient parvenus, accompagnés d'un envoi charmant, avec surprise et parfois scepticisme, celui d'un non-spécialiste ; ainsi, je n'ai jamais bien compris en quoi il y eut un « dérapage » de la Révolution ; le mot simplifie ou interprète, mais qui n'interprète pas cette période ? Je me suis aussi amusé à comparer les chapitres attribués à Denis et ceux attribués à François ; au fond, l'étroite collaboration domine, si l'on reconnaît tantôt la patte de l'un, tantôt celle de l'autre. Puis ils divergèrent, l'un suivant longtemps les thèmes abordés, l'autre retournant à ses premières amours, à la fois plus difficiles et moins propres à des dissertations ultérieures.

Des amitiés — Guy Schoeller, Charles Orengo, Bernard de Fallois — conduisirent pourtant les deux beaux-frères à un nouveau type de collaboration : le lancement chez Fayard de la collection « L'histoire sans frontières » (peu de temps auparavant, un autre beau-frère de Furet, Pierre Nora, avait lancé chez Julliard la collection « Archives » dont Michel Denis et moi donnâmes le premier volume !). Je venais de retrouver Paris, en octobre 1965. Denis vint déjeuner ou dîner, comme il faisait de temps en temps (chez moi, tout le monde l'aimait) ; il raconta qu'il cherchait des auteurs pour sa nouvelle collection et me demanda si je pouvais écrire quelque chose. Or il se trouvait que, quatre ans plus tôt, le Club français du livre, sur l'initiative de l'inoubliable Jean Massin, m'avait demandé un *Louis XIV* pour une de ses collections ; la collection sombra ; le livre (manuscrit) me suivit de Rennes à Paris. Denis le vit, le feuilleta, me demanda la permission de l'emporter. Peu de temps après, Orengo me faisait signer, pour Fayard, un honorable contrat. Ainsi fut publié, en septembre 1966, à l'initiative de Denis Richet, un *Louis XIV et vingt millions de Français* qui ne passa pas inaperçu.

Lui aussi écrivait : des articles denses et fins, trop peu nombreux, que des amis et des disciples fervents ont réu-

172

nis et s'apprêtaient à publier à la veille de son décès brutal ; le recueil contient des inédits de fort grande qualité.

Denis conduisait aussi, en alternance avec quelques amis, les *Lundis de l'Histoire* de France-Culture : autour d'un ou deux livres et si possible de leur auteur, il organisait avec quatre ou cinq personnes un débat amical et digne qu'il présentait et animait avec l'élégance et la maîtrise qui le caractérisèrent toujours. J'y participais de temps à autre. Le débat se poursuivait au bar du coin, ou à la maison, proche. Ce qui reste surtout de lui, c'est un quasi-chef-d'œuvre, cet *Esprit de l'Ancien Régime* d'une saisissante profondeur, dont la pensée et l'écriture rappellent invinciblement le plus grand historien de cette époque, Alexis de Tocqueville.

Et puis il est parti, un matin, seul, après une période difficile où il dut sentir les ombres s'accumuler, malgré l'attention affectueuse que lui portaient ses amis et ses derniers fidèles, ceux qu'on eût hier appelés ses élèves.

Je n'ai jamais vu autant de gens aussi bouleversés à des obsèques. Son père, nonagénaire digne et droit, qui pourtant enterrait son troisième enfant (m'a dit Furet, qui pleurait), me reconnut et me remercia d'être là.

Denis Richet et Fernand Braudel avaient beaucoup de points de ressemblance. Ils se voyaient d'ailleurs assez souvent, et parlaient longuement.

Il est triste de les avoir perdus tous deux, mais il est bon de les avoir connus.

CHAPITRE XVIII

Pierre Léon, de Lyon

Mais non, il ne s'agit pas d'un restaurateur, mais d'un historien, d'ailleurs non lyonnais de naissance, mais lorrain, avec un passage en Dauphiné, des ennuis dans le Vercors et une dernière étape à Paris.

Pierre Léon avait été l'un des tous premiers « thésards » de Labrousse, deux ans avant moi sans doute. Je savais, pour avoir utilisé ses articles et son gros ouvrage sur les débuts de la grande industrie, particulièrement en Dauphiné, qu'il s'agissait d'un historien impitoyablement solide. Restait à le connaître.

Ce fut au début de ma période nanterroise, fin 1965 sans doute, que François Crouzet, qui avait été me chercher à Rennes, m'incita à participer à un colloque d'histoire économique franco-suisse, c'est-à-dire lugduno-genevois, que Pierre Léon organisait dans une des caves tout juste aménagée que la faculté des lettres de Lyon avait bien voulu lui prêter. Il faut dire que, dans une faculté qui s'estimait la meilleure de France (mais qui ne valait pas la cuisine du lieu) et qui se trouvait en fait l'une des plus traditionalistes, l'irruption d'un Pierre Léon, pour qui on avait spécialement créé une chaire d'histoire économique, ne fut pas loin d'être considérée comme un scandale. De l'histoire économique, pour quoi faire ? Et ce Léon, qui n'était même pas lyonnais, comme il était de règle, ne serait-il pas un tantinet mar-xiste ? Il n'allait même pas à la messe (mais à la synago-gue, et ne s'en cachait pas). Quelques collègues observateurs aperçurent ou devinèrent la qualité de l'homme ; mais ce furent les étudiants qui le plébiscitè-rent. Pour la première fois peut-être, ils reçurent un enseignement solide, neuf, structuré, composé à leur intention pour qu'ils réussissent les concours, agrégation comprise, après licence et diplôme (ce dernier, de qua-lité). C'était au niveau du « diplôme » que se faisait, comme toujours, le tri des meilleurs qui s'engagèrent ensuite dans l'un des sujets de thèse que leur proposait leur infatigable professeur, toujours disponible pour les écouter et les conseiller.

Léon avait lu tout ce que j'avais écrit (l'inverse n'était pas vrai). Il semblait attendre comme parole d'Évangile mes appréciations sur les exposés présentés, à la file, par ses meilleurs étudiants. J'étais un peu gêné : la qualité de ce que j'ai entendu, nouveau et fort varié, me rassura tout à fait. Je venais de faire connaissance avec la solide équipe qu'on appela plus tard, « la bande à Léon », notamment ceux qui entraient dans mon domaine habi-tuel, ou proche, comme (par ordre alphabétique) Gar-den, Garrier, Lequin, Sabatier ; les deux derniers, l'un éloquent, l'autre mobile et pétulant, très différents des deux premiers, dont la solidité orale ne révélait d'ailleurs pas toute la personnalité. Je revis ceux-là et d'autres, pour des thèses ou pour des colloques, discrets ou gran-dioses. L'un des derniers groupa, outre Labrousse et Braudel, une forte représentation internationale dont l'Anglais Peter Mathias fut l'une des étoiles. Pierre Léon avait réussi à s'imposer dans cette ville difficile, à trouver des locaux, des secrétaires, des crédits, des concours dans la bourgeoisie éclairée (et pharmaceutique !) par l'intermédiaire d'une société des Amis de l'université. Il organisait, animait, dirigeait.

175

Tout au long de ces activités lyonnaises (et aussi genevoises), ponctuées par des agapes somptueuses ou pittoresques (à La Voûte, chez Léa, avec les jeunes — quel personnage et quelle cuisine !), je connus mieux Pierre Léon, avec lequel je collaborais étroitement sous la houlette un peu molle de Labrousse, pour une *Histoire économique et sociale de la France* dont le premier tome parut aux Presses universitaires de France en 1970, quand notre maître commun, trop sollicité, eut enfin donné son texte. Il venait à Paris, j'allais à Lyon, déjeunant ou dînant l'un chez l'autre, parfois au restaurant. Absolument dissemblables, mais très complémentaires, et unis par le goût du travail bien fait et l'attention portée aux étudiants, nous formions une sorte de duo étrange, parfois bavard et dissipé, qui faisait sourire des disciples très mûris depuis 1965.

Pierre Léon vivait pour sa famille, ses étudiants, son travail. Quand il partait en vacances, une malle de livres le suivait (pas moi, sauf exceptions). Cet énorme travailleur se détendait chez lui, chez nous, à table, avec une grande simplicité et une certaine aisance. Ses filles, surtout la plus jeune, le taquinaient gentiment ; sa femme le soutenait, essayant qu'il se repose un peu plus souvent.

Il finit par venir à la Sorbonne qui l'appelait avec au cœur la nostalgie de Lyon (comme à Lyon, naguère, la nostalgie de Grenoble). Il y brilla par sa puissance, mais peu de temps. Un jour d'automne 1976, dans un couloir de l'université de Montréal où j'enseignais pour un semestre, j'appris brutalement sa mort. Un coup terrible. J'appris plus tard qu'elle lui avait été annoncée, qu'il s'y était préparé, calmement, émettant même un vœu (qui fut exaucé) pour sa succession à la Sorbonne.

Vingt années d'amitié avec lui, si différent et si proche.

Lyon, donc Léon, me conduisit à Genève ; ce fut d'ailleurs Genève qui vint d'abord à nous, pour le premier colloque franco-suisse. Il y en eut d'autres, dont les lieux s'inversèrent. Je connus mieux cette ville, jusque-là seulement traversée, avec ses parcs, ses rives, son vieux quartier où était perchée l'université. Je rencontrai Jean-François Bergier, avec qui je n'avais pas grand-chose de commun, et surtout le petit escadron de ses disciples. D'abord Anne-Marie Piuz, dont les travaux délicats et solides furent toujours assez proches des miens : la sympathie fut, je crois, réciproque, et durable : nous avions toujours quelque chose à nous dire. Elle appartenait au département d'histoire économique, puis le présida. Nous nous y retrouvions pour un exposé, un colloque, une thèse, et dans la foulée si je puis dire — à une jolie table au bord du lac, ou dans cette grande brasserie où assistants et grands étudiants partagèrent un sympathique et presque rustique dîner au dôle et surtout au fendant. Anne-Marie vint parfois à Paris, mais elle expédia surtout à mon séminaire des Hautes Études (au Collège de France alors, où Braudel venait de me prêter une salle) deux de ses collaboratrices, assistantes ou amies : la délicate Liliane Mottu, que New York nous vola un temps avant son retour et sa thèse ; la très solide Anne-Lise Koenig qui travailla sur les Suisses du roi de France avant de s'enfoncer dans la vie rustique d'une partie des Alpes alémaniques. Anne-Lise, nous l'avons retrouvée çà et là, notamment en Galice, dans le fort beau colloque maritime organisé par Antonio Eiras Roël, et aussi à Genève, avec tous les amis genevois, pour la soutenance de la thèse impressionnante d'Alfred Perrenoud, l'historien-démographe, servi par des sources de qualité et aussi par un travail d'une rare rigueur dans la finesse.

Je n'aurai vu de la Confédération helvétique — tout au moins en tant qu'historien, que la « ville et canton de Genève », pour elle-même sans doute, mais aussi comme un prolongement de l'incessante activité de Pierre Léon.

CHAPITRE XIX

Charles Carrière

Charles Carrière était un homme hors du commun. Ceux qui le connaissaient bien, peu nombreux, avaient pour lui une sorte de vénération. Profondément et discrètement croyant, il avait été pasteur en Afrique noire durant plusieurs années. Il me semble qu'il revint en France pour que ses enfants reçoivent une éducation qu'ils n'auraient pu trouver en brousse. Il n'avait alors pas loin de quarante ans lorsqu'il reprit des études supérieures à Rennes, auprès du géographe Meynier, qui l'appréciait beaucoup. Il passa facilement l'agrégation et fut nommé au lycée Thiers, à Marseille, auprès de cette Méditerranée qu'il appréciait au moins autant que Braudel (ce fut leur seul point commun, sauf erreur). À ce lycée, où son rayonnement fut tel qu'on lui confia vite la première supérieure (dite « khâgne » ailleurs), il trouva des garçons de qualité. L'un d'eux, Pierre Vidal-Naquet, lui a rendu quelque part le vibrant hommage qu'il m'avait interdit de rédiger. Carrière et ses anciens jeunes disciples se souvenaient avec émotion de ces années lumineuses à une époque qui ne l'était pas. Puis cet homme admirable, dont les journées commençaient à six heures par un bain de mer et la lecture de plusieurs pages de la Bible — qu'il me fit aussi lire et aimer —, cet homme qui conquérait les lycéens fut à son tour conquis par les richesses et la vie magnifique ou sordide des archives (et non pas de l'archive, comme disent les sots). Il réussit à sauver du pilon, des flammes et des chiffonniers le fonds Roux : 80 000 lettres reçues ou expédiées (dont copie) par une famille de grands négociants marseillais du XVIIIe siècle. Ce fonds le conduisit vers le Proche-Orient, les Antilles, l'Asie et l'océan Indien où il rencontra Louis Dermigny dont il estimait beaucoup les travaux, à juste titre. Avec des archivistes, des bibliothécaires et des amateurs de qualité, il constitua à Marseille une solide équipe qui l'épaula dans la recherche et parfois dans la rédaction de quelques ouvrages, notamment sur la peste de 1720, dont il fut le premier à détecter l'origine : l'entrée clandestine du bateau pollué d'un grand négociant, le maire de la ville.

La faculté d'Aix, qui manquait de modernistes pour étayer une section d'histoire de valeur inégale (sauf Duby) pensa à ce professeur de khâgne chercheur dont on disait tant de bien. Carrière hésita, vit où était son devoir (pour lui, toujours l'essentiel), accepta un poste d'assistant, trop modeste pour lui, mais qui lui laissait plus de temps libre que le lycée. Il finit par soutenir sa thèse, très tard, à Paris : je n'ai jamais compris pourquoi Pierre Vilar consentit, ce jour-là, à jouer le rôle (rituel !) du méchant. L'aboutissement, ce fut un titre de professeur d'université acquis... à la veille de sa retraite, alors que tant de jeunes gens pressés et prétentieux... L'ouvrage qui servit de thèse porte sur les négociants marseillais du XVIIIe siècle : un modèle de sûreté, de profondeur, de clarté et d'écriture. Il ne semble pas qu'il ait eu, au moins à Paris, l'audience qu'il méritait largement, alors que tant de pauvretés, de thèses hasardeuses ou de dithyrambes exaltés sont portés aux nues. Les rares articles de Carrière étaient toujours pertinents, surtout lorsqu'ils allaient contre les idées reçues. Ainsi, pour le centre XVIIe siècle de son collègue Duchêne, autre Marseillais de qua-

179

lité, j'avais réussi à lui extorquer un article traitant de
l'action de Colbert sur la marine, le commerce et les
commerçants de Marseille. Sa conclusion fut celle que
j'attendais : action de Colbert nulle ; ce sont les Marseillais seuls qui, dès cette époque, ont fait Marseille.

Pour que je rencontre Charles Carrière, il a fallu qu'il
vienne à moi. Il m'écrivit, vers 1960, au sujet d'un petit
ouvrage publié en 1959 qui traitait de l'évolution de
deux très grandes familles marchandes de Beauvais, les
Motte et les Danse. Ces derniers, fameux puisque cités
au *Dictionnaire du Commerce* de Savary des Bruslons,
effectuaient le blanchissage et l'expédition, souvent fort
loin, des toiles de lin de qualité tissées dans la région.
Ils commerçaient avec la Mer du Sud (Pacifique sud-
américain) par l'intermédiaire de vaisseaux célèbres en
leur temps, dont ils détenaient des parts, et dont j'avais
retrouvé la liste. Charles Carrière les connaissait, m'en
parlait, et retrouva même à Marseille des correspondants
des Danse. Des invitations à Aix (thèses, colloques,
exposés) doucement suggérées par le jeune Michel
Vovelle, (un « cloutier »), puis à Marseille par l'efficace
Duchêne et sa société qui colloquait chaque année fin
janvier amenèrent une rencontre, puis plusieurs lorsque
je me mis à hanter Menton : longues conversations, calmes et précises, coupées par un déjeuner toujours choisi
avec une rare délicatesse. Le regard bleu clair, le sourire
léger, la voix modulée de Charles Carrière, ce qu'il
disait, suggérait et sentait, laissent de précieux souvenirs.
Il sortait peu, écrivait volontiers et téléphonait parfois,
mais longuement, à ceux qu'il estimait ou qu'il aimait,
en fin de compte pas très nombreux. Il s'entendait fort
bien avec Jean Meuvret qui lui ressemblait si peu, sauf
par l'érudition et la finesse. Il entretint des relations fréquentes et amicales avec des historiens qui me sont aussi
particulièrement chers, Annie Cocula, André Lespagnol,
Daniel Dessert, dont il goûtait particulièrement la soli-

dité et l'éclatante nouveauté (qui éblouit aussi Braudel). Chaque rencontre était une joie, un enrichissement, que nous partagions à quatre. Largement septuagénaire, Carrière lançait de nouveaux projets. Il me confia un jour qu'il ne pourrait sans doute pas les mener à bien, et fit une brève allusion à ses ennuis cardiaques. Ils l'emportèrent paisiblement, trop vite.

La bonté lumineuse et l'intelligence parfois très critique de Charles Carrière laissent un souvenir à la fois ferme et doux. Il y avait aussi l'ancien pasteur, qui me lut deux fois les passages de la Bible qu'il pensait devoir me toucher. En effet, mais c'était bien tard.

CHAPITRE XX

Les trois grands

Les langues malicieuses les appelaient les Trois Grâces, terme qui, à la rigueur, aurait pu convenir au plus ancien. Les deux autres, feignant d'oublier Labrousse qui régnait, auraient accepté, fermement pour l'un, avec de pieuses restrictions mentales pour l'autre, cette haute qualité de « grand » dont ils se pensaient dignes.

Tapié entra le premier dans l'enceinte sacrée. Mousnier le suivit en 1955, après la dure maladie qui emporta Zeller, homme de l'Est qui tenta de s'intéresser un moment à ma thèse complémentaire (obligatoire) portant sur des marchands beauvaisiens, bien « locaux », pensait-il. Le troisième, qui venait (seul) de la rue d'Ulm *via* Bucarest et Montpellier, compléta le trio après de subtiles manœuvres, nécessaires pour un homme qui n'avait publié qu'un demi-manuel (de Moyen-Âge), quelques articles, et surtout pas sa thèse, que je ne pus jamais consulter, même en manuscrit (pourtant déposé).

Victor-Lucien Tapié, homme de distinction et d'élégance naturelles, était un ami de jeunesse de Jean Meuvret qui le tutoyait et s'amusait parfois à le taquiner, gentiment. Curieux de tout, mais surtout d'art en général et d'Europe centrale et russe en particulier, il avait longtemps séjourné à Prague où il reçut les leçons et l'amitié du professeur Pekacz qu'il vénérait. Il possédait parfaitement le tchèque et suffisamment le russe, adorait Leningrad tout en préférant Saint-Pétersbourg, et Prague plus encore. Il m'incita souvent à m'y rendre — mais je n'eus pas le temps, et pas de goût pour les pays stalinisés de force. À Vienne, qu'il aimait presque autant, il consacra une matinée d'août 1965, en plein congrès international, à me montrer les lieux les moins connus et les plus attachants (je revins). Je le vis et l'entendis, un peu plus tard, à l'Opéra de Vienne, conclure l'ensemble de ce second congrès (le premier remontait à 1815...) par une éloquente et subtile évocation des Habsbourg, de leurs États, de leur capitale, de leur splendeur passée pour, sautant discrètement par-dessus les zones d'ombre du xxᵉ siècle, retomber élégamment dans le congrès qu'il avait l'insigne honneur de clôturer, avec un collègue autrichien tout de même.

Plusieurs circonstances m'avaient rapproché de ce chrétien fervent, homme de droite, de la droite franche et propre, certainement royaliste, puisqu'il reçut une des filles du comte de Paris, qu'il alla avec quelque retard (mais c'était elle qui était en avance) attendre au bas de son escalier, car son sixième étage du boulevard Saint-Germain ne comportait pas d'ascenseur. La direction de ma thèse complémentaire, qui l'intéressa, qu'il « rapporta » avec une vraie chaleur en mars 1958 (pendant que Mousnier feignait de dormir) m'avait rapproché de lui, d'autant que nous étions hommes de l'Ouest, lui de l'Ouest « blanc » mais raisonnable, et moi, du « bleu » tolérant, je l'espère. Je connaissais ses lieux de vacances et découvris qu'il lui arrivait, là-bas, d'allonger son patronyme du nom d'une de ses terres ; je l'écoutais aussi, lui l'homme sans enfant et qui en souffrait, me conter les « exploits » de Mlle Typhaine, un bébé, sa nièce et filleule (sauf erreur) ; il m'enviait quelque peu en me voyant promener mon premier petit-fils au square Cluny, tandis que Gabriel Le Bras promenait son dernier fils... et que nous discutions du nouveau pape, son ami. Nous avions le même boulanger et je le surpris, une fois ou deux, achetant aussi des croissants : il n'avait pas de cravate — mais un foulard — et ne portait pas l'élégant costume des grandes heures. Au fond, je l'aimais bien, y compris dans les naïvetés aimables qui lui échappaient parfois.

Il m'envoyait régulièrement livres et articles, dédicacés ; moi aussi. J'avais goûté avec quelques réserves sa *France de Louis XIII et Richelieu*, honnête enfin avec le monarque, ouvrage net et fin, un peu déficient sur le plan économique ; mais il savait bien que ce n'était pas sa partie, ou connaissait mal ce qui se préparait et même le dernier livre de Hauser, si remarquable. Tout ce qu'il écrivit sur l'Europe centrale et sur Marie-Thérèse — à laquelle il vouait une sorte de culte — comblait mon ignorance. Son incontestable chef-d'œuvre me parut être son *Baroque et classicisme* qui, pour la première fois à ma connaissance, donna une définition solide (les autres sont fumeuses) du baroque, mouvement né dans la Rome de la Contre-Réforme, peu avant 1600. Pour moi qui ne goûtais que le gothique et le roman plus encore, ce livre, prolongé par des excursions détaillées en Italie, Bavière et Autriche, me réconcilia avec cet art d'enthousiasme, de théâtre et de ferveur. Un art, et pas une autre chose : le « siècle baroque », par exemple, se ramène à une facile invention d'historien pressé. Cet homme foncièrement distingué, qui avait conquis l'affection de mon ami Denis Richet — et réciproquement — mourut trop tôt ; brutalement, alors qu'il regorgeait de projets, surtout dans le domaine de l'art, où il était passionné et passionnant.

Le deuxième grand était en puissance ce que Tapié était en finesse. Roland Mousnier s'était fait connaître des rares spécialistes par sa grosse thèse sur *La Vénalité des offices sous Henri IV et Louis XIII* à Paris et en Normandie exclusivement, ce que ne disait pas le titre. Lucien Febvre, dans un compte rendu sérieux, un peu tardif et généralement oublié, avait souligné l'impropriété du titre (ce ne fut pas le seul exemple) mais aussi le mérite considérable d'un homme qui avait pénétré dans un fonds d'archives dont Febvre connaissait bien la difficulté de lecture et d'interprétation. Mousnier, ajoutait-il, a résolu avec clarté les problèmes complexes posés par la nature et l'exercice des offices comme par la personnalité juridique, sociale et même économique des officiers. Ouvrage neuf et fondamental, sans doute ; mais Febvre soulignait tout de même qu'il revêtait fréquemment l'apparence d'un défilé de fiches si nombreuses qu'à la fin on avait plutôt envie de crier « assez » que de demander « encore ». Coup de patte final, bien dans la manière de Febvre dont l'impression demeurait cependant largement positive. L'ouvrage fut réédité, le mot « ordre » remplaçant le mot « classe », ce qui allait un peu plus loin qu'une question de vocabulaire.

Juste avant de passer de Strasbourg à la Sorbonne, Mousnier et l'historien allemand Hartung présentèrent au congrès international de Rome (1955) un texte trop oublié sur l'absolutisme que nos jeunes historiens péremptoires — et quelques autres — feraient bien de méditer : la monarchie absolue, pour ces deux historiens, était exactement une monarchie *tempérée*, donc *limitée* par un certain nombre de lois et de coutumes. Ce ne fut sûrement pas la seule fois où je me sois senti pleinement d'accord avec Mousnier.

Suivit une longue période où, de son séminaire très fréquenté de la Sorbonne (puis de Paris-IV), il s'appliqua à combattre énergiquement le spectre du marxisme et à délivrer « la science » (comme il disait avec quelque optimisme) de sa redoutable emprise. La lutte commença avec le thème des « mouvements populaires » du XVIIᵉ siècle

naguère abordé par Lavisse, pieusement oublié, puis res-
suscité par le vigoureux historien russe Boris Porchnev
(au demeurant un personnage privé bien savoureux).
Celui-ci avait réveillé de vieux textes et surtout utilisé les
archives Séguier passées en Russie à la fin du XVIIIe siècle.
Porchnev, académicien russe, donna une interprétation
d'académicien russe, donc communiste. Mousnier mobilisa son séminaire, distribua des révoltes à étudier et alla
à Leningrad pour compulser les papiers retrouvés par
Porchnev qu'il rencontra. Il en résulta, outre une polémi-
que inutile puisqu'on en connaissait d'avance les conclu-
sions, une gerbe d'études précises de révoltes, paysannes
ou non, dont le meilleur se trouve dans les publications
d'Yves-Marie Bercé sur les croquants du Sud-Ouest.

Après un solide intermède consacré à l'étude des principaux serviteurs du roi, ministres, intendants et autres,
qu'il distribua à son séminaire et publia en un recueil
(sous son nom), dans lequel il osa insérer un texte de
Denis Richet (« son élève », précisa-t-il en note, qui lui
aurait fourni « des matériaux »), et une sérieuse collaboration (avec Meuvret et moi-même) aux travaux de la
Société d'Étude du XVIIIe siècle, il entreprit de réaliser
son dessein le plus vaste. Il s'agissait d'analyser et définir
la société française du XVIIe siècle afin de démontrer que
les interprétations (plus ou moins) marxistes sur la « société de classes » étaient totalement fausses. Impressionné par les schémas souvent très surprenants des
sociologues américains (que je ne goûtais pas plus que
Lawrence Stone), il entreprit, en y associant à nouveau
ses fidèles séminaristes, la reconstitution, d'abord à
Paris, d'une belle « société d'ordres » reposant sur l'estime, l'honneur, les qualificatifs, les avant-noms, les
alliances, etc. et pas du tout, surtout pas sur la fortune.
Des milliers de fiches notariales furent dressées pour
aboutir à présenter une société parisienne en strates et

sous-strates qui laissa sceptiques ou pantois bon nombre d'historiens... et d'éditeurs.

Mousnier retraité, la grande reconstitution, mise de côté, fut lentement oubliée. Mais, fréquentant le bâtiment de Sorbonne dont il ne pouvait se passer, il prépara et mena à bien la rédaction de son dernier livre, *L'Homme rouge*, remarquable monographie de Richelieu, fouillée, au courant des travaux récents, même anglais, apparemment définitive... mais attendons Joseph Bergin. Ce livre, achevé dans les derniers moments d'une pénible maladie, rejoint en qualité ce que je tenais pour son chef-d'œuvre, *L'Assassinat d'Henri IV*.

Roland Mousnier et moi nous nous sommes bien connus, sommes souvent tombés d'accord, souvent non. C'était un homme rude, exigeant, impérieux, un peu trop conscient de sa valeur peut-être ; il avait pourtant ses moments d'abandon. Je crois que nous éprouvions l'un pour l'autre une assez forte estime, qui reposait sur notre égale fréquentation des archives et la solidité de nos travaux de caractère nettement scientifique (ai-je dit que je l'ai vivement poussé à écrire ses deux volumes d'*Institutions*, aux chapitres d'ailleurs inégaux ?). Sur beaucoup de points, qui étaient d'interprétation, nos avis divergeaient. Il défendait son équipe (son « écurie », disait-on) et moi la mienne, moins nombreuse, mais de qualité : il nous arrivait, dans quelques « comités », de nous opposer, mais la conclusion fut toujours sportivement acceptée. Vieillis, nous nous retrouvâmes pour la seconde fois à Santiago de Compostelle et dans ces belles villes et rias de Galice où nous promenait (avec son congrès) notre ami Eiras Roël. Nous étions en quelque sorte les deux vieillards fétiches du congrès ambulant. On nous gâtait, et je découvris un Mousnier détendu, gai, gourmet d'une qualité insoupçonnée et expert inégalé en vins de Galice et d'ailleurs : de ce point de vue, je m'en remis entièrement à lui. Dans un dernier épanchement, il

187

me dit même que j'entrerais bientôt à l'Institut. Je n'osai démentir cette prévision : il ignorait sans doute que je ne goûtais ni les honneurs ni les hochets.

Du troisième grand, Alphonse Dupront, je n'ai jamais eu que des impressions et des échos. Il paraissait souriant, lointain, mystérieux. Normalien discret et secret, me disait en substance Meuvret — discret sans doute lui aussi. Je pense n'avoir jamais eu de conversation suivie avec lui. Ce qu'il écrivait, des articles surtout — aucun véritable livre personnel, me semble-t-il (et c'est pourquoi les Américains, qui jugent sur pièces, l'ignoraient), —, abordaient des thèmes qui m'étaient étrangers — comme « le sacré » —, et son écriture demeura toujours pour moi une sorte de mystère insondable. « Il aime s'entourer de nuages », me disait de lui un de ses collègues, normalien et catholique également, mais non traditionaliste. Son regard glissait sur moi : incarnais-je quelque mauvais souffle ? L'estime que je porte pourtant à cet inconnu vient de l'admiration et probablement de l'affection qu'éprouvaient pour lui des disciples qui sont ou ont été pour moi de précieux amis ou des êtres de qualité : François Billacois, François Crouzet, Denis Richet, Marc Venard. Ils ne pouvaient se tromper. Simplement, entre Dupront et moi, aucun courant ne pouvait passer.

Lors de mon élection à la Sorbonne en février 1969, à laquelle j'aspirais pour son renom international et la proximité de mon domicile, aucun des trois grands ne me soutint. Moderniste, je fus élu, facilement, par des non-modernistes. Tapié seul m'avait franchement prévenu : il trouvait mon *Louis XIV* « trop noir » et avait promis sa voix à Dermigny, solide historien ami à la fois

188

de Carrière (la qualité) et de Dupront (Montpellier). Il fut d'ailleurs élu sans peine l'année suivante.

Je compris vite ce qui s'était passé, bien dans la manière feutrée de la maison : le poste avait été créé quasi clandestinement et tacitement réservé au Montpelliérain. Il fallut une indiscrétion pour que je l'apprenne. Une rapide enquête m'apprit que ma candidature éventuelle serait bien reçue, puisque je tenais le rôle de l'hérétique, de l'hérétique pesant. Mon élection réjouit famille et amis, français et étrangers, notamment ceux de Princeton, qui m'attendaient à l'automne. J'avoue que je regrettais Nanterre (sottement calomniée par les médias) et surtout son département d'histoire, avec ses enseignants et ses étudiants de qualité et pas trop nombreux. Mon décret de nomination (il en fallait un) fut signé Poher : on a l'originalité qu'on peut...

Des trois grands, le premier m'accueillit avec gentillesse, le second avec franchise. L'homme du sacré demeura lointain.

Troisième partie

CLIO DANS LE VASTE MONDE

CHAPITRE XXI

Princeton

Un jour de moiteur étouffante du début septembre 1969, atterrissait à Kennedy l'ancien élève de l'école primaire saumuroise des Récollets, accompagné de son épouse Odette, ancienne élève de l'école primaire d'application attenante à l'école normale de Chartres. L'avion ayant du retard et plus encore les opérations douanières (compliquées par l'examen soupçonneux de médicaments inclus dans une valise), la « limousine » de Princeton, sorte de luxueux et interminable taxi, était partie. Il fallut attendre la suivante, alternant le glacial air conditionné de l'aéroport avec un *fog* new-yorkais qui avoisinait les 40° Celsius. Après un voyage saisissant (le pont Verrazzano, la statue, d'infects marais et l'autoroute *turn-pike* (ancien tourniquet, payant) avec ses six voies où d'énormes automobiles roulaient sagement à la même vitesse, nous finîmes par atteindre Hibben, haut et moderne immeuble au milieu d'arbres majestueux appartenant à l'université qui nous y louait un duplex pour une poignée de dollars (retenus sur mon salaire, confortable). Nous accueillîmes un jeune assistant d'histoire, sa fort jolie femme, une musicienne, et deux chattes magnifiques et fort gâtées. Ils nous firent dîner joliment, mais tard (six heures de décalage horaire) et nous mirent en quelque sorte au lit. Lawrence Stone, la

puissance invitante, avait voulu que nous nous débrouil-
lions seuls pour notre première journée. Après une
semaine de reconnaissance, de présentations et d'excursions, il fallut songer au travail, puisque j'étais venu pour
cela : un séminaire hebdomadaire (et semestriel) de trois
heures, en anglais, portant sur les sources (surtout) et les
problèmes posés par les habitants du royaume de France
au xviie siècle. Où étions-nous tombés et comment en
étais-je arrivé là ?

Il y avait une bonne quinzaine d'années que Meuvret,
par la parole, et Braudel, par l'exemple, m'avaient fait
comprendre que le territoire de l'Histoire, notamment la
meilleure, ne se réduisait pas aux frontières que je me
décide mal à appeler « hexagonales » ; qu'il existait une
communauté internationale des historiens, découverte et
fréquentée pour la première fois à Rome en 1955, et que
celle-ci pratiquait couramment l'interlecture en plusieurs
langues, surtout l'anglais, pour les travaux qui paraissaient en valoir la peine. Je nouai donc des relations avec
des historiens non français, donnant même un texte ou
un compte rendu çà et là, par exemple à *Past and Present*
et à l'*Economic History Review*. Je lisais les autres langues
comme je pouvais, sans songer qu'on me lisait aussi dans
d'autres lieux que les pays voisins : Suisse, Belgique,
Pays-Bas, Angleterre. Je ne réalisais même pas que, si
j'avais un ou deux jeunes Japonais à mon séminaire, c'est
qu'on me lisait aussi du côté de Tokyo — qui viendra à
son tour. Parut alors Lawrence Stone.

C'était lors du festival du Marais de 1966, qui portait
notamment sur le Paris de Henri IV et Louis XIII, avec
un large colloque fort bien organisé par Pierre Francastel
et Jean-Pierre Babelon — un historien de l'art, un archiviste — plus un remarquable architecte et divers *sponsors*
dont une compagnie pétrolière, le tout siégeant place
Royale (devenue « des Vosges ») et aux alentours. La
délégation anglaise comprenait un personnage quasi-

ment illustre, mais dont on ignorait encore toutes les activités, Sir Anthony Blunt. J'ai dû prendre la parole pour présenter ce qu'on appelait le « premier XVIIe siècle », dénomination absurde d'une période réelle. Je vis soudain s'avancer une mince et longue silhouette, légèrement penchée, un sourire où un humour parfois rude le disputait à un charme évident et un de ces regards à la fois aigus, perçants et beaux que j'ai si rarement rencontrés, sauf chez les êtres exceptionnels. Il se nomma, je le classai immédiatement par ses livres (feuilletés plus que lus : ils portaient sur l'histoire anglaise du XVIIe siècle) ; il me présenta Jeanne, son épouse, que je complimentai pour son exceptionnel français, ce dont elle rit, puisqu'elle est la fille de Robert Fawtier le médiéviste français, quelque peu tout de même franco-anglais. Lawrence m'informa que, bien qu'Anglais et oxfordien, il enseignait à Princeton dont je connaissais l'exceptionnelle réputation. Puis nous échangeâmes questions et informations ; à vrai dire, ce fut surtout lui qui sollicita mon avis sur telle idée, tel livre, tel homme. Il me tâtait. Le plus souvent, nos sentiments coïncidaient ; ce qui dura, ce qui persiste en cette année 1995 où nous nous sommes rencontrés à nouveau. Nous nous revîmes les jours suivants, et ils finirent par venir dîner à la maison. Avant de repartir, il me demanda très simplement de venir enseigner un semestre à Princeton (il avait lu à peu près tout ce que j'avais écrit et m'avait beaucoup fait parler). Ébahi, je ne pus que répondre négativement : la condition *sine qua non* était de donner cours et séminaires en anglais : or je ne connaissais cette langue qu'écrite, malgré deux rapides voyages à Cambridge, Birmingham et Londres. Stone réitéra son offre plusieurs fois, toujours en vain, lorsque, en 1968, après lui avoir fait visiter Nanterre en ébullition (en Amérique, il y aurait déjà deux cents morts, déclara-t-il), je lui appris que ma fille venait de se marier et allait partir pour la Martinique, son mari y étant expédié comme « coopérant ». Lawrence comprit immédiatement que nous allions nous mettre à l'anglais courant et accepter de venir aux « States », au moins pour nous rapprocher d'eux. Il prit date pour notre venue à Princeton à l'automne de 1969.

Un mois de séjour « *bed and breakfast* » près de Londres, visitée à fond grâce au secours alimentaire des restaurants italiens, un séjour plus bref à Oxford chez Stone qui nous montra collèges, Bodleian et le Blenheim des Churchill-Marlborough, quelques semaines de conversation chez Berlitz, et nous pûmes enfin nous débrouiller dans la vie pratique (bus, taxis, courses, restaurants, musées), mais aussi dans ce séminaire dont je dus rédiger entièrement les premiers exposés, avant de me débrouiller mieux, puis de parler *fluently* au moment du départ.

À cette époque, vers 1970, on savait mal, en France, ce qu'était une université américaine. Il courait à leur sujet pas mal d'absurdités et surtout de généralisations hâtives, comme si tel établissement du Middle-West (par exemple) pouvait être comparé aux quatre ou cinq « grandes » de l'Ivy League, *Ivy* désigne le lierre qui orne des bâtiments fort anciens, dotés de fonds considérables, de fortes traditions et d'équipes de haute valeur soigneusement sélectionnées et fort bien rémunérées, Harvard, Princeton et Yale, Columbia et Cornell sans doute aussi. Elles dataient du XVIIIᵉ siècle, comportaient (au moins à Princeton) des bâtiments anciens soigneusement entretenus, accrus de constructions plus récentes, souvent belles (à Princeton, on avait reproduit plusieurs collèges d'Oxford, et un architecte japonais avait édifié un élégant bâtiment de « Sciences-po » dédié à Woodrow Wilson qui présida aussi l'université). Le matériel de travail était impressionnant (et je n'ai qu'aperçu les énormes et célèbres laboratoires scientifiques, dispersés). La bibliothèque sur six très larges étages, naturellement en sous-sol, était d'une incroyable richesse (si un livre manquait, on le faisait venir de Washington immédiatement) : on y trouvait par exemple la totalité des revues françaises depuis leur origine, et souvent en double. On y photocopiait (« xéroxisait » !) tout ce qu'on voulait, gratuitement ou pour quelques cents, et des machines à écrire étaient disponibles un peu partout. Avec une carte plastifiée à son nom, on pouvait sortir les livres désirés : la règle était de les rapporter immédiatement quand quelqu'un d'autre les demandait : une amende d'un dollar par jour de retard en progression géométrique menaçait les défaillants. Inutile d'ajouter que la presse mondiale était disponible chaque matin, *Le Monde* du jour notamment.

Je pus prendre la mesure des ressources de cette université en assistant à la séance financière du département d'histoire que Stone présidait. Les seuls fonds *de recherche* du département étaient supérieurs à ceux dont disposait la totalité de la Sorbonne-lettres. Mon premier sentiment fut la surprise... et le second que tout de même notre relative pauvreté ne nous empêchait pas de parvenir, par des méthodes en somme artisanales, à des travaux de qualité.

On se doute bien que les installations sportives, aux superficies largement supérieures à celles de l'université et la côtoyant, nombreuses, diverses, très fréquentées tous les après-midi, faisaient ressortir par contraste la médiocrité ou l'inexistence des nôtres. Le tout se trouvait d'ailleurs inscrit dans un parc presque immense, peuplé d'arbres géants abritant des colonies d'écureuils très familiers, aboutissant à une rivière pourvue d'une sorte de lac de barrage par je ne sais quel milliardaire (au nom bien visible, comme ceux de tous les donateurs, de sentiers cimentés), et d'un hangar à bateaux (le rowing !) construit à l'imitation d'un... monastère de Toscane : bel étalage du ridicule dans la munificence ; ce qu'on n'ose dire du fabricant de pneumatiques — Firestone — qui finança la bibliothèque.

Naturellement, les études à Princeton coûtaient très cher. On ignore habituellement que le nombre des boursiers complets était considérable (51 % en 1969) : il s'agit en réalité de prêts, à 0 ou 1 %, remboursables lorsque l'étudiant, pourvu de ses diplômes, d'une valeur indiscutée, aurait réussi dans la voie qu'il était alors sûr de trouver en sortant de cette université. Il est vrai que le concours d'entrée, intelligent et efficace, sélectionnait un étudiant sur vingt aspirants ; je vis même, en 1969, la première promotion de filles qui entrèrent dans cet établissement jusque-là strictement masculin : une centaine sur trois mille candidates. Celles que j'ai rencontrées étaient exceptionnelles. Je ne sais si la situation que j'ai connue voici vingt-cinq ans, dure toujours.

À part la surprise, et un peu d'envie, elle ne provoqua chez moi aucun jugement de valeur, qui aurait été absurde.

Nous avions déjà rencontré chez les Stone plusieurs de mes futurs collègues et, près de notre logis, de jeunes assistants nous avaient surpris par leur esprit d'ouverture et leur accueil franc et chaleureux — habituelle vertu américaine, avons-nous vite constaté. La veille de la rentrée, l'ensemble du département, épouses comprises, fut invité à la *party* (nous dirions cocktail !) d'ouverture. Présentations, consommation importante de bourbon et de curieux amuse-gueule (légumes crus trempés dans du ketchup, plus quelques crevettes à goût de buvard). Commencée tôt — six heures, comme toujours — la *party* finit tôt, et s'acheva heureusement par un dîner en petit comité chez les Stone dont la table avait son charme.

Ces préliminaires accomplis — avec une réunion de

département où je me sentis un peu perdu —, il fallut bien passer aux choses sérieuses : le travail, les relations de travail, l'intégration dans une petite ville et surtout dans un milieu où nous étions appelés à vivre cinq mois — plus la découverte des moyens d'accès à New York (train plus pittoresque que le bus).

Je crois n'avoir jamais tant transpiré, physiquement et psychiquement, que pendant et après les premiers séminaires, où je risquais un anglais tout neuf. J'avais une dizaine d'auditeurs — beaucoup trop, disaient les collègues, les statuts de l'université limitant, à ce niveau, les auditoires à sept personnes — ; on me laissa naturellement persévérer. À trois exceptions près, il s'agissait de jeunes gens d'un niveau au moins égal et probablement supérieur à ce qui pouvait correspondre à une licence française d'avant 1968 dans une faculté sérieuse. Ils préparaient un Ph. D., qu'on peut assimiler à notre thèse de 3e cycle d'alors, voire au mini-doctorat instauré depuis quelques années. Obligatoirement, ils venaient d'une autre université, la mobilité étant jugée essentielle aux États-Unis, mais ils n'avaient été acceptés à Princeton qu'après un examen sérieux : dossier, entretiens. Cinq au moins venaient de New York (cela s'entendait) ; s'y ajoutait une charmante et molle sudiste dont l'anglais lent m'agréait et un ancien étudiant d'université catholique (un peu perdu en milieu protestant) dont les dons ne paraissaient pas éclatants ; plus trois personnalités hors de pair. Un Mexicain chevelu, francophone et francophile, qui sentait la marijuana (fréquente ici), d'une culture inégale et fantaisiste, qui disparut avec la neige de décembre. Je le retrouvai l'année suivante, dépenaillé et apparemment drogué, dans le café du boulevard Saint-Michel où je prenais volontiers un café presque honnête. Nous avons longuement bavardé. Il se soignait au calvados, que je réglai en lui donnant quelques espèces dont il manquait visiblement. Je ne l'ai jamais revu.

199

Les deux autres « anormaux », Richard et Bob, n'étaient plus des étudiants. Richard, notre voisin de palier à Hibben, parlait au moins quatre langues et travaillait surtout sur l'Espagne. Il était — il est toujours, je le revois de temps à autre — le fils d'un des plus gros fabricants et marchands de fil de fer barbelé des États-Unis, donc une solide fortune. Il étudiait l'histoire pour le plaisir, comme son frère unique la philosophie (ou la sociologie ?). Aussi, leur père, navré qu'aucun fils ne lui succède, vendit son affaire, reprit des études de gestion, puis acheta une charge de *broker* à Wall Street. Intelligence rapide, imaginative et fantaisiste, Richard, que nous appelions « petit voisin » dînait souvent avec nous, fournissait la boisson et nous rendait royalement la politesse, car il avait aussi des talents de cordon bleu. Pendant que je peinais sur mon prochain séminaire, il emmenait Odette faire quelques pointes de vitesse (interdites) dans sa Ferrari rouge. Nous l'avons retrouvé en Aveyron, entre le château de Panat et le vignoble de Marcillac, écrivant avec allégresse un livre sur les universités espagnoles du XVIᵉ ou du XVIIᵉ siècle. Il s'était installé dans une auberge, tout près de nos amis Ranum, quasi-vicomtes de Panat où ils avaient restauré de leurs mains (avec l'aide des derniers artisans du secteur) trois vieilles maisons à l'ombre du château, avec la bénédiction de Louis d'Adhémar, comte dudit lieu, issu d'une des plus anciennes familles nobles de France (La Garde-Adhémar, qui fit Montélimar). Richard nous traita somptueusement, à la manière rouergate, dans sa savoureuse auberge de Valady (où nous sommes revenus...). Nous le revîmes, radieux, au moins une fois à Paris, mais surtout non loin du port reconstruit à l'ancienne de Baltimore, marié avec une savante (et fort belle) spécialiste de l'art persan, par surcroît directrice adjointe de l'admirable musée de Washington. Il avait rejoint Orest Ranum, son aîné, à la fois ami et maître, dans cette étonnante Johns Hopkins University, apparemment plus proche des Hautes Études braudéliennes (moins l'enflure) que d'une banale université.

Le dernier de mes auditeurs — à vrai dire légèrement intermittent, car il avait d'autres charges — me surprit immédiatement par son étonnante maîtrise du français et des livres français, l'apparente timidité de ses astucieuses questions et l'exceptionnelle qualité de son regard. Celui-là avait depuis longtemps passé son Ph. D. (à Oxford, avec mon vieux complice le savoureux Richard Cobb) et débutait (sauf erreur) à Princeton dans une charge (alors temporaire, comme toujours aux États-Unis) comparable à celle de maître-assistant dans la France des années soixante. En fait, il enseignait à des étudiants de première année — qu'il m'emmena visiter un beau jour pour une séance de questions. Ce séduisant jeune homme — plutôt un homme jeune, vingt-cinq ans ? — était passé par Harvard où il brilla et dut rencontrer Susan, jeune femme à la fois charmeuse et énergique, puis Oxford d'où ils partirent en Vespa excursionner sur le continent, puis le *New York Times* où travaillait (et travaille toujours) son frère, où il entra aussi et se plut... avant de revenir au XVIIIe siècle et d'enseigner à Princeton. Robert Darnton, que la télévision française (et d'autres) cultive désormais, est probablement l'un des plus remarquables historiens de cette fin du XXe siècle. Il hésita quelque peu entre New York (et le journalisme) Harvard et Princeton. Mais Princeton l'emporta — donc Stone — et ne le lâcha plus. J'assistais et participais au conseil du département qui devait décider qui serait conservé des trois jeunes historiens de la France présents cette année-là. Stone, moi l'invité français et beaucoup d'autres étaient du même avis... Nous remerciâmes donc les deux autres jeunes collègues (nos voisins à Hibben) qui trouvèrent facilement refuge en Californie.

201

Notre vieux couple (cent dix ans à deux) et ce jeune couple nouèrent de bien agréables relations : *drinks* simples, dîners plus raffinés (mais non, les Américains ne se contentent pas de *hot dogs* et de *coke*), de longues conversations, des excursions dans la campagne, somptueuse à l'automne, un pique-nique au bord de la Delaware, un dîner improvisé dans leur petite maison perdue dans les bois, la neige et les chevreuils venus mendier quelque nourriture... Nous les avons toujours revus, suivi la croissance des trois enfants et la brillante ascension de Bob et récemment retrouvés une nouvelle fois dans leur petit appartement parisien situé à deux pas de la Bibliothèque nationale, la vraie.

Certes, nos enfants nous manquaient. Annie et son mari vinrent par deux fois goûter les charmes automnaux — resplendissants — puis hivernaux — rafraîchissants pour des Martiniquais — agrémentés par d'enrichissantes sorties à Manhattan. Nous y allions chaque jeudi, sans en épuiser ni les musées, ni les promenades, ni le spectacle des rues.

Dans l'intervalle, une bonne partie des collègues invitaient, recevaient (les « parties » !), s'évertuaient à parler le français souvent remarquablement, comme les Gillespie dont nous pûmes admirer la délicate collection de petits objets rares ; Gillespie, grand spécialiste des savants français et pratiquement tuteur d'un jeune orphelin brillant qui étudiait l'histoire à Princeton — Steven Kaplan, maintenant professeur à Cornell — où il nous invita plus tard, comme à Yale auparavant. Cet éminent spécialiste du pain (et du blé, et du vin), ami de Poilâne, possédait un vocabulaire acquis comme « ripeur » dans un camion de livraison de vin de Bercy et dont la richesse populaire et argotique tenait du miracle.

Princeton, en somme, ce fut à la fois l'attraction et le rayonnement. Invité dans une douzaine d'universités, j'essayais de choisir les meilleures.

Lawrence Stone m'avait vivement conseillé d'aller à Toronto, puisque j'étais invité par celle qu'il appelait l'« Étoile du Nord » (qu'il fit venir à Princeton plus tard). Chandler Davis, mathématicien renommé, s'était vu retirer son passeport à cause de son « radicalisme » (gauchisme ?) et surtout de son hostilité à la guerre du Viet-nam. Le Canada lui avait ouvert les bras, et il enseignait donc à Toronto, comme son épouse Natalie. Une première rencontre avec Natalie Davis en 1969 ne saurait être oubliée. Elle doit parler sept ou huit langues, a tout lu, foisonne d'idées, d'initiatives et d'intuitions. Beaucoup de Français l'ont connue par la suite depuis l'histoire de Martin Guerre, le texte original du procès, et toute la suite médiatique. S'entretenir avec elle est un régal, comme le fut ce bref et étonnant séjour à Toronto (par ailleurs ville sans grand intérêt).

Le premier soir, *party* chez les Davis : dès avant six heures, les Davis avaient ouvert en entier leur maison, pendant que leurs enfants et des amis faisaient retentir un orchestre de jazz assez délirant : très vite, des collègues, des jeunes (étudiants ?), des voisins et bon nombre de déserteurs américains de passage circulaient et s'abreuvaient de champagne sans doute californien. Pittoresque, mais assez épuisant. Avant que je me défile, Natalie m'attrapa par le bras et me demanda soudain : « Demain matin, que désirez-vous voir : le Musée of fine arts ou le marché ukrainien ? » Je choisis naturellement le marché.

Spectacle inoubliable : pataugeant dans la neige fondante, nous visitâmes successivement des échoppes où l'on parlait russe, ukrainien, roumain, allemand, yiddish et peut-être d'autres langues. Natalie connaissait presque tout le monde, parlait toutes les langues, achetait ou se faisait offrir toutes sortes de nourritures, indéfinissables mais souvent bonnes. Nous terminâmes par le secteur chinois (nationaliste) avant de regagner, ahuri pour mon compte, quelque lunch, sans doute un exposé, puis l'avion pour Newark où le problème consistait à trouver un taxi un peu propre.

L'autre expédition n'offre aucune ressemblance avec celle-là. Elle concerna le Mexique, ou plutôt Oaxtepec, Alejandra et son mari, Stanley Stein (le spécialiste princetonien) et son épouse, et un collègue sûrement éminent d'une université du Texas, Austin sauf erreur. Ce dernier m'avait écrit au printemps 1969 pour m'inviter à un grand colloque international sur l'Amérique latine et son histoire qui se tiendrait en novembre à « Mexico City » et aux environs. Je m'excusai en alléguant mon incompétence, réelle. Bien dans le style texan, une réplique péremptoire survint : elle m'indiquait simplement que nos deux voyages, notre hôtel, nourriture et quelque argent de poche étaient déjà prévus pour Odette et pour moi. Comment résister ? J'indiquai simplement que je viendrai de Princeton, *via* New York, mais je ne voyais pas l'origine de l'invitation. Je compris vite : arrivant au Mexique, je retrouvai deux ou trois anciens « séminaristes » des Hautes Études : l'une, Alejandra, était devenue directrice des Archives, peut-être même ministre. Le Collegio de Mexico manquant de fonds, elle avait trouvé l'aimable détour texan.

Nous nous installâmes avec les Stein — qui connaissaient le pays à fond — dans une très belle résidence mexicaine transformée en hôtel, avec les meubles et la vaisselle ancienne... mais sans ascenseur, lacune pénible à 2 200 mètres d'altitude. Les Stein louèrent une Volkswagen et nous firent visiter, outre les sites touristiques habituels, le Mexique profond des villages, des églises et des cultures. François Chevalier — qui fut directeur de l'Institut français — les relayait avec sa femme : ils aimaient ce pays, y connaissaient des familles entières dans les plus petits villages : tout le monde les embrassait ! Il était évident que le Mexique et les Mexicains me passionnaient plus que le colloque, au demeurant tenu en espagnol (que je lisais tout juste) ou dans une version très texane de la langue que j'entendais à Princeton et même à New York. Je dois pourtant rendre grâce à la qualité de l'accueil autant qu'à la beauté des lieux.

Dès le premier jour, après une assez longue promenade sur la Reforma, long et beau boulevard tout en courbes, nous entrâmes nous reposer dans un bar et commander de cette bière mexicaine qu'on nous avait dit fort bonne, et qui l'était, lorsque deux messieurs fort distingués, nous ayant entendus, se précipitèrent quasiment vers nous, se présentèrent, se réjouirent d'entendre notre langue, firent expulser les bières et venir un breuvage mexicain excellent, puis un second. Après une longue conversation, ils faillirent nous inviter à dîner (nous l'étions déjà, par les Stein) ; ils nous ramenèrent en voiture. De cet entretien imprévu, nous retirâmes l'idée que notre principal mérite était de ne pas être des *gringos* — ce que nous précisions toujours lorsque nous étions obligés de parler — forcément en anglais — à des Mexicains, y compris les chauffeurs de taxis, presque toujours souriants — et dont les compteurs défaillaient.

Le lieu du colloque, atteint après un passage en autocar à plus de 3 000 mètres, nous fut présenté comme l'ancien jardin d'été de Moctezuma (il servait de lieu de vacances pour les principaux dirigeants de la Sécurité sociale mexicaine et de quelques ministères). Il s'agissait positivement d'une merveille par son site, ses fleurs rares, ses arbres, ses cascades, ses verrières et sa vue directe sur le Popocatepelt (ce mot m'avait fait rêver dans mon enfance) et les cimes enneigées qui l'entouraient. L'accueil revenait à deux de mes anciens étudiants, à leurs amis, et à d'éminents collègues qui parlaient bien le français. On nous offrit la *margarita*, boisson fraîche et délicieuse que j'avalai avec plaisir tout en devisant ; une seconde coupe me fit réaliser que ce breuvage était à base de *tequila*, adoucie, me dit-on, par un peu de jus de fruit... et du Cointreau ! Nous devions être plus d'une centaine, et les seuls Français en attendant l'arrivée de François Chevalier que je devais retrouver à la Casa de Vélazquez, à Compostelle et à la Sorbonne. L'accueil, toujours aimable, se teintait de curiosité amusée lorsqu'on nous servait des plats mexicains typiques, généralement savoureux lorsqu'on avait râclé légèrement la surface afin d'éliminer un dangereux semis de piments verts. Je me laissai prendre une fois à la *tortilla* (changeante) du matin : l'une avait été soigneusement repliée sur un mélange incendiaire de poivre et de piments. On rit gentiment de ma réaction, et on me réconforta.

Dans l'intervalle des « sessions » du colloque, les Chevalier nous firent visiter un village mexicain qui leur était cher, et surtout une église d'origine franciscaine bâtie (comme souvent) sur un temple aztèque, où des toiles et des statues de saints avaient été retournées contre le mur, en pénitence pour avoir omis d'exaucer tel vœu à eux adressé.

Le colloque s'acheva à Mexico même par un délicat festin sous de larges et belles tentes, avec musique, discours, danses et, je crois, champagne français. Nous prîmes une journée encore, que nous consacrâmes au musée d'ethnographie, dont l'architecture, les eaux, jaillissantes en arceaux, la disposition et l'intelligence sont ou étaient probablement sans équivalent.

Je garde, nous avions gardé des paysans, des villages, des palais (celui de Cortez à Cuernavaca !), des églises, des étudiants, des musées de la cathédrale, des places et de l'atmosphère prenante du Mexique un souvenir à la fois doux et fort, sans doute pour avoir plongé dans ce monde « aux trois cultures » si différent du nôtre et qui semblait nous avoir montré de l'amitié. Bien qu'invité, je n'y suis jamais retourné. Fallait-il gâcher les souvenirs ?

Puis nous avons retrouvé Princeton où de gros

camions dotés d'énormes aspirateurs avalaient des monceaux de feuilles rouges, jaunes ou desséchées qu'avaient lâchées les plus grands et beaux arbres que j'avais rencontrés jusqu'alors. Nous avons donc revu les collègues, les étudiants, les écureuils, l'extraordinaire bibliothèque (j'y pris des dizaines de photocopies), et aussi le petit monde de la modeste ville qui frôlait l'université sans y pénétrer. La ville avait été fondée, comme son nom l'indique, par un prince qui était le prince d'Orange ; sa rue principale, Nassau Street, concourait à rappeler qu'une partie de cette côte fut d'abord hollandaise, notamment New Amsterdam, au sud de Wall Street : une reconstitution cadastrale (avec les noms des occupants) existait (existe encore ?) dans un musée souvent ignoré : celui de la ville au nom anglicisé.

Assez vite (je faisais les principales courses, le détail surtout), je connus la postière, le cordonnier (peu différent des Saumurois), le coiffeur avec son enseigne tricolore tournante, le boucher qui découpait à sa manière le savoureux bœuf américain et le marchand de cigarettes françaises (un seul) qui vendait aussi des bonbons, des journaux (on nous livrait à domicile le pesant *New York Times*), des magazines, y compris des pornographiques qu'il essaya une fois de me glisser, à la grande joie d'un collègue qui passait. On y trouvait aussi un remarquable marchand de vin qui, par exemple, détenait au moins six sortes de châteauneuf-du-pape dont des blancs fort rares, et vendait aussi des camemberts arrivés par avion en sixièmes soigneusement enveloppés. Il avait une bonne clientèle, surtout universitaire, que cela changeait heureusement des vins de Californie, alors médiocres (mais depuis devenus excellents). Outre le *coke*, l'Américain moyen s'abreuvait essentiellement de bourbon (whisky de maïs, l'ai-je dit ? de qualité très variable), qu'il avalait en quantités impressionnantes, croquant même pour terminer la glace du *drink...* Ainsi que nous le confirma

Sophie, une Grecque éduquée en Chine par des religieuses françaises, fleuron de l'agence de voyage la plus fréquentée du lieu (les enseignants voyageaient beaucoup) et ravie de retrouver l'une de ses trois langues maternelles, intelligente et fine, qui nous invita chez elle (elle était mariée à un Américain aimable et caricatural : bière, bourbon, *hot dogs*, estomac gonflé). Elle évoqua rudement le style de vie de ses collègues d'agence et de ses voisins : lever tôt, *breakfast* sérieux, bureau à neuf heures, hamburger et verre de lait à une heure, sortie à cinq heures et, de retour au logis ou chez une amie, bourbon, gin, re-bourbon, re-gin, quelques amuse-gueule, une pause rapide pour aller vomir et recommencer, au besoin un peu de sexe, pour changer ; cuver enfin leur ivrognerie, qui leur tenait lieu de cervelle, jusqu'au lendemain matin. Tableau peu idyllique, semé de gros sel attique... Tout de même, je voyais que les Américains, sitôt montés à « Pen Station » dans le train pour Princeton, se précipitaient leurs dollars à la main, dans une belle bousculade, vers le bar à whisky qui complétait chaque wagon. Il semble que désormais la consommation ait fléchi.

Quelques courses nous firent connaître le petit quartier italien peu aisé, mais où la nourriture nous agréait assez. En son sein, le garage où un grand Noir jovial s'occupait de la longue Buick vert émeraude qu'on nous avait octroyée pour 500 dollars (elle fut revendue 450) : seuls le chauffage et la radio fonctionnaient parfaitement. Ma première panne fut d'essence, car je n'imaginais pas que ce véhicule (sans jauge) consommait plus de vingt litres aux cent kilomètres — heureusement, l'essence était quatre fois moins chère qu'en France. Faisant parler Tom (le Noir), j'appris que le garagiste (italien) versait tout naturellement sa cotisation à la Mafia.

D'ailleurs, les deux petits journaux locaux nous apprirent aussi naturellement que « Tim the Plumbeer » — qui habitait à deux pas de chez nous, « mafioso bien connu » était-il précisé — venait de marier sa fille. L'Église, louée, était entourée de quelques douzaines de mafiosi bien armés, lesquels étaient à leur tour entourés par autant de policiers également armés, mais polis. Même schéma au vaste restaurant loué sur l'autoroute de Philadelphie. L'information ne surprenait personne à Princeton. Il fallait de naïfs Français pour s'en étonner.

Dans des styles différents, deux autres institutions princetoniennes nous furent révélées : le football (américain), les réunions politiques (une seule).

Un vendredi soir et un samedi matin sur deux, une grande vidange des immenses parkings princetoniens (y compris ceux de l'université) était opérée par les intéressés et au besoin par la police. Le samedi était fréquemment « jour de foot ». Des hordes d'énormes voitures venues de toute la côte déversaient vers l'immense stade d'autres hordes de supporters, déjà échauffées par l'alcool, venues soutenir de leurs formidables hurlements vingt ou trente garçons bardés de cuir qui se jetaient les uns sur les autres sous prétexte de porter un ballon quelque part. Bob voulut m'expliquer le jeu et tel autre me traîner au stade, énorme monstre de béton ; le bruit me suffisait. Naguère, m'a raconté Kaplan (mais était-il sérieux ?) le samedi était marqué par l'arrivée de personnes de sexe féminin dans une université uniquement masculine ; les « petites amies » éventuelles devaient en effet être rares dans Princeton City. Des renforts s'imposaient... Anecdote livrée pour ce qu'elle vaut...

Plus curieux tout de même, le style de réunion politique caractérisant une année électorale (régionale, je crois). Dans un très grand amphithéâtre, des centaines de personnes étaient assises sur des sièges numérotés, délimités par travées. À la tribune, cinq orateurs vinrent présenter un programme ou un thème ; il s'agissait notamment de l'affaire très sensible du Viêt-nam. Pas un cri, pas de vrai murmure : les cinq orateurs furent écoutés presque sagement, et poliment applaudis ; je crois qu'ils disposaient chacun de vingt minutes (pendule faisant foi). À la fin, la salle donna son avis... par assis ou levé pour chacun des orateurs ; des étudiants à brassards décomptaient les suffrages obtenus par chaque orateur. Le résultat donné, des applaudissements en quelque sorte proportionnels suivirent. Puis on rentra chez soi. Cet aspect tout à fait inconnu de l'esprit démocratique des Américains — tout au moins à Princeton — me surprit évidemment beaucoup. Type de réunion absolument impossible dans la France de 1969 (depuis, c'est le néant, ou le hurlement organisé, parfois spontané).

Le sport s'orienta bientôt vers le patinage, y compris sur le lac, tandis que se préparaient les fêtes et les cérémonies de l'hiver princetonien, fort rigoureux. Il fut marqué pour nous par deux passages, une excursion et trois cérémonies.

Le premier passage fut un séjour de nos enfants provisoirement martiniquais, accueillis à Kennedy avec l'assistance de Bob Darnton. Ils vinrent se rafraîchir (plus de trente degrés d'écart), mieux connaître New York, spécialement les musées (et, pour les dames, les magasins à la veille de Noël), logèrent dans le duplex libéré et gentiment préparé de notre voisin Richard, furent invités avec nous par les uns et les autres pour fêter Noël et le Nouvel An et assistèrent aussi à la cérémonie que nous recherchions naïvement : une messe de minuit qui ne nous dépayse pas trop. On nous en trouva une de je ne sais quelle religion. Le plus frappant ce fut la quête : un membre du clergé passa avec un vaste plateau doré afin de recueillir les offrandes de l'honorable et pieuse société. Tout se trouvant à découvert, chacun contemplait avec intérêt ce que donnait son voisin ; je mis ostensiblement un dollar pour quatre personnes : des regards me fusillèrent. Sa tournée terminée, le pieux quêteur bénit l'amas de billets verts, et plutôt deux fois qu'une. Décidément, le dollar est bien la véritable divinité adorée aux États-Unis.

Un jour de froid intense que je conjurais en corrigeant des *essays* dans mon vaste bureau où un appareil inconnu en France soufflait le chaud aussi bien que le froid (il suffisait de tourner une manette), un grand jeune homme blond, souriant, à l'œil bleu et aimable vint me dénicher. C'était Orest Ranum, dont je connaissais le livre sur les « créatures de Richelieu », préfacé par Mousnier, et excellent. Il opérait (il opère toujours) à Baltimore, mais effectuait alors une sorte de tournée des universités-sœurs et avait envie de me rencontrer. J'oubliais de dire qu'il parlait un français exceptionnel. Comme il n'y avait rien à boire dans mon bureau, ni d'ailleurs au département d'histoire qui ne débitait qu'un infâme café, nous allâmes au bar d'un hôtel de la ville, et décidâmes de lutter contre les frimas à coups de Martini-gin. Orest connaissait bien la France, ses historiens, ses archives et sa Bibliothèque nationale et le village de Panat où il avait, je l'ai dit, restauré trois maisons plus superposées que jointives avec l'aide des derniers artisans. Ses deux enfants avaient appris le français avec l'aide des jeunes bergers du Causse voisin — l'accent, les bergers et les moutons ont disparu ; les enfants ont grandi, le Causse est vide. Cette visite inattendue fut la première d'une solide amitié qui bien sûr englobait les dames et se réchauffe une ou deux fois par an, ici ou là.

Pour nous guérir de l'hiver du New Jersey, nous répondîmes à l'invitation de deux jeunes amis qui enseignaient le français... à Porto Rico. Nous gagnâmes au moins quarante degrés centigrades, resserrâmes une amitié dans un cadre urbain (San Juan) très espagnol et une campagne tropicale pas trop dégradée. Deux événements fort imprévus marquèrent cependant ce séjour. Conduit par un riche Porto-Ricain (probable agent de CIA), je parus à la télévision du lieu, répondant en anglais à une interview (en espagnol) soigneusement préparée : des sujets généraux sur la France, l'histoire, l'université. Deux jours plus tard, parut (et s'incrusta) une sorte de vice-consul ou de sous-attaché culturel, qui désirait savoir ce que j'étais venu faire à Porto-Rico, moi, tout récemment encore enseignant à Nanterre. Tourisme et amitié, dis-je, sans en démordre, d'autant que c'était la vérité. Un peu plus tard, je reçus à Princeton une lettre du consulat français de New York qui se posait aussi des questions et déclarait que j'aurais dû faire connaître ma présence... Nous allions partir, et je répondis, de Paris, à ce personnage, la même chose qu'à l'homme de San Juan de Porto Rico. Les choses en restèrent là. Le ministère essaya néanmoins de me dissuader de répondre à l'invitation de la République malgache quelques années plus tard. Je ne tins aucun compte de ces sottises.

Il me reste à rendre compte de deux cérémonies de clôture. Le séminaire terminé, il était d'usage, à Princeton, d'offrir aux séminaristes une sorte de « pot » final. Il eut lieu dans notre appartement, fort vaste. Odette avait préparé des sortes de petits sandwiches et spécialement des quiches que les Américains adorent généralement. Je sortis trois ou quatre bouteilles de bourbon. Nous étions une dizaine ; tout se passa dans la joie, et tout disparut. À la nuit tombée, presque tous mes ex-séminaristes parlaient plus ou moins français ; je ne l'avais pas prévu et j'aurais dû m'en douter.

Une cérémonie d'un autre style provoqua une demi-surprise du même ordre. La coutume voulait que les professeurs invités et pleinement associés terminent leur séjour par une sorte d'exposé final, si possible brillant, devant le corps professoral presque au complet, plus quelques invités. À la fin de l'exposé, il était aussi d'usage que le public pose des questions, parfois malicieuses, auxquelles le comparant devait répondre. Tout

212

s'était passé en anglais, mais je sollicitai la permission de répondre (plus spontanément) en français et Bob Darnton traduirait immédiatement. Dès ma première réplique, des voix amicales s'élevèrent, assurant qu'on me comprenait parfaitement (à l'étranger, j'emploie toujours un français lent et bien articulé). La surprise ne fut que partielle. En fait, on m'avait aimablement poussé à parler la langue de Princeton, un bon anglais à peine américanisé.

Je suis retourné deux fois à Princeton, en coup de vent. J'ai revu à Paris les uns et les autres. Même sans ces prolongements, j'aurais toujours tenu ce séjour de cinq mois auprès de gens d'une qualité jamais médiocre et souvent exceptionnelle pour l'une des phases essentielles de ma vie d'historien, et d'homme tout court. Ce fut à la fois une coupure, un élargissement — qui devrait s'imposer à tout historien sérieux —, et le plus souvent un enrichissement. Ce fut enfin mon premier très grand voyage. D'autres suivirent, d'un autre style, qui m'ouvrirent d'autres horizons.

CHAPITRE XXII

Japon

Vers 1960, je vis apparaître à mon séminaire des Hautes Études un Japonais fluet et souriant (mais au-delà du rituel sourire japonais), à l'œil particulièrement brillant et au français proche de la perfection. C'était Ninomiya. Il fréquenta aussi Labrousse et surtout Meuvret, et il me dit s'intéresser particulièrement à la France rurale du XVIIe siècle (en réalité, à beaucoup plus). Deux ou trois ans plus tard, surgit un autre Japonais, mais de l'espèce grande, large, puissante. Il fréquenta les mêmes séminaires et choisit d'étudier particulièrement (sur archives : c'était un véritable historien) les paysans normands. Son français était également de haute qualité, mais dans le registre grave et sonore. Il s'appelait Chizuka. Meuvret ayant déjà pris la mesure du premier, je m'enquis de la culture du second, et donc de ses lectures. Après ma troisième ou quatrième question, il sortit de sa poche la liste de ses lectures : rien ne manquait, même pas tel petit article. Ces deux garçons, apparemment si différents, mais de fort grande qualité, avaient été les élèves de l'éminent professeur Takahashi qui détenait la chaire d'histoire économique dans la plus cotée des universités de Tokyo ; Takahashi que Labrousse m'avait présenté avec ses titres à la sortie d'un de ses séminaires : je l'avais pris pour un étudiant « avancé » ! J'appris aussi, mais bien plus tard, tant était grande leur discrétion, que le gouvernement japonais, pourtant peu intéressé par ce que nous appelons sciences humaines, accordait chaque année deux bourses à d'excellents étudiants désireux d'accomplir un stage fructueux en Occident (dénomination japonaise englobant aussi les États-Unis) : Belgique pour les médiévistes, donc à Louvain chez Génicot, Hautes Études pour les modernistes. Mes deux séminaristes avaient chacun accédé à la première place dans un concours annuel pour l'obtention de ces bourses : mille ou deux mille candidats s'y présentaient. D'où la qualité.

Chizuka travaillant souvent à Rouen, je le revis moins fréquemment que Ninomiya qui paraissait avoir adopté la France des historiens comme une manière de seconde patrie. Sa finesse et sa souple maîtrise le faisait adopter un peu partout. Il tint souvent ses assises au Balzar où officiaient Meuvret et quelques disciples après le séminaire. On le vit à la maison (il n'avait que le square du Collège de France à traverser) chez Meuvret, ailleurs : il était (il est toujours) un délicat gourmet que les liquides français réjouissaient plus que la bière japonaise (pourtant excellente) ou le petit bol de saké tiède. Il devint vite un connaisseur en bien des matières et conclut une sorte de pacte polono-nippon avec Topolski, solide garçon venu un peu plus tard (et futur académicien que je retrouvai... à Turin vingt ans après), séminariste lui aussi, forcément marxiste et néanmoins fort compétent. Célibataires tous les deux, ils travaillaient parallèlement, tout en s'offrant de bonnes sorties de célibataires. Ils firent notamment sensation au congrès d'histoire économique d'Aix en 1962 lorsque Michel Vovelle nous ravitaillait en liquides et en astuces.

Je ne sais comment Ninomiya manœuvra pour rester en France cinq ans au lieu de deux. Avant d'être contraint de repartir, il nous présenta Motoko, qu'il venait d'épouser à Paris afin d'éviter peut-être le lent, épuisant et coûteux cérémonial des hymens nippons. Ils revinrent régulièrement. Vers 1972, ils réussirent à obtenir une année sabbatique (tous les deux sont professeurs d'université) qui les enchanta et enchanta leurs nombreux amis. Leur jeune garçon, Tokusuké, cinq ans, s'initia au français dans une école maternelle du XVIIe arrondissement : il apprit immédiatement deux mots fondamentaux, l'un de cinq lettres, l'autre de trois. Tokusuké, un homme maintenant, devient historien... du Japon.

Vint le moment, longuement médité et à peine préparé par de courtes allusions, où Ninomiya nous annonça, radieux, que nous étions invités au Japon pour un cycle de conférences en octobre-novembre 1975, avec l'appui des services culturels de notre Quai d'Orsay et de ce qui y correspond au Japon. Condition *sine qua non* : envoyer à l'avance le texte de mes quatre ou cinq conférences (tâche nouvelle pour moi) afin qu'une traduction japonaise (par Ninomiya) puisse être distribuée. Je m'y attelai, en plein été méditerranéen. Après un bien long voyage, Air-France nous ayant gratifiés de sa grève rituelle au départ, une escale tardive à Moscou (où nous allâmes vers le bar, qui fermait, canalisés par une double haie de soldats bien armés) et la contemplation des Japonais immédiatement endormis dès que l'avion volait (c'était paraît-il, le retour de voyages de noces bien organisés), enfin de brèves tracasseries douanières au vu de nos visas (le douanier parlait un anglais zézayant), nos deux amis nous attendaient, non découragés par cinq ou six heures de retard... Ils nous installèrent à notre gîte, l'Institut français, près d'une rivière boueuse qui avait donné son nom à notre station de métro (Ochanomizu, l'eau pour le thé !) et d'une gerbe de lignes de chemins de fer où les trains paraissaient se pousser l'un l'autre tant ils étaient nombreux. Reposés, douchés remontés par la rituelle bouteille de Noilly déposée à notre usage, on nous conduisit à un restaurant de qualité certaine, mais où Odette était la seule femme présente (une Occidentale, il est vrai). Cuisine légère et raffinée, comme on n'en trouvait alors à Paris que dans deux maisons qu'on nous avait fait connaître ; ambiance chaleureuse, puis repos difficile avec un décalage horaire vers l'est que j'ai toujours mal supporté. Premiers contacts aussi avec Tokyo la nuit : aperçu et évité, le quartier « chaud » de Ginza ; long parcours en taxi, qui nous permit d'observer, ébahis, que les voies importantes, violemment éclairées et souvent interdites à la circulation étaient livrées à des travaux considérables (voirie, électricité, sous-sol) qui disparaîtraient au lever du soleil, rendant libre une circulation raisonnable (le Japonais se déplace surtout en train et métro du moins en 1975).

Autre usage dépaysant, parmi tant d'autres : tous les grands magasins sont ouverts le dimanche (mais ferment alternativement un jour par semaine) ; on pouvait voir alors s'y diriger des familles entières : l'aïeul, tout petit, devant ; le père, un peu plus grand ; puis le fils aîné, presque un géant ; derrière, les femmes, ces servantes, souvent encore en costume traditionnel, coloré et splendide... Toute une histoire de l'alimentation, expliquait Ninomiya, qui nous initia aussi à l'usage, très aisé, du métro (inscriptions en anglais et en japonais). Ce métro, d'ailleurs, nous rappela l'avion : à peine assis, le Japonais moyen ou bien mangeait un peu de riz et d'algues contenus dans une petite boîte, ou, plus souvent, s'endormait immédiatement, se réveillant toujours (parfois aidé) lorsqu'il arrivait à destination. Nous n'y avons jamais vu un seul « pousseur » : peut-être opèrent-ils à certaines heures de pointe, sur certaines lignes...

N'étant pas là comme touriste ou comme journaliste, je devais attaquer l'essentiel de ma mission. Continuellement guidé par Ninomiya, Motoko, Chizuka, un de leurs amis ou un étudiant francophone (personne ne parle français à Tokyo, et l'anglais y est rare et presque incompréhensible), il convenait d'abord d'aller saluer, en ordre ascendant, les autorités des principales universités. Il fallait se déchausser de temps à autre, apprécier les inclinaisons de torse, tenir un discours respectueux et vague et savourer enfin la tasse de thé vert (pas si mauvais au début) invariablement offerte, dans un décor d'autant plus solennel qu'on s'élevait dans l'échelle des notabilités. De temps à autre, et je m'en déclarais honoré (et surpris) on me montrait ma thèse sur le Beauvaisis, aux marges décorées de japonais, dans telle bibliothèque de département ou d'université.

Le premier exposé eut lieu dans ce qui m'est apparu comme une sévère salle de cours dans une sévère université. Je m'appliquais à prononcer lentement et distinctement mon texte, sans trop en sortir (comme il m'arrive) lorsque j'aperçus, vers la fin, des yeux presque ronds à force d'être ébahis : les tables et les chaises avaient tremblé pendant que je parlais, et je ne m'en étais pas aperçu. L'incident me fut donné comme quotidien.

Le plus remarquable dans ces prestations fut d'observer mon voisin Ninomiya, qui prenait des notes en japonais pendant que je parlais et traduisait immédiatement lorsque j'arrêtais — toutes les dix minutes environ. Les auditeurs semblaient ravis, posaient parfois une ou deux questions ; l'important était que ce que nous appelons cocktail les attendait en fin de discours, ils déployaient alors un art remarquable pour jouer des coudes et absorber la nourriture. Ils furent exceptionnels à Kyoto, où j'étais censé m'adresser à des professeurs d'histoire de ce que nous appelions le « secondaire ». Le buffet était extraordinaire, il y avait de la viande de bœuf grillée qui disparut en quelques minutes. On m'expliqua alors (mais je l'avais remarqué) que les Japonais mangeaient peu de viande parce qu'elle était trop chère, sauf dans les grandes occasions où l'on dégustait des tranches de ce fameux bœuf de Kobé, massé et engraissé à la bière...

218

M'étonnant qu'on élève si peu de bovins dans un pays où l'herbe abonde, notamment sur les pentes des montagnes, on m'objecta la tradition (algues-poissons-riz, celui-ci trop cuit d'ailleurs). Comme je souriais, Ninomiya m'avoua enfin — fallait-il vraiment le croire ? — que les animaux ne pouvaient paître dans les montagnes, celles-ci étant le domaine des dieux. Que dire ?

Entre les conférences prenaient place des visites de musées, de jardins impériaux, de villas impériales (à Kyoto, il avait fallu demander l'autorisation un an à l'avance), qui révèlent un art raffiné et symbolique que je n'ai pas pu et que je ne puis analyser. À Nara, très ancienne capitale, sorte de ville sacrée, les daims paissent et errent librement, passent noblement devant des automobiles silencieuses. À Tokyo même, nous fûmes initiés au théâtre *nô* et au *kabuko* que Motoko nous expliqua en détail avant et pendant les représentations (par écrit). C'était presque hallucinant. Depuis, ces types de spectacles ont atteint, sans doute affadis, les snobs d'Europe et d'Amérique. À la sortie, on pensait à nous restaurer. Ainsi, Ninomiya nous conduisit déguster les « nouilles sifflantes » (aspirées !) accompagnées de petites choses délicates cuisinées dans une vaste marmite d'une minuscule auberge par une petite vieille toute ridée. Ou bien nous allions goûter les *sushi* qu'un garçon quelque peu clown fabriquait avec deux baguettes : de mystérieuses bouchées tournées avec une habileté de prestidigitateur. D'autres fois, comme à Nara, Chizuka découvrit une sorte de buffet de la gare tenu par un Coréen (probable réfugié chinois) qui nous prodigua, sur des tables tournantes, divers échantillons de la vieille cuisine chinoise — tout à fait remarquable.

La cuisine, a dit quelqu'un, exprime l'âme d'un peuple ; l'âme, c'est beaucoup dire. Mais tout de même, les divers goûters qu'on s'arrangea pour nous faire offrir dans plusieurs temples, minuscules ou colossaux, portaient, visiblement et parfois explicitement, une signification complexe dont le caractère religieux devait aller de pair avec une incontestable originalité, légère et curieusement parfumée.

La multiplicité des temples et des lieux de culte, souvent d'une beauté étrange, posait évidemment l'obscur problème de la religion des Japonais. Là-dessus, la plus grande réserve s'imposait visiblement : bouddhisme ou shintoïsme, nous expliqua quelque guide astucieux, étaient également et sagement cultivés : l'un présidait à la naissance, l'autre à la mort : ainsi contractait-on une sorte de double assurance religieuse... Interprétation peut-être fantaisiste réservée aux Occidentaux trop curieux...

La dernière session ou presque, eut lieu en plein Sud, dans l'île de Kyushu, à Fukoaka. Après une heure d'avion durant laquelle tous les Japonais dormirent, nous fûmes accueillis par une délégation de l'université, conduite par le meilleur ami de Ninomiya, Morimoto. Le petit groupe parlait le wallon, pour être composé essentiellement de médiévistes qui avaient fait leurs classes à Louvain auprès de mon excellent et redoutable ami Léopold Génicot. Ils furent bien surpris d'être immédiatement identifiés comme wallons, et moi de trouver tant de médiévistes, dont une charmante jeune femme, Mlle Kichi, qui n'avait pas le droit de se marier si elle voulait faire une carrière universitaire : il semble qu'elle était une forte spécialiste du haut Moyen Âge allemand, et aussi de la musique ancienne.

Le soleil, les bambous, les palmiers et la joie régnaient à Fukoaka où un nombre impressionnant d'étudiants parlaient le français et l'allemand (et l'anglais, comme tous les universitaires). Après la conférence (texte bien distribué, vigoureux applaudissements), il y eut une sorte de vin d'honneur doublé par une invitation (à la japonaise, assis sur tatami, rude épreuve) de la part des étudiants qui ne cessaient de poser des questions et de faire alterner bière, saké et peut-être whisky. Après un dîner typiquement japonais, Odette seule femme présente à part les deux soubrettes au regard coquin qui servaient ces messieurs, nous allâmes dormir à la japonaise sur tatamis et sous couettes, ayant évité le rituel bain collectif...

Vint la journée de la campagne voisine. Par de belles routes bordées de bambous et d'arbres à kakis, nous arrivâmes dans un village étonnamment propre, mais dont les maisons, souvent restaurées, conservaient l'ancien style de l'île. Des enfants qui sortaient de l'école, sac au dos, nous dévisagèrent curieusement, et étouffèrent des rires polis derrière leurs mains : ils n'avaient sans doute jamais vu des « yeux ronds » (nom courant des Blancs). Un couple de fermiers nous attendait pour nous montrer leur exploitation, très soignée, mais où j'ai surtout remarqué des bovins d'origine nettement normande, que nous dûmes photographier. Le fermier et sa femme nous présentèrent leurs enfants et nous firent goûter les produits de leur exploitation. Lesquels ? Vingt ans après, j'ai oublié. J'ai surtout retenu l'épisode des vaches d'allure française, qui me rappela ce gros fermier des environs de Toronto venu en Charolais acheter un jeune taureau et deux génisses qui lui permettaient de fabriquer des fromages qu'il faisait vieillir comme du bon vin.

Le plus passionnant était à venir : un modeste monastère, un temple assez ancien et surtout des archives bien classées, naturellement du XVII\ :superscript{e} siècle : on me les avait réservées. Traduit, leur texte me rappela tout à fait une partie de ce qui subsistait de la France de la même époque : des contrats de foi et hommage, des baux à cens, des procès, des arpentages et des amorces de cadastre, plus des contrats et des conflits à propos d'une redevance qui ressemblait beaucoup à la dîme. À Tokyo, l'historien démographe Hayami m'avait montré des sortes de dénombrements très précis établis assez régulièrement durant plus d'un siècle... Je me souvins en un éclair que Marc Bloch avait autrefois esquissé un parallèle entre la féodalité français et la japonaise. En somme, à part l'écriture, je n'étais pas tellement dépaysé.

Cette équipe méridionale préludait à la fin du séjour. Un certain nombre de dîners jalonnèrent cette prise progressive de congé.

Mon collègue des Hautes Études Rygaloff, qui parlait aussi bien le russe que le chinois (il avait été l'interprète de Chou en-Lai), mais pas le japonais, se trouvait alors attaché culturel à Tokyo. Il profita de notre passage pour inviter une quinzaine de personnes chez lui, pour un dîner à la française. Le problème fut de découvrir sa maison. On sait qu'à Tokyo les rues n'ont pas de nom ni les maisons de numéro : le poste de police du quartier renseigne, ou un chauffeur de taxi. Après un peu de bus et de métro, les Ninomiya se croyaient sûrs de trouver la maison... près d'une certaine pharmacie. Las ! le quartier avait été bouleversé par une opération immobilière ; il fallut faire du porte à porte. La même mésaventure arrivant à d'autres invités, nous passâmes à table fort tard, d'autant que les cuisinières philippines, rodées aux retards, ne prétendaient mettre la cuisine en train que lorsque tous les convives étaient là ! Ce fut tout de même une très bonne soirée.

Une autre fois, l'illustre maître Takahaschi nous invita, avec sa jeune femme (honneur insigne) à déjeuner dans le club assez fermé de l'université privée où il complétait sa retraite d'universitaire public. On nous présenta deux menus, soigneusement traduits en anglais et en français. Je lui dis mon embarras pour choisir... Aussi eûmes-nous droit aux deux menus, au milieu d'une conversation assez solennelle. La même aventure m'était arrivée en Afrique, mais la cuisine japonaise brille heureusement par sa légèreté. Je ne revis plus ce maître visiblement vénéré.

Les deux derniers dîners eurent pour cadre les domiciles respectifs de mes deux anciens étudiants (devenus entre-temps professeurs d'université).

Ninomiya habitait un quartier assez moderne, dans un appartement aux dimensions fort réduites : deux pièces, une cuisine minuscule, un nombre impressionnant de livres, la plupart pendus au plafond dans des caissons à claire-voie. Ce fut un dîner entièrement français, gâté pourtant par l'imminence de la séparation. Mais ils revinrent à Paris.

Chez Chizuka, qui avait invité deux collègues, nous avons eu l'impression de découvrir quelque peu l'ancien Japon. Il habitait une maison traditionnelle, avec son toit aux tuiles peintes (je crois) et aux angles recourbés ; on y trouvait le petit jardin, les belles roches harmonieuses, les fleurs, le petit bassin avec un jet d'eau. Accotée à la grande, une petite maison de style voisin, pour les parents du maître de maison. La salle où l'on nous fit entrer, grande et belle, comportait une table disposée dans un creux du sol, mais on nous épargna la position assise en tailleur sur des tatamis. L'épouse de Chizuka avait revêtu le kimono familial de cérémonie où étaient peints ou brodés un grand oiseau et des fleurs. Elle s'inclina, joua du piano, fort bien, et nous servit, sans prendre part au dîner ; en bonne épouse japonaise, elle se nourrissait à la cuisine. Une sonnette retentit ; je crus que c'était le téléphone ; en réalité, les parents de Chizuka appelaient leur belle-fille. Je m'étonnais discrètement, et l'un des invités m'expliqua que c'était Ninomiya qui était hors des normes. Mi-japonais mi-français (je crois) le dîner s'acheva (j'en suis sûr) par... des chansons. L'un des invités, Narussé, était doué d'une voix splendide ; après quelques romances, il nous chanta le *Temps des cerises* en entier... et aussi la *Marseillaise*.

La pratique de l'histoire dans le style des premières *Annales* m'avait valu ces auditeurs, devenus de fidèles amis — Chizuka dînait à la maison en septembre 1995 —, et la connaissance par l'intérieur, la seule valable, quand on peut, d'un pays vraiment étranger, assez difficile à comprendre, mais dont j'ai pu saisir au moins quelques aspects.

CHAPITRE XXIII

Côte-d'Ivoire

Je fus invité, en 1971 puis en 1972, à assurer à l'université d'Abidjan un enseignement d'histoire moderne (XVIe-XVIIIe siècles) au niveau de la licence.

Comme d'autres, cette ancienne colonie devenue juridiquement indépendante (bien qu'encore liée à l'ex-métropole par des réseaux d'influence et d'argent) avait conservé et probablement fortifié le système d'enseignement créé par les Français ; un certain nombre y enseignaient toujours, peu à peu relayés par des Ivoiriens assez souvent formés en France. Le niveau des écoles, cours complémentaires et établissements secondaires que j'ai visités m'a paru tout à fait honorable, d'autant que les 56 ethnies ivoiriennes ne pouvaient guère communiquer entre elles (quand elles le désiraient) qu'en français. Les mouvements français de 1968 laissaient encore quelques échos — assez prudents — en milieu universitaire, surtout à la faculté des lettres ; une police particulièrement rude avait opéré une remise en ordre musclée les années précédentes, ce qui expliquait, à l'exception de quelques têtes chaudes, une atmosphère généralement amicale, sans être toujours chaleureuse.

Le département d'histoire, bien fourni, comptait naturellement plusieurs africanistes, et surtout Claude-Hélène Perrot, qui passa plus tard à la Sorbonne et, sauf erreur, un Père Blanc ; complétaient la distribution deux médiévistes, une Noire, une Blanche, et deux contemporanéistes, un Blanc (auvergnat et très sympathique) et un Noir qui se trouvait alors être le seul agrégé d'histoire ivoirine. Ce Wondji, homme jeune, d'une intelligence pénétrante et d'une égale disponibilité, jouissait de la confiance et de l'estime de tous ; après avoir un peu frondé le régime du « Vieux » (Houphouët), il se vit confier par la suite des postes à sa mesure, à Washington (attaché culturel ?) et désormais à l'UNESCO. Cette équipe à la fois diverse et chaleureuse manquait évidemment d'un moderniste. D'où ma venue, qui me fit passer en quelques heures d'un rude hiver parisien à la lourde canicule du voisinage de l'Équateur. En six semaines, à raison d'au moins douze heures par semaine, j'étais invité à traiter de l'évolution économique et sociale (j'ajoutai le secteur politique, indispensable) de l'Europe occidentale (Empire compris) de 1600 à 1800, dates larges : ce qui me poussait à pénétrer quelque peu dans la Révolution, où l'on m'attendait peut-être ; bien inutilement, la prudence étant de rigueur.

À l'écart de la ville, déjà énorme, mais non gigantesque, les bâtiments universitaires, entourés d'arbres géants descendaient en escalier parmi les buissons de fleurs jusqu'aux deux salles où j'opérais alternativement, dans des courants d'air soigneusement entretenus, qui ne suffisaient certes pas à abaisser beaucoup la température ni à diminuer l'humidité, toujours voisine de 100 %. À cette époque, Blancs et Noirs se montraient farouchement hostiles à toute climatisation, que nous retrouvions avec plaisir dans l'énorme et très moderne hôtel Ivoire où on nous avait logés (établissement avec piscine, où l'on cuisait !). Mais des séjours en brousse nous offrirent une obligatoire adaptation.

J'eus donc devant moi une vingtaine de jeunes gens, dont trois ou quatre filles, de taille, de couleur... et d'intelligence variées. Je m'aperçus assez vite que la taille augmentait et que la couleur s'éclaircissait en allant du sud au nord, de la forêt à la savane. À première vue, il ne me paraissait pas facile de leur faire saisir la nature de l'Ancien Régime français, de l'Empire, de la monarchie anglaise ou de la République hollandaise ; et moins encore les grandes lignes de l'évolution des prix, des revenus, de la production et leur possible retentissement social selon le système Labrousse, simplifié et humanisé. Quelques conversations amorcées, après une période d'hésitation (fierté ? timidité ?), me montrèrent que mes soucis étaient en partie vains. Ce que confirmèrent les copies de l'examen terminal : deux ou trois excellents textes, autant d'assez consternants et une large majorité de compositions honnêtes qui n'eussent pas déshonoré telle prestation parisienne dans une année moyenne.

Ce qui me ravit, ce fut l'accueil reçu lors de deux ou trois conférences qu'on me demanda de donner dans une vaste salle, de théâtre sans doute. La première traitait de la nature de la royauté (vivace dans maintes ethnies), une autre des mentalités, des traditions et de la littérature populaire, puis de diverses religions, croyances et ce que je n'osais appeler sorcellerie. De tels sujets — on m'avait d'ailleurs prévenu — touchaient profondément leurs convictions, leurs traditions et leurs curiosités. Aux entretiens qui suivirent, je commençai à comprendre les Ivoiriens, au moins certains des peuples qui coexistaient — difficilement parfois — dans ce pays découpé par la colonisation et maintenu tel quel par l'indépendance.

Tout de même, grâce à des collègues, noirs comme blancs, ce fut dans leurs foyers et leurs villages que je les compris un peu mieux. Ainsi, ils m'ont apporté largement autant que ce que je leur avais donné.

Premier contact direct : le chauffeur de la voiture (japonaise) qu'on nous avait assignée : j'avais d'abord protesté, puis compris vite qu'il nous était impossible, à nous pauvres Parisiens blanchâtres, de marcher plus de cent mètres sans fondre ou défaillir. Ce chauffeur, venu de l'Ouest, était un Guéré, petit, foncé, fort poli, fort disponible (il me tutoya tout de suite : je compris vite que le « vous » de politesse n'existait pas là-bas). Il me conduisait à l'université, fort éloignée de l'hôtel, avec une parfaite exactitude. Il promenait aussi Odette, ou nous deux, dans la ville, aux alentours, guide attentif qui nous accompagnait dans les marchés indigènes, achetant pour nous, après longues discussions, de préférence à des « frères » (du même peuple Guéré), en s'arrangeant avec le policier-frère, s'il s'en trouvait un, pour surveiller la Toyota, en particulier dans les stationnements interdits. Il alla même nous choisir les fruits (dont les délicieuses et minuscules bananes Konakry) que nous désirions rapporter à nos enfants et petits-enfants. Maurice ne disait rien de sa famille ni de son village, d'où il était parti très jeune. La discrétion caractérisait souvent les Ivoiriens.

Certes, les collègues nous accueillaient souvent pour le dîner, à la nuit tombée (à six heures, douze heures après l'aube) : après les rituels whisky-coca, nous avions droit à une solide choucroute, ou à une potée auvergnate importée en franchise par cargo ; ou bien on nous choisissait des restaurants, un russe, apparemment authentique... avec trois types de vodka ; cet autre, en plein air, où l'on expédiait les mérous tout juste vidés et encore remuants, dans une énorme bassine d'huile bouillante ; ce dernier, sous les cocotiers. Un autre, près de la mer, avec les Wondji, qui distribuait par larges platées des montagnes de grosses crevettes et de langoustes du jour accompagnées des assiettes de frites qu'adorait Françoise Wondji, ancienne étudiante à Strasbourg (où elle eut assez froid !). Claude Perrot nous faisait aussi connaître de curieux et délicats restaurants populaires, tout près de chez un très vieil *hadj* avec qui elle parlait longuement.

La véritable découverte des Ivoiriens avait tout de même pour cadre les villages. Claude ou les jeunes Pellegrin nous introduisaient. Tout un rite : présentations presque solennelles, conversation sous l'« arbre à palabres » ; festins apparemment improvisés après discours et échange de cadeaux (whisky de préférence, probablement d'origine ghanéenne), auxquels ne participaient que les hommes (mais tout de même les deux femmes blanches), mets évidemment curieux, dont des poulets étiques, qu'il fallait bien goûter, avec le secours d'un beaujolais bien tiède ; tout autour de la longue table, le regard attentif des femmes et des enfants qui attendaient le moment de se disputer les restes. Tam-tam, tambours et instruments divers se mettaient alors en place, et soutenaient de rythmes lancinants, variables, souvent complexes, les premiers chants et les premières danses qui allaient animer la fête villageoise. Les gourdes de vin (ou d'alcool) de palme commençaient à circuler ; les rythmes s'accéléraient, les chants montaient, les danses s'accéléraient aussi ; Claude-Hélène prenait alors congé au nom de tous ; il m'a paru comprendre que la fête du village se terminait parfois en orgies et en rixes.

L'une de nos journées les plus extraordinaires se passa sous la conduite de Wondji qui voulait, disait-il, nous présenter un ami et un parent. Par une route embaumée par les caféiers en fleur, nous visitâmes d'abord, conduits en voiture tous-terrains par le planteur, une très vaste plantation d'ananas conçue pour une production permanente. Vint l'heure du déjeuner. On nous présenta d'abord un repas à l'africaine, fort soigné ; puis, craignant sans doute notre déception, un second repas, bien français celui-là, avec saucisson, steak-frites et camembert. Le planteur, un robuste Noir, avait suivi les cours d'une école d'agriculture tropicale et tenta de nous faire partager sa science. Puis nous roulâmes vers l'est. Un adjudant de gendarmerie, cousin probable de Wondji, avait mis son grand uniforme et mobilisé chauffeur et voiture pour nous montrer l'étendue de sa circonscription. Au retour, somptueux dîner, mi-africain mi-français, que les femmes, les enfants, une nombreuse famille couvaient des yeux en attendant les restes, qui ne manquèrent pas.

Plus riche et émouvante fut notre visite à peu près officielle chez les Agnis, vieux et riche royaume qui avait quasiment adopté notre amie Claude, laquelle leur consacra une thèse qui ne contribua pas peu à lui ouvrir la Sorbonne. Un grand moment se place au premier jour de notre randonnée : notre visite au roi des Agnis, Nana Bonzo (*nana* signifie roi). Il nous reçut dans une sorte de salon d'honneur — meubles nettement français, décoration africaine — avec un mélange d'affabilité, de retenue et de dignité. Cet homme d'une quarantaine d'années qui avait fait de bonnes études et obtenu le vieux et solide brevet élémentaire (bien supérieur à la caricature qui lui a succédé) sut questionner et aussi répondre. Nous parlâmes surtout des caractéristiques de la royauté — et notamment de son caractère sacré — qui ne me parut pas tellement différente de la nôtre. Il entrouvrit une porte pour nous montrer les sièges sacrés de ses prédécesseurs, passa plus vite sur le trésor (l'or fut et demeure commun chez les Agnis). Il nous expliqua aussi comment il avait voulu — et apparemment réussi — que son peuple, tout en conservant sa culture traditionnelle, soit instruit, acquière des connaissances agricoles et mette convenablement en valeur une terre fort riche, avec l'aide de serviteurs de condition modeste, surtout des Voltaïques (aujourd'hui Burkinabés). Nous sommes restés une bonne heure avec cet homme sage et doucement rayonnant, qui vient de mourir, m'apprend Claude-Hélène, après avoir quelquefois évoqué cet entretien, dont le souvenir m'est demeuré très net, alors que tant d'autres se sont enfuis.

La suite mériterait un assez long récit, y compris la guérison (avec de l'aspirine et bien des précautions orales) de la femme d'un chef qui avait un fort mal de tête. Pour nous remercier, on me fit cadeau d'un poulet vivant que Claude Perrot installa dans sa cour.

Nous étions venus d'Abidjan assez nombreux ; une réception officielle s'imposait sur la place centrale, avec discours des chefs (doyen d'âge, je fus promu « grand chef blanc »), envoi de lettres, de cadeaux, de compliments par messagers, puis repas solennel suivi des danses rituelles, plus lentes qu'ailleurs, dans les costumes de fête.

La nuit précédente, nous avions participé à un rite où les étrangers ne sont habituellement pas admis. Un homme était mort, d'une piqûre de serpent. On l'avait vite enterré, ce qu'exigeait le climat. Bien qu'il s'agisse d'un serviteur voltaïque, on le considérait comme lié à la famille qui l'employait. Des « funérailles » s'imposaient donc. Il s'agissait d'une nuit de veille durant laquelle les assistants, tour à tour, vantaient les mérites du défunt et de sa famille et le chargeaient de messages pour ceux qui l'avaient précédé dans l'autre monde, celui des ancêtres. Entre les discours, montaient des sortes de plaintes psalmodiées, puis s'organisaient des danses funèbres très lentes durant lesquelles les femmes semblaient balayer la cour, comme pour frayer un chemin. De temps à autre, cadeaux à la famille, cadeaux aux assistants, nous Français compris : du whisky bien chaud qu'il fallait au moins faire semblant de boire, et boire vraiment pour les hommes. Plaintes, discours, psaumes, danses et boissons continuèrent jusqu'à l'aube. On nous avait autorisés à partir, pour tâcher de dormir après une douche sommaire, venue d'un grand seau d'eau renversé.

Je ne sais si j'ai vraiment appris quelque chose aux Ivoiriens, Agnis ou autres. Mais ils m'ont sûrement appris beaucoup.

CHAPITRE XXIV

Madagascar

Comme naguère en Côte-d'Ivoire, on me demanda en 1979 de venir à l'université malgache d'Antananarivo (couramment appelée Tana, même sur les bornes kilométriques) pour assurer un cours complet d'histoire moderne, en six semaines, au niveau de la licence.

Il se trouvait en effet que Tana comptait, sans que je m'en doute, quelques jeunes historiens qui avaient naguère suivi mon enseignement soit à Nanterre, soit à la Sorbonne et qui n'ignoraient pas mon manuel sur l'Ancien Régime. Parmi eux, le responsable du département d'histoire, un prince (mais oui) du pays Mahafaly, dans le Sud, pourvu d'un nom interminable habituellement remplacé par son prénom, curieusement biblique (apport des missionnaires protestants ?), Manassé. Nous avons d'ailleurs visité son royaume (et sa famille) parmi les quartz roses, les mines de pierres précieuses abandonnées, la steppe à redoutables euphorbes, sacrés ou non, (et plus encore piquants), les énormes baobabs et les tombeaux monumentaux hérissés de cornes de zébus et parfois d'une bicyclette, d'une automobile, d'un avion (motifs sculptés !). De temps en temps, des processions apparemment joyeuses pénétraient à l'intérieur, pour « retourner » les morts qu'on y laissait à dessécher dans un climat subdésertique. Tel était le royaume de

232

Manassé, avec des villages non misérables où se promenaient de charmants petits cochons roses et noirs. On me montra tout cela en récompense de mes bons et loyaux services universitaires.

Pour expliquer l'université de Tana, il y avait aussi Denise. Denise avait occupé ses quatre ou cinq années de fontenaysienne à terminer sa licence, puis à enfiler maîtrise, agrégation (à la hussarde, n° 2) et thèse de troisième cycle (sur Bourg-en-Bresse, ville savoisienne au XVIe siècle donc pourvue d'archives bien supérieures aux françaises). Thèse publiée ; peu enthousiaste à l'idée de tomber dans un de ces tristes lycées habituellement réservés aux jeunes, elle cherchait un poste d'assistant ; une déclaration de vacance à Tana, jointe à un voyage semi-touristique en océan Indien, l'amena à poser sa candidature, pour laquelle on (c'est-à-dire Manassé) lui demanda références et lettres d'appui. Elle les obtint ; le poste aussi. Elle semblait heureuse. Denise et Manassé s'unirent pour me prier de venir. Pourquoi pas ? Un tel voyage colorerait une récente et rapide retraite. L'ordre de mission habituel en cette occasion (remboursement du voyage et des frais de séjour) n'arrivant pas, je m'adressai aux services culturels du ministère, bien poliment et par écrit. Pour des raisons qu'il serait sans doute politiquement incorrect d'exposer — ou bien par hasard —, l'administration « refusa la mission », comme on me dit par téléphone avec une impolitesse rare qui ne me trouva pas sans réplique. Naturellement, je passai outre. Alors, bien que pauvre, la République malgache m'offrit le voyage et d'honnêtes émoluments qui me permirent au moins de payer l'hôtel. De toute manière, j'étais résolu à ignorer les petitesses de la France d'alors, à répondre à l'invitation, à découvrir aussi cette grande île dont, enfant, j'avais rêvé.

Après un voyage magnifique (dans un avion bourré, le seul de la flotte malgache) le long du Kilimandjaro et de

233

ses voisins, puis au-dessus du canal de Mozambique, des Comores et des impressionnantes gorges de la Betsiboka, j'arrivai à Tana en plein hiver austral (juin) et à plus de 1 200 mètres d'altitude. Ce n'était pas la canicule, surtout le matin. On m'attendait, on me véhicula, on m'installa (à l'hôtel Colbert, une gageure !) puis on me nourrit, gentiment et remarquablement. En attendant de mieux connaître les collègues, malgaches et français, je m'inquiétai de rencontrer les étudiants, pour qui j'étais venu.

Assez loin de la fière colline que dominait le palais de la reine Ranavalo comme de l'immense et pittoresque place du marché, le Zouma, se trouvait donc l'université, avec sa faculté des lettres et son département d'histoire : assez neufs, convenables mais pas trop modernes, les bâtiments s'étendaient à l'aise entre une sorte de ravin et des collines verdoyantes que dominaient de grands arbres dont beaucoup d'essences m'étaient inconnues.

Présenté par Manassé, puis en quelque sorte « coaché » par Denise qui les connaissait bien, je fus donc mis en présence, dans une salle vaste et claire, d'une quarantaine d'étudiants d'aspect physique fort variable (la grande île avait été peuplée de cinq ou six manières), de couleur assez claire, mais qui ressemblaient beaucoup plus à des Indonésiens qu'à des Africains. Je tâchais de les regarder bien en face pendant qu'ils étudiaient visiblement le nouvel enseignant, dont ils devaient savoir qu'il avait été l'un des professeurs de Denise — avec qui j'avais d'ailleurs partagé l'exposé de la question au programme.

Celle-ci n'était pas simple. Elle devait concerner (je m'en souviens mal) l'Europe aux temps modernes, à tous les points de vue ou presque. De beaux yeux noirs, souvent intelligents, me regardaient parler, mais personne ne prenait de notes. Et puis, soudain, ils se mirent à écrire, avant de s'interrompre quelques minutes plus tard, puis de recommencer. Et ce rythme, pour moi inhabituel, persista. Christiane, qui s'était installée parmi les étudiants, jeta un coup d'œil un peu inquiet sur ce que ces jeunes gens avaient écrit : tout simplement la substance de ce que j'avais dit le quart d'heure précédent. Je compris vite, car la tactique se renouvela, et beaucoup d'étudiants ne répugnaient pas à venir bavarder pendant les pauses, près de la murette qui dominait l'ondoyant paysage de la campagne voisine, avec Tana au fond. Il s'agissait clairement d'une élite, majoritairement hova, peuple dominant sur le plateau central (et au-delà) ; une élite choisie d'une manière assez remarquable, garantie d'ailleurs par la qualité de l'enseignement primaire et secondaire donné par les derniers maîtres français, les disciples qu'ils avaient formés, et d'aussi remarquables missionnaires catholiques et protestants. Les bons élèves pouvaient aller plus loin si les parents pouvaient supporter la charge de leurs études.

Charge d'ailleurs modérée, puisque *tous* mes étudiants étaient boursiers. Boursiers après un concours très sélectif qui éliminait au moins les neuf dixièmes des candidats. Souvent ouverts et sympathiques, ces garçons et ces filles devenaient presque féroces lorsqu'une allusion même légère était faite au régime communiste nord-coréen (exact, on voyait des Coréens partout, trois par trois) que Ratsiraka faisait alors peser sur l'île, qui renâclait dans son petit peuple comme dans certaines provinces et dans le groupe puissant des Hovas (Ratsiraka, un étranger venu du Nord). Vite éludées, ces allusions faisaient place à des témoignages inattendus sur les traditions et les usages de telles régions et de tels villages — le leur habituellement. Des visites sur place : villages d'artisans, villages de riziculteurs ou de jardiniers-arboriculteurs (tous les arbres fruitiers français, sauf le cerisier avaient été adoptés), ou bien encore de bûcherons-scieurs de long ; les uns souriant aux *vasas* (étrangers —

orthographe phonétique), les autres assez visiblement hostiles, les uns avec une église, d'autres avec un temple (ou les deux !) recouvrant d'anciennes croyances où la métempsycose nous semblait avoir place, et surtout le fondamental culte des ancêtres. Visites toujours guidées par des assistants ou chercheurs malgaches (dont au moins un démographe qui me montra ses recherches — surprenantes — et que je revis à Paris) ; car il convenait toujours d'être introduit....comme une jeune collègue nous initia, un soir, au théâtre populaire malgache, en plein air, avec des troupes qui se succèdent et improvisent, au milieu d'une assistance nombreuse, ou recueillie, ou enthousiaste. On nous expliqua aussi le *zouma*, immense marché sous des parasols blancs à plan rectangulaire, où l'on trouvait de tout, dans le bruit, les odeurs... et la crainte des voleurs rôdants. Cette grande île commençait seulement à nous dévoiler ses surprises, et surtout la très grande variété de ses paysages et de ses habitants.

Quant aux étudiants, assidus, sérieux, souvent confiants, leurs prestations confirmèrent mes premières impressions. De retour en France, je reçus un bon paquet de copies de licence qui traitaient un des sujets que j'avais abordé, de biais, durant six semaines de cours à raison d'au moins douze heures chacune.

L'ensemble montrait, par rapport aux travaux moyens des étudiants parisiens, une originalité inattendue : presque aucune faute d'orthographe, un français correct avec de véritables phrases et même de véritables paragraphes. À part trois ou quatre copies faibles et deux excellentes, l'ensemble offrait une bonne tenue moyenne que celles de Paris n'atteignaient plus depuis plusieurs années — sauf de très brillantes exceptions, qui donneraient les agrégés du lendemain et les docteurs ès lettres du surlendemain.

Au-delà des étudiants et de l'université — animée par

236

des collègues français et malgaches de qualité —, ce fut tout de même cet immense pays qui nous a laissé l'impression la plus forte. Un week-end à Nossi-bé, île fleurie et parfumée à l'ylang-ylang (cultivé) et proche des dernières colonies de lémuriens, beaux et espiègles, peut être considéré comme du tourisme, un tourisme qui n'avait pas encore abîmé le site. Le plus beau fut tout de même une longue tournée en Land-Rover, avec quatre jeunes assistants, dont deux malgaches, qui nous amena lentement de Tana à l'extrême Sud, en passant par Antsirabé, sorte de Vichy colonial déchu, puis Fianarantsoa (où loge Papillon, « le meilleur restaurant de l'océan Indien » — de fait, de premier ordre) les solitudes sauvages de l'Isalo, un saut par-dessus le tropique du Capricorne, Tuléar capitale assez frondeuse du Sud, le pays des baobabs et des tombeaux, puis Fort-Dauphin, à la végétation et la faune fort originales. Il faudrait un bon guide touristique — et des routes enfin entretenues ! — pour faire connaître comme elles le méritent les beautés et les surprises de cette inoubliable croisière.

De cette tardive expédition dans un pays aussi prenant, il m'est resté au moins deux fortes impressions.

D'abord, la qualité de l'accueil (malgré quelques fausses notes dues probablement à de sérieux restes de rancœurs envers la puissance ex-coloniale), chez beaucoup de paysans comme dans l'élite hova. Ce fut avec plaisir que nous avons retrouvé à Paris l'une des jeunes femmes aussi distinguées que cultivées qui nous avaient reçus et guidés et avec une sorte de fierté émue que j'assistai à la soutenance de thèse des Hautes Études — devant Biraben, Dupâquier et un troisième — de ce chercheur émérite de démographie malgache qui nous avait montré, chez lui, ses relevés, ses fiches et ses calculs.

Notre plus grande source d'étonnement fut le contraste criant entre la richesse — agricole, forestière, minière, intellectuelle — de cette grande île et l'abandon dans lequel la précipitaient communistes et ratsirakiens qui avaient réussi, en n'entretenant ni les routes, ni le chemin de fer, ni les aéroports — et les écoles, à peine — tout cela transmis en bon état par une colonisation qui n'eut pas que des mauvais (et parfois odieux) côtés, à laisser redouter la pire décadence.

Par bonheur, les Malgaches ont réussi à se débarrasser de leur président et de son déplorable entourage, et semblent se diriger vers un renouveau politique, économique et même touristique qui rend l'espoir à ceux de leurs amis qui n'espéraient plus rien.

CHAPITRE XXV

Commémorations (1)

La commémoration bien préparée est devenue, dans notre pays bien plus qu'ailleurs, un moyen de s'autocélébrer en ramassant dans le passé des traces plus ou moins arrangées de gloire et de grandeur, pour les transporter dans une vie quotidienne qui en manque, qui en a besoin et qui se refait une indicible virginité encensée de toutes les manières.

Que des villes assez récentes se souviennent de leur fondation et des descendants de ceux qui les ont fondées, voilà qui paraît plus normal et en somme plus décent. C'est ainsi que, en Français non inconnu dans le monde des historiens, je fus convié à venir évoquer trois naissances de villes : une allemande, une canadienne, une américaine. Il s'agit de Sarrelouis, de Kingston (Ontario) et de New Orléans, ex Nouvelle-Orléans.

La canadienne se manifesta la première, par le truchement de l'un de ses plus brillants universitaires, James A. Leith, Jim pour les familiers. Ce dernier, original spécialiste des iconographies et des musiques révolutionnaires (et pas seulement en France), dut me connaître à travers son ami Soboul (dont le marxisme-léninisme devait se modérer outre-mer) et sans doute par mes écrits. Il arriva un beau jour de 1966 (sauf erreur) rue Jean-de-Beauvais, où j'habitais alors, et le nom de la rue le fit s'esclaffer,

239

comme bien d'autres. Il cherchait un jeune Français, si possible de qualité, mais pas trop chargé d'honneurs qui consente à venir à Kingston, au bord du lac Ontario, pour un an au moins, enseigner (sans doute ?) l'histoire de France telle qu'on la concevait dans mon secteur. Je lui conseillai l'un de mes jeunes camarades de Saint-Cloud, qui avait succédé à Vovelle dans la lourde fonction de « caïman », agrégé-répétiteur. Intelligent et habile, celui-ci partit pour l'Ontario, s'y plut et revint faire carrière à Bordeaux, où il est toujours (il s'agit de Pierre Guillaume). Jim, qui paraissait chaque printemps dans un espace situé entre la Bibliothèque nationale, le séminaire de Soboul, le domicile Goubert et Saint-Germain des Prés (hôtel Taranne, encore abordable) revint, après quelque dîner dans un de ces restaurants très traditionnels qu'il connaissait fort bien, me demander un nouveau petit Français pour Kingston. Ce fut encore un cloutier, plus jeune, agrégé d'anglais, qui avait été l'un des plus remarquables élèves de l'École primaire supérieure de Pithiviers, où je sévis quelques mois de 1941 avant d'être expédié dans une des villes les plus sinistrées d'Ile-de-France, Beauvais, où je n'imaginais pas rester durant dix-huit années. Ce garçon, Gobin, avait dû être envoyé en « coopération » dans cette province terriblement anglophone. Gobin se plut beaucoup là-bas et s'y maria — il y est toujours.

Puis Jim, lors de son séjour printanier de 1972, me communiqua, le sourire aux lèvres, une invitation émanant à la fois de l'université et de la ville de Kingston : venir participer, en tant que spécialiste du XVIIe siècle, au tricentenaire de la fondation de la ville par le comte de Frontenac. Avant d'être conquise par des colons anglais venus du Sud, la ville s'était appelée Fort-Frontenac pendant presque un siècle. Elle avait appartenu, avec son fort restauré et naturellement rebaptisé (Fort-Henry), à un ensemble de fortins (dont ceux proches du Niagara) censés défendre les terres de la peu dense occupation française contre les actifs colons antipapistes du Sud, épaulés par les indigènes différents des « sauvages » (terme non péjoratif) qui soutenaient plus ou moins les chasseurs et trappeurs du Nord, encouragés par des jésuites qui tantôt brûlaient vifs, tantôt évangélisaient et fondaient des missions (le tout pouvant se succéder). Des missions et des forts survivent, soigneusement restaurés et surtout reconstituées scrupuleusement.

J'ai naturellement accepté cette sorte de mission, dont l'aspect assez officiel me gênait un peu, d'autant qu'on m'avait prié de donner un discours d'ouverture en dressant un tableau du royaume de France (et de ses rares pseudopodes) en 1673, sujet jamais traité, qui me plut. Les collègues anglo-canadiens s'étaient naturellement chargés de reconstituer en détail l'histoire de leur ville et de leur région pendant la période française. On nous avait invités pour un mois.

Donc, un jour bien chaud du début de septembre, nous débarquâmes à Montréal par l'avion d'Air-Canada qui avait survolé la pointe du Groënland, et nous passâmes la douane (alors sévère) avec une inhabituelle facilité. On nous prit en mains et nous conduisit à la station souterraine du Canadian Pacific (le Canadien pacifique en québécois). Nous fûmes secoués pendant plusieurs heures dans des wagons confortables, mais anciens, coupés en leur milieu par un bar fort bien approvisionné où le service anglais succédait au français à la limite des deux provinces ; train tracté par une locomotive de western, puissante, bruyante et fumante, précédée par une sorte de chasse-neige, également chargé d'écarter les animaux égarés sur les rails. Voyage lent, au milieu d'une campagne où alternaient des marais, des restes de l'antique forêt (dévastée par les marchands de papier) et de modestes stations construites en bois. Parut enfin la gare de Kingston, elle aussi en pleine campagne, assez rudimentaire et toute de bois revêtue. Jim était là. Nous fûmes réconfortés, rafraîchis, logés dans l'appartement préparé d'un hôtel meublé, d'où nous vîmes pendant un mois tourner la publicité colorée et lumineuse des poulets frits du Kentucky.

Délicat et chaleureux fut notre premier dîner chez Jim et Carole, en présence (au moins au début) de leur fille Margot, lycéenne, de leur fils Mark et de Max, chien intelligent et fort choyé. Maison typique avec un petit jardin, des fleurs choisies, une machine à déneiger, au moins trois postes de télévision mais, forte originalité, une collection de vins de Bordeaux les plus judicieusement choisis et soignés. On nous annonça triomphalement qu'une précoce gelée avait tué tous les moustiques, espèce proliférant dans les abords marécageux du lac. Nous louâmes la gelée.

Les principales attractions de la ville, en dehors de l'impressionnant fort Henry où logeaient des soldats que nous allions voir, impressionnés, à la parade, et du calme, reposant et immense lac Ontario, d'où sortait, vers l'est, le Saint-Laurent, parmi « mille îles », consistaient en de vieilles maisons de style colonial, joliment entretenues et meublées, et une vénérable locomotive vieille d'au moins un demi-siècle, admirablement astiquée, juchée sur un piédestal et qui se laissait religieusement visiter. Outre la prison (où Jim donnait des cours), on nous montra, dans un site éloigné, un quartier assez sordide où logeaient les immigrés récents... et les Franco-Canadiens, confinés aux tâches subalternes et quelque peu méprisés, ce qui me fit réagir assez vivement.

Il demeure que l'essentiel était l'université, enrobée dans un flot d'arbres magnifiques, constituée de bâtiments épars construits en pierre, reproduction au moins partielle de l'université d'Édimbourg, comme Princeton d'Oxford, mais tout de même dans un autre registre et à un autre niveau. Maîtres et étudiants donnaient une impression de calme, de correction, de léger mépris peut-être, tout en contraste avec ce qu'on pouvait voir en France... et à Montréal. J'ai rencontré un certain nombre de ces étudiants dans les allées ombreuses comme dans les salles de cours où Jim et ses collègues donnaient des leçons toujours claires et logiques, dans un anglais qui me rappelait celui de Princeton ou du New York non populaire. J'ai essayé de leur parler ; aucun, sans doute, ne connaissait le français ; mais ils feignaient, en bons Britanniques, de ne pas comprendre mon anglais, parfaitement saisi plus au sud. Survivait sans doute le cliché du petit Français à béret basque, gauloise au bec, baguette au bras et mangeur de grenouilles (on ne me croyait pas quand je disais n'en avoir mangé qu'une fois). Il faut dire que ces jeunes gens assez guindés ne paraissaient même pas sortir des classes moyennes, mais du « gratin ». En fait, je ne leur ai donné aucune conférence, les contacts furent limités, fugitifs et les impressions conservées ne correspondent peut-être pas à la réalité.

Avec les collègues rencontrés journellement à l'université, notamment au restaurant qui leur était dévolu, mais aussi à des dîners charmants dans de vieilles maisons joliment meublées, les relations furent aisées, sans doute parce que la plupart parlaient ou comprenaient bien le français, mais surtout ne se drapaient pas dans leur supériorité britannique et restaient ouverts à toute idée, même hardie. L'un d'eux, fort brillant, ancien élève de René Rémond, en était venu à lui ressembler. Les conversations ne portaient pas seulement sur l'histoire et les universités, mais aussi sur l'art, le monde politique (la montée du Parti québécois au Québec les inquiétait, mais ils n'imaginaient pas que, dans leur morgue, les Anglo-Canadiens en étaient quelque peu responsables), mais encore sur les relations internationales de l'époque.

Jim et Carole, mais aussi le jeune Gobin et sa famille de musiciennes s'employaient à élargir nos horizons, nous promenant par exemple jusqu'au « mille îles », déversoir complexe et magnifique de l'Ontario dans le Saint-Laurent, nous emmenant dans leur maison de campagne en pleine forêt, au bord d'un lac glaciaire profond et poissonneux, nous mêlant aux réjouissances du Thanksgiving, nous faisant découvrir le lacis de rivières, écluses, canaux et lacs que parcouraient de solides bateaux, souvent américains, avides de grand air et de beauté.

Ainsi fut célébré (j'omets les cérémonies officielles qui ressemblent à toutes les autres ainsi que mon discours (traduit) le tricentenaire de Fort-Frontenac devenu Kingston, ville aussi britannique que possible.

Ce voyage de commémoration comporta un additif en partie imprévu. Lors de séances studieuses à la Bibliothèque nationale, une de mes anciennes et brillantes étudiantes de Nanterre (elle avait manqué l'agrégation d'un demi-point : on lui dit qu'elle était trop jeune et de revenir plus tard...) eut comme voisin un jeune étudiant canadien bilingue. Répété, ce voisinage devint un mariage... et un départ pour le Canada, ce qui fit voyager les parents, cultivés et fort aisés (le père était chevillard aux Halles). Ce Canada était l'Ontario, et l'époux de Martine avait obtenu un poste dans l'université de la ville où vivait sa mère : Waterloo, nom glorieux donné à partir de 1914 à l'ancienne cité dénommée Berlin, parce que de nombreux immigrants allemands s'y étaient installés (plus quelques Amish ou assimilés dans le voisinage). Deux autobus successifs nous amenèrent donc à Waterloo, ville sans charme dominée par l'épouvantable parfum des usines Seagram, qui y fabriquaient alors l'un des plus rudes whiskies (un *rye* à base de seigle) que j'aie jamais goûtés. Nous étions dès lors quatre Français dans le secteur. Bien accueillis, bien pilotés, nous découvrîmes d'anciennes fondations jésuites, le lac Huron et surtout l'indescriptible Niagara dont la splendeur dépasse tout ce qu'on a pu écrire et dont les abords se trouvaient presque vides de touristes (après le Labour Day, premier lundi de septembre, tout le monde travaille aux États-Unis, de l'autre côté du lac). Nous les remerciions régulièrement par un bon dîner à tel restaurant, qui grillait les langoustes devant nous.

Après 1973, nous revînmes deux fois à Kingston, pour le plaisir, et une fois à Waterloo (et Niagara à nouveau), le dernier voyage en 1976. Nous revîmes Jim et Carole presque chaque année, une fois pour un long séjour, non loin d'une famille musicienne de Newfoundlers (Terre-neuviens ?), avec laquelle nous avons échangé quelques lettres. Puis tout cessa. Cela fait deux ans que Jim n'est pas revenu. Sa dernière lettre n'était pas optimiste.

Les autres commémorations ne ressemblèrent en rien à celle-là. Elles seront évoquées à part.

CHAPITRE XXVI

Chez les cousins

Deux anciens étudiants rennais parmi les plus remarquables avaient choisi d'accomplir leur service militaire en coopération à l'université de Montréal, toujours heureuse de recevoir de jeunes enseignants du « vieux » pays. Bon choix : tous deux restèrent là-bas plusieurs années. L'un se maria, puis, après avoir passé à Paris-I une remarquable thèse sur les paysans d'Anjou (Saumurois notamment) sous l'Ancien Régime, acquit la nationalité canadienne et devint professeur à l'université qui l'avait accueilli dans les années soixante. L'autre, esprit original, curieux, d'une intelligence hors du commun, resta quelques années pour explorer en Volkswagen tout ce qui l'intéressait au Canada et aux États-Unis. Lespagnol, fils d'un marin-pêcheur de la Turballe, est aujourd'hui président de l'université Rennes-II, après avoir publié un livre (sa thèse, remaniée) sur les grands négociants de Saint-Malo qui fut le premier port de la France de Louis XIV jusque vers 1725.

Inversement, un ou deux professeurs canadiens venaient faire chaque année un stage en France, avec quelques leçons canadiennes à l'appui. Ils ne mirent pas longtemps à détecter Denis Richet, son talent et sa discrète maîtrise et lui demandèrent de venir enseigner un semestre à l'université de Montréal. Son succès y fut tel qu'on lui proposa un poste fixe à ladite université. Denis s'était fait de solides amitiés à Montréal, découvrait le Québec avec curiosité, mais ne concevait pas qu'on puisse vivre ailleurs qu'à Paris. Comme nous nous trouvions ensemble de l'autre côté de l'océan (en 1969), il vint nous voir à Princeton, dont il apprécia les ombrages, la bibliothèque, Lawrence Stone et Bob Darnton ; ce fut un long et chaleureux week-end. Quelques jours plus tard, je fus invité à Montréal. Dès le vieil aéroport de Dorval, Odette et moi avons découvert le drapeau bleu azur aux trois lys d'or du Québec qui n'est autre que la véritable bannière de l'ancien royaume de France (sans la Navarre, dont le drapeau survit au nord de l'Espagne). Nous entendîmes aussi pour la première fois le savoureux accent québecois, pas facile à saisir dans les premières heures, mais assez aisé pour moi qui croyais entendre le parler des paysans angevins ou poitevins de ma jeunesse (ce qui ne peut surprendre, beaucoup de Québecois provenant d'une grande écharpe Normandie-Saintonge, moins la Bretagne). Pour la première fois aussi, nous avons lu et entendu les vibrantes proclamations du PQ cher à René Lévêque, grande gueule et homme politique convaincu. Et l'on nous parla des « maudits Anglais » qui, de fait, occupaient une sorte d'îlot bien gardé au cœur de la ville, dominaient les finances et le grand commerce, et méprisaient qui ne parlait pas *white*, le français étant *black*. J'eus le plaisir, un peu plus tard, d'assister au triomphe politique du PQ, hurlé par l'auto-radio d'un taxi dont le chauffeur refusa qu'on lui paie la course et proposa de nous offrir à boire. Arrivant dans les parages de l'université, nous trouvâmes étudiants et professeurs célébrant leur victoire la bouteille à la main — sauf quelques-uns, plus rassis, émettant quelques inquiétudes qui se trouvèrent justifiées.

Naturellement, on nous reprocha, presque avec sérieux, de les avoir abandonnés en 1763. Apparemment

247

c'était vrai, et ce rappel soulignait l'une des plus grandes défaites de Louis XV.

La plaisanterie se renouvelant, je finis, après avoir rappelé que j'étais absent en 1763, par soutenir que la diplomatie de Louis XV avait eu largement raison, en son temps, de préférer garder les Antilles alors richissimes plutôt que les « arpents de neige » (qui d'ailleurs désignaient bien plus la Louisiane et les pays de l'Ohio que ce Canada que Voltaire eût sans doute été bien en peine de placer sur une carte). Malgré ces anicroches rituelles et en partie farceuses, l'accueil reçu montra une simple et vraie chaleur ; j'eus naturellement droit au rappel de l'exclamation peut-être spontanée(?) de de Gaulle : « Vive le Québec... libre ! » On nous montra fort bien cette ville passionnante, avec son cimetière à l'anglaise du Mont-Royal dominant la Côte des Neiges (où nous avons logé), le tohu-bohu de la vivante rue Sainte-Catherine, la très vaste ville souterraine où l'on trouvait tout, y compris le moyen de ne pas en sortir pendant l'hiver ; plus imposants encore, « le fleuve », l'imposant Saint-Laurent et, un peu plus loin, les splendeurs rutilantes de l'« été des sauvages » (été indien ailleurs) fin septembre et début octobre. L'on nous montra encore, plus tard, comment on fabrique le sirop d'érable, où l'on pouvait pêcher d'énormes truites et ces orignals abattus dont les bois ornaient, l'hiver venu, les toits des voitures (souvent américaines). On nous conduisit enfin à un Québec gelé, sorte de Saint-Malo couronné d'un affreux et verdâtre édifice hôtelier. Nous y allâmes sagement, plutôt que par l'autoroute, par le vieux « chemin des Français » de la rive gauche, que de Gaulle avait voulu emprunter ; chemin si long et si lent que nous dûmes déjeuner à mi-parcours... dans un restaurant chinois, le seul ouvert. Un beau dimanche, un collègue québecois nous emmena passer la journée chez de solides fermiers dont le domaine, perpendiculaire au fleuve, étroit et très long, résultait d'un

248

encadastrage de la fin du xviɪe siècle. On nous offrit un robuste repas — soupe « aux pois », plats en sauce, gibier — coupé d'un « trou » qui ne pouvait être normand, le calvados étant remplacé par du caribou, puissant alcool qui devait « peser » plus de cinquante degrés. Puis on nous emmena sur une sorte de plateau tracté afin de voir les divers aspects de l'exploitation : gros et petit bétail, jardin surtout, garni de plants de pois (véritable nom de ce que nous appelons improprement haricot sec), puis les emblavures et les pâtures. Nous nous séparâmes joyeusement, échangeâmes les plaisanteries rituelles du cousinage et nous nous donnâmes franchement l'accolade.

Cependant, il convenait d'assumer cours et conférences. Comme je suis allé trois fois au Québec de 1969 à 1976, je ne sais plus très bien auquel de ces séjours se rattachent les impressions qui ont précédé ou qui vont suivre. Je donnai donc des exposés (et proposai même des explications de textes, visiblement inhabituelles) sur les xviɪe et xviɪɪe siècles, les paysans, la démographie, même les rois et peut-être sur les origines de la Révolution française, aussi bien dans trois (ou quatre ?) universités de Montréal que dans d'autres. L'une l'UQAM (Université du Québec — donc d'État — à Montréal) ressentait encore nettement l'écho des rudes soubresauts français de 68 — sur lesquels j'ai toujours refusé de parler, bien que témoin direct, à Nanterre comme à deux pas de la Sorbonne. J'ai donc trouvé une aimable pagaille dans laquelle, cuirassé par mes expériences de l'année précédente, je me débattis comme je pus, réussissant même à donner une conférence d'un style fort détendu avec questions et réponses, qui ne déplut pas et qui fut suivie d'un « pot » assez joyeux.

À l'université MacGill, anglophone comme son nom l'indique, régnait une tout autre atmosphère. Le français n'y était pas proscrit, puisqu'on m'avait demandé deux exposés dans cette langue ; il y était même pratiqué avec une certaine élégance, sans accent québecois bien sûr. Le premier exposé concernait les crises démographiques, dont je ne sortais pas depuis 1952 : le second — comme aux États-Unis —, une mise au point sur les recherches en cours en France. Accueil courtois, auditoire attentif et intelligemment questionneur. Je repérai assez vite une jeune femme, Louise Dechêne, qui préparait avec Robert Mandrou (très demandé en ce pays) une thèse sur Montréal au XVIIe siècle. Ce travail, de grande qualité, aboutit à une soutenance à Paris, avec ma participation au jury et un « pot » d'honneur à la maison. Puis Louise Dechêne partit passer Noël à Rome... et fut rapidement recrutée par l'université de Montréal où je l'ai retrouvée en 1976.

Depuis Montréal, je suis allé à Ottawa — deux universités invitantes, l'une religieuse et remarquable, l'autre bien garnie de Belges, que j'avais naguère rencontrés, plus jeunes, dans leur pays. Outre l'accueil, toujours chaleureux, j'ai retenu d'Ottawa l'affreux Parlement verdâtre, les imitations de l'Angleterre et plus encore ces derniers et impressionnants trains de troncs d'arbres qui descendaient la rivière des Outaouais.

Un ancien disciple de Pierre Deyon et un autre de Robert Mandrou, que j'avais rencontrés en France, se trouvaient réunis pour enseigner à Chicoutimi où ils nous invitèrent. Grâce à un petit avion cahotant qui transportait vers le Grand Nord et la baie James une équipe d'ingénieurs et de spécialistes équipés comme pour aller au pôle, nous atterrîmes là-bas, assez difficilement, dans la neige et la glace. Les deux garçons nous attendaient, avec ce qu'ils appelaient une « 4 sur 4 », sorte de puissante Land-Rover. L'un — son nom m'échappe — était enthousiaste, travailleur, généreux, expansif. L'autre, Gérard Bouchard, le disciple de Mandrou, était assez bien connu en France grâce à la publication de sa thèse (arrangée), le fameux *Village immobile*

(Sennely-en-Sologne). D'un tout autre style que son collègue et ami, il avait un peu l'élégance sobre et la rigueur rarement souriante (sauf avec les intimes) de son maître Robert Mandrou, le dernier disciple de Lucien Febvre, homme sensible et difficile que j'appréciais plus que bien d'autres. Le désordre chaleureux de l'un et les attentions discrètes de l'autre firent de ce bref séjour, avec la séance de questions-réponses qu'ils avaient organisée, l'un des souvenirs les plus prenants de ce Québec hivernal et lacustre (le lac Saint-Jean n'était pas loin).

Longtemps après, j'ai « revu » (en quelque sorte) Gérard Bouchard (qui m'a toujours envoyé les résultats de son énorme enquête de reconstitution des familles québecoises) en la personne de son frère, qui lui ressemble de manière frappante, lors de la publication du volume d'hommages à la mémoire de Robert Mandrou, à l'ambassade du Canada. Ce frère était l'ambassadeur lui-même, devenu depuis un homme politique de première grandeur dans son pays.

Et les étudiants, dans tout cela ? À vrai dire, une simple conférence apprend peu sur eux, sauf lorsqu'elle provoque des questions — rares. Je les ai surtout connus lors d'un « semestre » (moins de cinq mois) où j'ai assuré une « unité » de licence à l'université de Montréal. Il s'agissait naturellement de l'Europe occidentale aux siècles habituels. Auditoire assez nombreux, une soixantaine, attentif le plus souvent, prêt à rire des plaisanteries qu'il m'arrivait de risquer, applaudissant de temps à autre. Très à l'aise, ils devenaient facilement bavards quand je les rencontrais dans un petit bar d'étudiants hors et près de cette énorme université dont la caféteria était à la fois laide et bruyante. Avec leur accent, plus ou moins prononcé selon leur origine, ils se racontaient volontiers : famille, soucis, travail, avenir, politique (sur quoi je glissais) et tâchaient d'avoir des informations directes sur Paris et mai 68 (j'étais alors muet) et sur mes

251

impressions concernant le Québec et leur université. Les contacts étaient aisés, les taquineries sur 1763 seulement rituelles, et on ne me laissait jamais payer les consommations, qui allaient du sinistre coca et du café sans goût à l'excellente bière canadienne.

Malgré leur gentillesse, leurs ambitions étaient nettes : passer l'épreuve finale avec la meilleure « évaluation » — mot nouveau pour moi et qui correspond exactement à « note chiffrée » ou mention. À la fin, les copies remises et corrigées, certains se montrèrent assez mécontents de n'avoir obtenu que 60 sur 100 (mention assez bien). Cela me rappelait le dernier état de la Sorbonne où les étudiants réagissaient de manière assez semblable.

Ces légers travers, sans doute inévitables, ne m'empêchèrent pas de garder de mon dernier voyage au Canada un bon souvenir, gâché pourtant par l'annonce du décès récent de Pierre Léon.

CHAPITRE XXVII

Commémorations (2) :
New Orleans

La grande cité de La Nouvelle-Orléans (fondée, on le sait, par des Français et décorée du nom du Régent, neveu de Louis XIV qui l'appréciait peu) entendait fêter dignement son 275e anniversaire. Elle terminait en somme, au début du XVIIIe siècle, ce très vaste et très négligé Empire français qui allait alors du Saint-Laurent aux Grands Lacs et au Mississipi. Pas très nombreux, des trappeurs, des aventuriers, des marchands, des militaires et des missionnaires parcouraient ces immenses espaces, rêvant et spéculant parfois sur un avenir qu'ils espéraient brillant, comme Law l'avait imaginé trop tôt pour être compris. Avant d'être vendue par Bonaparte aux États-Unis, la Louisiane fut plus longtemps espagnole que française : le style de ce qu'on appelle le Vieux Carré ou le French Quartier s'en ressent : il est surtout espagnol et colonial, franchement tropical et fort semblable à ce qu'on voit dans le monde caraïbe et peut-être dans une partie de l'ancienne Amérique espagnole. Quoi qu'il en soit, la ville, effectivement de fondation française, en semble assez fière : la tradition et le tourisme y trouvent leur compte.

La plus riche université de la ville — Tulasne est son nom, et celui du généreux fondateur et donateur de ses

253

terres, de sa maison, de ses meubles... et de sa cave —
Tulasne donc se chargea de l'évocation historique de
l'événement fondateur. Certes, les États-Unis ne manquaient pas de bons et même d'excellents historiens de la
France, tout à fait aptes à concourir à cette célébration. Il
sembla pourtant qu'il convenait d'inviter un Français.
On choisit donc celui qui avait quelques livres et une
longue carrière de dix-septiémiste derrière lui. Malgré la
septentaine menaçante, j'acceptai cet honneur avec
grand plaisir, d'autant que je ne connaissais pas la
région.

Par surcroît, l'Association orientale (il en existe une
occidentale) des historiens spécialistes de la France *early
modern* (Ancien Régime) tenait sa session annuelle à la
prestigieuse université de Virginie, fondée à Charlottesville par Jefferson lui-même. L'association me demanda
de venir, d'intervenir et surtout — redoutable honneur — de « délivrer l'adresse finale » (le discours de clôture — après un dîner, hélas !). Pas question de refuser,
d'autant que nos amis de Baltimore nous attendaient
aussi, et quelque peu ceux de Princeton ; alors surtout
que Christiane pouvait retrouver enfin de vieux amis new
yorkais (Dan avait rédigé sa thèse de droit à Hyères en
1938... et était réapparu à Paris l'été 1944) ; elle les avait
seulement vus en France et n'avait jamais traversé l'Atlantique. En outre, dans le prélude et les intervalles de
nos déplacements « historiques », Dan nous offrait un
gîte vers le 25ᵉ étage d'une tour dépendant de l'hôpital
Montefiore, dans le haut du Bronx, et dont il était l'un
des administrateurs financiers. Il s'agissait d'un vaste
appartement, meublé, réservé habituellement aux méde-
cins de passage : de là-haut, la vue sur Manhattan, les
rivières, les ponts, la mer était saisissante, surtout la nuit.

C'était le début du printemps. Si New York gardait
encore des relents d'hiver, la Virginie, le Maryland et la
Louisiane plus encore, éclataient déjà de neuves florai-

sons, surtout dans les grands magnolias qui bordaient les avenues et diffusaient de délicats parfums — les bienvenus !

En attendant, je retrouvai New York que Christiane découvrait, en commençant par la 47e ou la 48e rue, celle des diamantaires, pour continuer par la sobre et inimaginable Frick Collection où ne sont présentés que des chefs-d'œuvre, et retrouver le MET embelli d'une excroissance égyptienne à la fois authentique et admirablement présentée. Grâce à Christiane, qui avait vécu au Moyen-Orient, je découvris l'art de la Perse et des régions voisines, que j'avais négligé une quinzaine d'années plus tôt. Naturellement, nous montâmes aux Twins, que j'avais vues en 1970 dans leur phase d'édification... On n'en finirait pas avec New York, semblable, saisissante, renouvelée... y compris dans ses caféterias, devenues honorables après avoir été fort au-dessous du médiocre !

La première prestation de l'historien eut lieu au sein de cette belle université de Virginie, vaste et diverse parmi les fleurs et les magnolias. Je suivis les travaux et pris de temps en temps la parole, puisque tout le monde comprenait le français. J'y retrouvai aussi l'un de mes anciens et attachant étudiant de Nanterre, Olivier, qui poursuivait une recherche et des travaux qui devaient le conduire à une université, Chicago sauf erreur (où l'on m'avait jadis offert de venir ; sur mon refus, François Furet rattrapa l'invitation). Ce garçon et sa jeune femme Christine (j'avais assisté à leur mariage) nous promenèrent dans Charlottesville et aux alentours ; surtout, ils nous hissèrent jusqu'à Montebello, ancienne demeure quasi seigneuriale de celui qu'on n'appelait pas autrement, ici, que « Monsieur Jefferson », rédacteur de la Déclaration d'Indépendance et, sans le savoir, par une influence que les Français feignent d'ignorer, de l'essentiel de la Déclaration des Droits de l'Homme et du

Citoyen, moins la référence à Dieu et le droit au bon-heur. Il convient de signaler aussi que la bibliothèque de Jefferson, intacte pour partie et pour partie reconstituée, comportait au moins deux tiers de livres français — les philosophes d'alors essentiellement.

Redescendu de Montebello, je fus présenté, avec le cérémonial souriant propre aux Américains, à une soixantaine d'historiens, souvent jeunes, qui tous s'occupaient de la France entre la Renaissance et la Révolution, mais sur des sujets précis, analysés à fond. Je les suivis pendant deux ou trois jours, intervenant parfois brièvement, mais fort surpris par la nouveauté et la qualité des communications, toutes dénuées de ce bavardage et surtout de ce jargon qu'on entend trop souvent en France.

Au banquet final, simple et mesuré à la manière américaine, je « délivrai » donc mon « adresse » (américain littéralement traduit) qui consistait en un bilan du congrès et était accompagnée d'un état des questions traitées en France. Il m'apparut, plus nettement qu'auparavant, que les jeunes historiens français devraient désormais compter sur leurs collègues américains, et prendre la peine de les lire ; certains ont fini par le faire, mais pas tous, et surtout pas les moins jeunes.

Dans le parcours en zigzag qui suivit, nous retrouvâmes Princeton quinze ans après mon premier séjour, les Stone, les Darnton, chaleureux, fidèles, heureux parents, et nous découvrîmes que Princeton avait recruté Natalie Davis, désormais chargée d'honneurs qu'elle portait avec sa grâce habituelle. Elle interviewa fort sérieusement Christiane, qui avait vécu plusieurs années en Algérie, sur ce malheureux pays dont Natalie avait curieusement une vision aussi inexacte qu'ahurissante. Il me semble que cette conversation dissuada Natalie d'écrire sur ce pays nouvellement « libéré ».

L'arrêt à Baltimore fut aussi celui de l'amitié. Orest et Patricia Ranum nous firent d'abord découvrir Washington, son très riche Museum of fine arts et me traînèrent au musée de l'Aviation, par bonheur plus consacré à la technique qu'à la gloire militaire. Après avoir suivi un interminable boulevard où se succèdent plus de soixante églises — avec des noms et des cultes très surprenants —, nous côtoyâmes presque pieusement ce qui reste des immenses champs de bataille de cette Civil War si douloureusement vivante encore dans la mémoire américaine, surtout dans le Sud, où presque rien n'est oublié.

À Baltimore, les Ranum nous accueillirent chez eux, comme ils le font dans le Rouergue, avec la simplicité du cœur. J'eus la joie de retrouver Richard Kagan, notre « petit voisin » de Princeton, marié et bientôt père, heureux. Après que j'eus donné une sorte d'exposé-interview à la John's Hopkins, on nous fit visiter l'ancien et le nouveau Baltimore, et particulièrement la reconstitution du port tel qu'il était vers 1880, avec la précision acharnée propre aux Américains qui avaient restitué même de vieux bistrots du port où l'on servait des menus très maritimes du siècle précédent.

New Orléans, où il faisait déjà bien chaud en mars, ne ressemble à aucune des autres villes que j'ai connues sur la côte Est. Tout était fleuri. Le vieux drapeau des Confédérés se rencontrait un peu partout. La haute statue du général Lee se dressait au centre d'une des plus grandes places. L'accent sudiste me déconcerta (comme plus tôt en Virginie), et demander à un taxi de nous conduire à l'hôtel Pontchartrain nécessitait qu'on écrive ce nom imprononçable ici. Il circulait des tramways ouverts au grand air, escortés de baladeuses, comme à Paris avant la guerre. Le « vieux carré », dans son pittoresque très apprêté et son humanité très mélangée, pouvait ravir ou décevoir. On cherchait le Mississipi : il fallait grimper des marches pour le voir, énorme et sale. Sauf les universitaires et quelques serveurs, peu de gens parlaient le français.

257

Pour préparer la célébration de ce presque — tricentenaire, des invitations nous attendaient à l'hôtel. Le président du département d'histoire nous offrit un vrai repas familial dans une maison de style colonial aérée par des courants d'air bien disposés : les occupants étaient hostiles à la climatisation, qui d'ailleurs ne s'imposait pas encore. Suivirent deux dîners dans les très beaux cadres de deux restaurants français réputés : l'un, fameux et luxueux, Antoine, où l'on nous servit notamment des huîtres chaudes arrosées de liquides variés ; l'autre, plus simple, en plein air, dans la cour d'une très belle demeure, Les Deux Sœurs, où nous attendaient spécialement des monticules de crustacés, surtout d'écrevisses, que les mains très exercées de nos voisins décortiquèrent pour nous. Je n'ai jamais revu une telle habileté manuelle, ni de tels monceaux d'écrevisses...

Le côté officiel de la cérémonie, qui dura une journée, me permit de rencontrer des historiens américains que je n'avais jamais vus, comme John Wolf. Ce dernier, l'un des grands chefs de file, avait écrit un fort solide *Louis XIV*, non traduit en français, ce dont il n'était pas ravi, mais son livre avait paru la même année que le mien, traduit, lui, et en plusieurs langues. Ce grand bonhomme très sec décortiqua ce que j'avais écrit sur le même sujet avec une réelle maestria : il sut y séparer l'ancien (style Lavisse) du nouveau (les vingt millions de Français). Froid au début, l'entretien s'anima vite, encouragé par la franchise crue de l'un et de l'autre, et ce fait que nous avions tous deux une descendance (historique) que nous connaissions. Un verre ou deux, puis il repartit dans sa retraite d'Orlando, en Floride.

Je ne sais plus très bien ce que dirent les uns et les autres, surtout en anglais, mais il fut question d'art et de littérature au temps de la Régence et naturellement de Law et du duc d'Orléans dont j'osai souligner l'intelligence, le goût et, sur quelques points, une certaine efficacité. Ce que fut mon texte de commémoration, je ne m'en souviens plus, sinon qu'en le prononçant lentement, les restes d'un zona assez récent (*shingle* en anglais) recommencèrent à me travailler.

Réception dans quelque lieu officiel, congratulations, et en route pour Tulasne, surprenant lieu de délices parmi les fleurs et les parfums, où nous attendait un banquet final servi dans les salons et la superbe vaisselle du fondateur de l'université. Deux souvenirs surnagent de ces journées.

D'abord, un entretien inattendu avec un serviteur de Tulasne, un vieux et grand Noir aux cheveux blancs, parlant un fort bon français d'une voix de contrebasse, à propos de la fabrication et des diverses qualités du bourbon, whisky de maïs, comme on sait. Il quitta un moment son poste, puis reparut, dissimulant sous sa veste une bouteille sans étiquette et quelque peu poussiéreuse. Il s'agissait du plus vieux bourbon de son ancien patron, au goût effectivement inattendu : jamais je n'aurais cru qu'un liquide que j'appréciais modérément puisse atteindre ce degré de finesse et ce velouté, digne d'un grand cognac. Je voulus remercier d'un pourboire, qui fut dignement refusé.

La dernière surprise, d'une autre qualité tout de même, vint aussi du monde des Noirs. Après le banquet, quelques collègues nous conduisirent vers le Vieux Carré, spécialement vers une sorte de grange obscure où les gens, pénétrant librement, finissaient par s'entasser. Dans le fond du local, sur une estrade rudimentaire, quatre ou cinq Noirs fort âgés (vu leur chevelure, absente ou blanche) un Blanc inattendu, un piano et une batterie assez sommaire. Je m'attendais à tout, mais pas à ce qui suivit. Dans un silence religieux observé par au moins deux cents personnes, le pianiste égrena quelques notes, puis esquissa un thème, qu'il reprit et enrichit. Un saxophoniste suivit sans forcer, puis un autre, le ténor ;

259

puis une clarinette, légère et comme veloutée (c'était le jeune Blanc, un Hollandais, qui s'excusa de remplacer le titulaire malade, dont il fit un bref éloge). La trompette suivit, éclatante ou assourdie. Pendant une bonne heure, ce quintette du New Orleans Jazz le plus classique passa par toutes les nuances et les variations d'un génie que, vieux mozartien, j'ignorais complètement. Je fus conquis, presque jusqu'à l'exaltation. Je disposais d'une seule comparaison, bien lointaine : la musique et les chœurs des Green Pastures, film vu à Paris vers 1935.

Après le finale *(All the Saints...)*, la salle éclata d'applaudissements et de cris de joie. À la sortie — car l'entrée était gratuite —, les jeunes Noires qui tendaient de vastes chapeaux durent ramasser des dollars par centaines. Mes collègues du cru étaient visiblement ravis de mon enthousiasme. Je me suis abstenu de signaler que les rythmes que nous venions d'entendre me rappelaient beaucoup ceux de la Côte-d'Ivoire.

Après un nouveau séjour à New York auprès de Dan, nous prîmes congé des États-Unis. Ce fut sans doute mon dernier voyage transocéanique. Ceux qui suivirent comme ceux qui précédèrent — j'entends les voyages à caractère historique et professionnel — se limitèrent, à une exception près (Beyrouth, francophonie, 1964), au Vieux Continent, mais toujours en deçà du rideau de fer.

CHAPITRE XXVIII

Belgique

Alors que trop de Français colportent sur les Belges des histoires d'une sottise et d'une grossièreté rares, j'ai depuis longtemps éprouvé pour nos voisins du Nord une curiosité facilement comblée et une sympathie vite rendue. Plus facilement, bien sûr par les francophones au savoureux accent, que pour ceux, hier bilingues, qui se proclament désormais uniquement néerlandophones, bien que leur parler fasse parfois sourire (pour le moins) les authentiques Néerlandais, notamment tel solide historien hollandais qui me disait un jour, à Spa, qu'ils parlaient au mieux un patois paysan. Quoi qu'il en soit de cette triste querelle linguistique et de la tripartition imminente de l'ancien royaume des Belges, ce fut tout de même dans la grande et belle université de Louvain, alors non coupée en deux, que j'ai donné mes premières conférences (annoncées en deux langues) dans la Belgique du roi Baudouin (que j'avais croisé par hasard, quelques années auparavant). Je venais de Rennes et ce devait être en 1961. On était en pleine vogue démographique et paysanne, du moins dans le domaine de l'histoire. L'invitation venait à la fois de Joseph Ruwet, vieil ami de Meuvret, du jeune Herrmann Van der Wee, l'un de ses séminaristes (comme moi) et du « patron » lovanien de ce dernier, dont le nom m'échappe.

261

Herrmann, qui préparait un livre-thèse considérable sur Anvers, se trouvait régulièrement, avec Pierre Jeannin et moi, au Balzar, rue des Écoles, à deux pas de la Sorbonne. Il était né près du grand port, dans la petite ville de Lierre où se trouve, intact, un fort beau béguinage : il nous le fit visiter ainsi qu'Anvers et nous prêta même sa maison pour que nous puissions mieux découvrir cette ville si riche en toutes sortes d'art. Il n'était alors que jeune assistant... et jeune marié. Il fit par la suite une remarquable carrière, internationale, spécialement comme économiste... Il me rappela bien plus tard pour un colloque trilingue (les Belges finiront-ils pas se réconcilier en parlant l'anglais ?) dans une université stupidement coupée en deux, ainsi que sa bibliothèque, partagée par pair et impair dans la cotation de ses livres...

Mais ce fut Joseph Ruwet qui fut à la fois le guide et le mentor de ce premier voyage d'historien. Comme Meuvret, notre ami commun, il était (il n'est plus) un remarquable connaisseur des choses et des gens de la campagne, étudiés tout d'abord dans son pays natal de Herve, non loin de Liège. Esprit solide, mais fin, rude parfois et souriant aussi, Ruwet, que je fis inviter ensuite à Rennes, avait été aussi conquis par la démographie historique ; il est vrai que les Belges avaient dans ce domaine une solide tradition, notamment avec Quételet et le pittoresque et savant père Roger Mols. Il me guida longuement dans la célèbre bibliothèque de Louvain reconstituée et alors intacte. Il me fit comprendre aussi, lors d'un dîner presque solennel qu'il organisa chez lui, rue des Joyeuses-Entrées, la structure de l'université : le « recteur magnifique », un prélat subtil et gourmet, d'honorables professeurs fort agréables, plus un qui ne le fut guère : Léopold Génicot, qui ne dit pas un mot de la soirée, n'aimait visiblement pas le Magnifique, prit congé très tôt, en me donnant rendez-vous pour le lendemain soir.

262

Au moment dit, les étudiants me recevaient dans une cave à bière, habituel lieu de rencontre où le visiteur se faisait rituellement « bizuter » (en joute oratoire) par un adversaire bien choisi. Naturellement, ils m'avaient réservé Génicot (illustre médiéviste, faut-il le préciser ?), particulièrement expert en cet exercice par son éloquence astucieuse et ses aimables cruautés. La joute dura une bonne heure. Il en résulta un match nul et une solide estime réciproque, assez proche de l'amitié. J'ai souvent revu Génicot, surtout à Bruxelles... et rencontré au Japon ses anciens étudiants, qui avaient conservé son accent et son style. Il vient d'être foudroyé en pleine conférence.

Par la suite, la scène de mes amitiés belges se transporta à Liège, ville surprenante où la place principale s'appelle place de la République française (celle de 1792), où le 14 juillet est fêté et où il ne m'a jamais été possible de régler une seule chope de bière. Ce fut en 1963 que s'y tint l'un des premiers colloques internationaux de démographie historique, consacré aux problèmes de mortalité — les moins simples —, sur l'initiative de Paul Harsin. Ce dernier, ami de Labrousse, et son contemporain, était connu comme spécialiste de l'affaire Law et des problèmes économiques de son époque. Il était l'une des gloires de la Belgique universitaire et n'avait pas son pareil pour organiser colloques et congrès : il dut présider même l'un de ces grandissimes congrès internationaux qui se tiennent dans les années 0 et 5 à Rome, à Stockholm, à Moscou, aux États-Unis ou ailleurs. Attentif à tout, il avait repéré l'attention nouvelle portée aux problèmes démographiques un peu partout. Après une réunion préparatoire tenue dans les locaux de l'INED alors proches du Grand-Palais, il convoqua (et fit subventionner) un large quarteron d'historiens démographes à Liège en 1963. Une quinzaine de nations y étaient représentées, y compris les États-Unis et l'URSS. Ce fut une belle réussite, aussi bien par la qualité des travaux que par celle des assistants et des relations nouées. Et, en fin de compte, l'un des points de départ puis de référence des recherches historico-démographiques dans le monde entier, y compris le Japon et l'Amérique du Sud. Le tout dans la chaleureuse qualité de l'accueil des Liégeois, qui me reçurent encore par la suite.

Ce fut là aussi que je rencontrai Maurice Arnould et que nous jetâmes les bases d'une amitié qui dure depuis plus de trente ans. Maurice-Aurélien — tel est son double prénom —, habitait (habite toujours) Mons et enseignait à l'Université libre (c'est-à-dire laïque, et même très laïque) de Bruxelles où s'inscrivirent désormais mes voyages en Belgique.

Bruxelles, je connaissais déjà depuis 1953 ou 54. Une vieille amie de Beauvais y avait sa plus chère amie, admirablement logée dans une villa avec jardin découpée à Uccle, dans la forêt de Soignes. De là, de typiques tramways belges nous conduisaient à côté de la porte de Namur. La ville était encore intacte, avec ses grands boulevards décorés de deux rangées d'arbres, ses vieilles rues et ses vieilles maisons à redans, ses marchés, ses estaminets et ses restaurants vraiment « typiques » (il en reste quelques-uns). Maurice Arnould, durant l'hiver 1963-64, m'invita d'abord à son séminaire, véritable lieu de travail avec sa bibliothèque, son secrétariat, sa salle de consultation des documents. Deux assistants remarquables et dissemblables (l'un devenu recteur, l'autre ministre) ; une quinzaine d'étudiants en mal de mémoire de licence ou de thèse ; des textes photocopiés et analysés, ou un exposé à discuter : ce fut là mon premier rôle. Il n'empêchait qu'une explication de texte fort solide suivait : un véritable décorticage, auquel les assistants participaient activement — ce que j'ai rarement vu en France, sauf chez les médiévistes. À cette occasion, je pus consta-

264

ter que le niveau des études bruxelloises était probablement supérieur, tout au moins en érudition, à celui de Rennes (où Maurice vint et passionna l'auditoire) et même de Paris (sauf très brillantes exceptions).

Puis je revins parler — dans le style conférence — à de plus vastes salles, y compris à une École (belge) des hautes études annexée à la faculté, et même dans une grande brasserie Jupiler, en ville : j'y parlais sur Louis XIV et faisais allusion à l'éveil des Lumières lorsqu'une panne d'électricité interrompit mon discours... Au retour de la lumière (électrique), nous passâmes à la seconde phase de la réunion, qui concerna surtout des comparaisons de bières...

Après plusieurs visites, agrémentées par de courts séjours dans la très belle et vaste maison montoise des Arnould — les dames sympathisaient pendant que les hommes dissertaient —, l'inévitable arriva : le doctorat *honoris causa*, puis l'Académie. Il fallait que je les aime bien pour accepter l'un et l'autre.

La première cérémonie me contraignait à revêtir, pour la première et la dernière fois, la robe universitaire (que me prêta mon vieil ami le romaniste André Chastagnol). La seconde, très simple (les académiciens belges ne portent ni épée ni habit vert), me donna le plaisir de connaître le palais thérésien du XVIIIe siècle et de revoir des amis un peu perdus de vue, comme Harsin, Génicot et ce délicieux chanoine Aubert dont j'avais fait la connaissance sur le Danube en 1965, au sortir de la très riche abbaye de Melk : il m'avait expliqué la Contre-Réforme catholique, ses joies, ses exaltations, son art et son triomphalisme. Des prêtres comme celui-là, comme aussi le père Blet — celui de Tapié, de Meuvret et de Rome —, plus le curé Bouvet de mon enfance, honorent leur Église, en réchauffant les esprits et les cœurs.

Maurice Arnould et ses amis belges trouvèrent une occasion fort inattendue de me faire découvrir Spa et les

Ardennes proches. Une banque belge, le Crédit communal, dont les activités culturelles sont remarquables, organisait, tous les deux ans sauf erreur, un grand colloque, en partie international, sur des thèmes bien définis d'histoire belge (ou d'histoire tout court). En 1986, ce furent les institutions communales à la campagne. Maurice, conseiller culturel de la banque, me fit inviter, et je me trouvai présider de temps à autre l'une des séances. Outre le travail, considérable, érudit et précis, il y avait le cadre et l'accueil. Le cadre, forêt, ruisseaux, sources, prairies et promenades, ce fut surtout l'affaire des dames. L'accueil fut l'affaire de tous : jamais, dans une longue carrière, je ne vis programme de colloque dressé avec cette précision : non seulement les horaires de travail et le titre des exposés, mais aussi les menus détaillés (solides et liquides) de la totalité des repas servis durant trois jours, petits déjeuners compris ! Distrait ou fatigué, je sus mal tirer les « enseignements du colloque » : fautes de notes prises sérieusement, je dus improviser... y compris en tenant compte des communications en néerlandais (avec résumé en anglais).

Sous prétexte des séances publiques de l'Académie, en mai, nous retournons volontiers à Bruxelles, devenue un lieu de rencontres. Il n'en reste pas moins que je dois rendre un très sérieux hommage au travail impeccable et impressionnant de ces collègues belges qui pourraient nous donner des leçons de sérieux, de solidité et de mépris du bavardage prétentieux et du triste jargon trop souvent cultivés dans notre cher et vieux pays.

CHAPITRE XXIX

Pays-Bas

Il me semble avoir toujours éprouvé une sympathie spéciale pour ce pays, souvent appelé Hollande au xviie siècle et aujourd'hui encore, soit une partie pour le tout. En fait, la Nederland désignant dans le passé un ensemble plus vaste (qui incluait l'actuelle Belgique et une partie de la France du Nord), la véritable dénomination était « Provinces-Unies », lesquelles étaient gouvernées par des « seigneurs États généraux ».

Je n'imaginais pas tout cela lorsque, vers ma vingtième année et grâce aux exposés fulgurants et remarquablement illustrés de Louis Hourticq à Saint-Cloud, je découvris Vermeer, Van Dyck et surtout Frans Hals et Rembrandt. Une visite au Louvre suivit, puis des incursions dans divers musées, aux Pays-Bas d'abord — y compris les exceptionnels Frans Hals de l'Hospice de vieillards de Haarlem — et, en 1969, la découverte à New York de dix-sept Rembrandt d'affilée, certains peut-être faux — mais l'admirateur n'est pas un spécialiste.

Seconde rencontre avec les Pays-Bas en 1955 : Braudel me fit passer, pour compte rendu dans les *Annales*, un livre sur la Fronde rédigé en français par un jeune historien de Leyde, Ernst Kossmann. Neuf, percutant, frôlant par endroits une sorte de génie et renouvelant en partie le sujet, le livre m'enthousiasma. J'envoyai aux *Annales* un article dans lequel j'avais tenté d'équilibrer les éloges et quelques critiques. Or Mandrou, que je ne connaissais pas et que Febvre, son maître, avait installé aux fonctions de secrétaire de la revue, sabra la partie élogieuse de mon papier et m'envoya ce qui en subsistait. Après réflexion, maîtrisant ma fureur, j'envoyai original et texte coupé à l'université de Leyde. Kossmann me répondit qu'il préférait un compte rendu tronqué à pas de compte rendu du tout. Dont acte. Cet échange épistolaire fut suivi d'autres, puis de visites. Nous montrâmes Beauvais et Royaumont au jeune couple Kossmann, et, en 1957, ils nous montrèrent Leiden, son université du XVIᵉ siècle, son extraordinaire jardin tropical, son ex-cathédrale... Ils nous donnèrent aussi un échantillon — le leur — d'une scolarité néerlandaise « classique » qui leur avait notamment appris l'anglais, le français, l'allemand (alors peu pratiqué, vu la sévérité de l'occupation nazie), naturellement le latin et le grec et accessoirement l'hébreu. Notre pied-à-terre provisoire à Delft nous permit de découvrir une considérable université (ou grande école ?) technique, fort fréquentée et d'un grand renom ; en France, à ce moment-là, le « technique » était considéré comme un dépotoir du « moderne », lui-même dépotoir du « classique ».

Je reçus enfin la Hollande d'un troisième côté, et ce ne pouvait être que de Jean Meuvret. Passionné d'histoire des prix, surtout de ceux des blés, il collectionnait les mercuriales et sortait naturellement de France pour de fructueuses comparaisons — atlantiques, continentales, méditerranéennes — présentées dans un article bien oublié d'une revue... portugaise. Des « séries statistiques », notamment sur les blés, il y en avait un peu partout en Europe, mais les Provinces-Unies se trouvaient particulièrement favorisées, surtout grâce au travail de titan présenté par Posthumus en deux volumes (heureusement traduits en anglais), qui fournissaient tout ce qu'on voulait, y compris ce qu'on n'y aurait pas cherché, comme le cours de la livre tournois sur le marché d'Amsterdam. Ces volumes, et d'autres, témoignaient de la richesse des archives néerlandaises et de l'efficacité des historiens de ce pays — assez ignorés en France.

Le même Jean Meuvret en apporta et en fit apporter d'autres preuves. Étudiant la littérature agronomique des XVIe et XVIIe siècles, il nous montra, en passant, la nullité de celle-ci dans la France du siècle dit « grand », qui se contenta de réimpressions plus ou moins honnêtes de la littérature du précédent, celui d'Olivier de Serres. En revanche, il nous livrait des extraits de la littérature agronomique anglaise, fort sérieuse, et qui reconnaissait tout ce qu'elle devait aux usages et aux techniques flamandes et hollandaises en avance d'au moins deux siècles sur nos glorieux physiocrates. Puis, au congrès de Rome de 1955, une longue matinée fut consacrée aux techniques agricoles en Europe au siècle qui nous était cher : aux textes de Meuvret et de l'Anglais Hoskins (remarquables) s'ajouta une communication encore plus neuve signée Slicher Van Bath ; elle analysait avec une grande précision l'agriculture des Pays-Bas. Pour moi (et pour d'autres) une révélation, qui faisait apparaître le monde agricole français comme une vieille chose très routinière — bien que naturellement plus massivement productrice, si l'on veut bien comparer les superficies. Je fis aussi la connaissance de celui que les Néerlandais appelaient « Slik », sorte de grand seigneur savant, modeste et pacifique, qui avait fondé son Institut d'histoire agraire à Wageningen, et que je rencontrai par la suite un peu partout dans les congrès et colloques, à vrai dire surtout en Italie, terre bénie pour ce genre d'activité.

Nouveau hasard : vers 1958 ou 1959, fut inscrite au programme d'agrégation une question qui comportait l'étude des Provinces-Unies de la fin du XVIe siècle jusque vers 1700 ou environ. À Saint-Cloud, où j'enseignais depuis quelques années, on me demanda d'assurer « le cours », à raison d'au moins trois heures par semaine et devant un auditoire exigeant. Il me fallait d'abord m'instruire. Comme il existait peu de chose en français, je pillai la bibliothèque de la Sorbonne et quelque peu celle de Rennes et récoltai une vingtaine de livres anglais, américains, danois, suédois, hollandais surtout (mais, sauf un ou deux, heureusement écrits dans la langue du *Times*) qui me donnèrent, sur la vie financière, économique, maritime, coloniale et même politique et religieuse de ce petit pays des informations d'une précision sans égale. Ce fut en fonction de cette moisson que je pus publier en 1966 (dans *Louis XIV et vingt millions...*) que ce pays dominait économiquement l'Europe — ce que je ne renie pas, tenté même d'ajouter une bonne once de domination politique, puisque enfin les Hollandais ne perdirent aucune des guerres où ils se trouvèrent engagés. Ce passage dudit livre ne fut pas inaperçu aux Pays-Bas. Je reçus certes deux invitations venues d'universités (Amsterdam, Groningue), mais ce qui me frappa le plus fut l'interview que me demanda la télévision hollandaise, en pleine cour du Louvre, lors du tricentenaire de l'invasion de leur pays par Louis XIV, donc en 1972. Les Allemands firent de même un peu plus tard, mais à Versailles, je ne sais plus à quelle occasion.

Les deux souvenirs de caractère universitaire que je garde de ce pays furent d'abord une assez vive discussion avec des historiens amstellodamois, dans une salle de la Maison Descartes, après une conférence « grand public » ; ensuite, à Groningue, mon effroi devant une salle de soixante ou quatre-vingts personnes, toutes jeunes, auxquelles je devais exposer je ne sais quoi. Tourné vers Kossmann, revenu de Londres après Leyde, et vers son collègue Baudet, je leur demandai si je devais parler en anglais ou s'ils allaient me traduire à la japonaise, tou-

270

tes les dix minutes. Ils m'indiquèrent que tout le monde dans cette salle parlait le français, et les questions qui suivirent le prouvèrent incontestablement... À Groningue, qui l'eût cru ?

Les autres souvenirs de la Hollande sont seulement touristiques et familiaux : la Frise, Sneek et ses voiliers ; Delft, ses porcelaines, son *taptoe* (sorte de carrousel historique)... et le tombeau d'un faux Louis XVII ; la Haute Veluwe et le musée Van Gogh ; le Mauristhuis, les canaux et la maison de Rembrandt ; les petites boutiques d'anguille fumée et de hareng cru et imbibé d'oignon, à absorber d'un coup, la tête renversée si possible ; les musées bien sûr et les « belles dames en vitrine », comme disait notre fille, dix ans.

Le charme prenant de ce plat pays vient de ses horizons calmes, de ses teintes délicates, de la splendeur de son art, de la richesse de son histoire, peut-être aussi de sa richesse tout court, toujours bien vivante.

La France exceptée, il n'est qu'un pays que je mettrais peut-être au-dessus de celui-là : l'Italie, où je me suis toujours senti à l'aise, même à Rome. Mais, comme cet autre, je me suis toujours arrêté à Eboli (sauf une fois, par malchance).

CHAPITRE XXX

Italie

À l'origine, Giotto, Fra Angelico, Donatello et bien d'autres nous attirèrent, mon épouse et moi, vers l'Italie. L'histoire de l'art, qu'on nous avait bien enseignée depuis Ravenne jusqu'au cavalier Bernin, ne pouvait naturellement être bien saisie hors du contexte de la société qui provoqua ou reçut les œuvres exceptionnelles que nous vînmes admirer dès 1950. Puis l'Italie offrit son cadre séduisant à des réunions d'historiens. Mais ce ne fut pas avant 1968 que j'y parlai, en tant qu'historien français invité par des historiens italiens, à Florence d'ailleurs, où tout avait commencé.

Pâques 1950. Nous avions confié les enfants aux grands-parents, supporté avec joie trente ou quarante heures de chemin de fer, avec trois changements à horaire incertain, Turin, Gênes, Pise (trois villes où je suis revenu pour parler bien plus tard). Arrivés à minuit, nous logions dans un modeste hôtel, à deux pas de Fra Angelico, qui nous accueillit dès le lendemain matin. Nous sommes revenus, seuls ou avec les enfants, douze ou quinze fois, non seulement à Florence, mais à Sienne, Rome, Ravenne, Vérone, Assise, Pompei, Venise. Tourisme heureux et sans doute fécond. Mais, assez vite, dès 1955, l'Italie m'est apparue aussi, et peut-être surtout une terre de grands congrès et de larges colloques ; il est

272

vrai qu'elle offre tous les attraits, charmes et commodités pour attirer de telles manifestations. J'en ai bien fréquenté une demi-douzaine, de types variés.

J'ai bien été obligé de parler déjà du premier, celui de 1955 à Rome, puisque c'est là que, poussé par Meuvret et Labrousse, j'ai découvert l'assemblée internationale des historiens, qui m'a écouté plusieurs fois et sans doute adopté — tout au moins les modernistes. Une bonne semaine de travail agrémentée de trois réceptions inoubliables : le pape Pie XII, qui a parlé en français et nous a ouvert la chapelle Sixtine illuminée et vide des hordes touristiques habituelles ; la municipalité de Rome, qui nous a reçus solennellement au Capitole et très chaleureusement dans ses jardins ; le palais Farnèse, en partie ouvert aux seuls Français. Suivit une rapide découverte de l'Urbs, élargie dans la dizaine de séjours qui suivirent.

Puis l'Italie s'ouvrit de nouveau, pour accueillir cinq ou six réunions internationales d'historiens, mais de dimensions plus modestes, sur des thèmes assez précis et après une sélection préalable effectuée par un organisme américain — une sorte d'académie, fort riche, et liée à la fondation Rockefeller. Le lieu choisi lui appartenait d'ailleurs : la Villa Serbellonni, perchée au-dessus du pittoresque village de Bellagio, à la pointe qui sépare les deux lobes du lac de Côme : un enchantement. L'ensemble — château, parc, vignobles, demeures annexes — avait été acheté par Rockefeller à la dernière princesse de Tours-et-Taxis, Eileen Walker, fille de Johny. Les grands maîtres et les Américains logeaient au château et le commun dans l'ancienne et fort belle maison de l'intendant. Par une petite porte proche de la salle de réunion, on accédait à une trattoria familiale flottant en partie sur le lac, sorte de merveille d'accueil et de cuisine comme les Italiens savent encore le faire.

Nous avions été choisis et réunis pour discuter économie et démographie, points de vue alors (1966 ?) presque

273

neufs. Nous étions une vingtaine : trois ou quatre Américains peu modestes ; deux Anglais solides et pleins d'humour ; un quatuor de jeunes Italiens conquis par la démographie, enthousiastes et sympathiques, sous la houlette de Carlo Cipolla (qui migra ensuite aux Amériques) ; deux Allemands fort solides aussi, mais non « modernistes » au sens français du mot ; un Suédois peut-être et une assez joyeuse triade de Français, tous issus des Hautes Études, VIe section (très cotée aux États-Unis) : Pierre Jeannin, Jacques Le Goff et moi ; les deux derniers étaient parfois consultés par le grand maître de la trattoria pour la conception et l'équilibre des menus, par civilité plus que par nécessité. Les épouses, enfants et mère (pour Le Goff, alors célibataire) logeaient ailleurs. Les miens s'étaient astucieusement installés en altitude, à Guello, près de la chapelle vouée aux cyclistes (où était pendu le maillot jaune de Bartali). J'allais m'y rafraîchir après chaque déjeuner, puis je descendais ma tribu — accrue d'une jeune Allemande du Nord perdue sous ces latitudes — vers les plages bordant le lac. À 16 heures, en pleine chaleur, j'allais reprendre un dialogue d'autant plus délicat qu'à cette époque je saisissais médiocrement l'anglais oral, sauf quand il était parlé par les Italiens. Je pus tout de même soutenir des discussions sur la marine marchande, en m'excusant d'avancer que la hollandaise était au XVIIe siècle supérieure à l'anglaise, et la banque d'Amsterdam la première du monde ; il fut aussi beaucoup question d'*input* et d'*output,* qui ne me passionnaient pas. Je soutins aussi une discussion assez rude avec un jeune Italien, qui pensait que l'âge au mariage des femmes était sans influence sur leur fécondité, alors que je prétendais naïvement que, les Françaises, se mariant environ quatre ans plus tard en 1700 qu'en 1600 (ce que niaient des êtres ignares), risquaient de connaître au minimum un accouchement de moins. Ce fut aussi au cours de ce colloque qu'un Américain

274

qui nous avait traînés dans un bar pour y humer quelques whiskies me déclara soudain qu'aux States, je « vaudrais » bien 20 000 dollars, peut-être 25 000 (de salaire annuel). C'était la première fois que je subissais une évaluation de ce genre. Plus tard, ayant traversé l'Atlantique, je compris que ce type d'estimation était banal au pays du roi Dollar. Ce fut d'ailleurs la seule soirée où je fus entraîné dans un bar non-Italien. Le Goff avait pris l'initiative d'une étude vespérale et comparative des diverses *grappe* (alcools) italiennes. Nous capitulâmes au bout de deux soirées et passâmes à une étude du même type sur les bières allemandes qui arrivaient en force à Bellagio. En fait, ce qu'il y avait de meilleur, c'était le vin de notre trattoria semi-lacustre. Mais l'agréable n'avait pas nui au sérieux : ce colloque fut solide, et il eut des suites.

Notamment un second, au même endroit, en 1967, avec une plus nette orientation vers la démographie historique. Plusieurs autres différences : les historiens convoqués n'étaient plus les mêmes ; mes enfants n'étaient plus là, on me logea au château, seul dans un appartement vénitien du XVIIIe siècle recréé en ce lieu ; hélas ! on m'y nourrissait aussi à l'américaine ; et puis l'anglais enveloppait tout. Ce dernier point explique que je me sois rapproché d'un jeune collègue italien qui le comprenait aussi assez médiocrement (il changea, moi aussi) ; nous voisinions à la table du colloque... et communiquions silencieusement par des petits papiers. Il s'appelait (et s'appelle toujours) Massimo Livi, fils du premier maître de la démographie italienne, Livio Livi. Il parlait un français parfait et me demanda soudain si je lui ferais l'honneur (avec un sourire) de venir à l'université de Florence, où il enseignait (alors surtout la statistique appliquée à l'histoire) au printemps de l'année suivante, 1968. Ainsi fut organisée, au coin d'une table de Bellagio, la première conférence que je donnai en Italie devant des historiens italiens.

Aidé par le tintamarre nanterrois déclenché le 22 mars, le voyage vers Florence (où je devais parler le 1er avril) démarra fort tôt. Ce fut une belle réussite, depuis Aoste et Ferrare jusqu'au lent retour le long de la Méditerranée. À Florence, je fis un exposé assez technique devant les étudiants « avancés » et les collaborateurs de Massimo, suivi d'une discussion serrée, notamment avec deux assistants qui promettaient beaucoup, et qui tinrent. S'ensuivit une sorte de conférence publique dans un curieux palazzo du XIXe siècle où j'ai dû parler autour de Louis XIV (mon livre allait ou venait d'être traduit en italien). Inoubliable fut la soirée, dans le cadre fort beau de la maison des Livi à San Domenico de Fiesole : voie romaine, via dei Vescovi, jardin florentin très « quattrocento », restes d'un cloître, terrasse et une cinquantaine de Florentins qui avaient la consigne de tous parler français, et qui le firent. Ce fut un festin à la fois léger et très florentin dans le soir printanier qui tombait : la mère (ou la nourrice) de Massimo (ou de Nicoletta) avait confectionné des mets typiques, y compris les célèbres uccelli ; Federigo Melis, ami de Braudel, qui n'avait pu venir, s'était fait représenter par des bouteilles choisies dans les réserves personnelles de cet illustrissime œnologue. Nous rencontrâmes même un couple arverno-finlandais avec lequel nous avons longtemps gardé des relations amicales (de Princeton, début 1970, nous sommes même allés les voir à Porto-Rico).

Le colloque italien suivant, le troisième sous patronage américain, se prépara lorsque nous habitions Princeton. Une seule question importait : le lieu. Les épouses américaines, écœurées d'être exclues de la villa Serbelloni et donc séparées de leurs époux légitimes, firent une terrible campagne pour le transfert de nos assises dans un lieu civilisé et accessible aux dames. Le choix s'arrêta sur

276

un énorme hôtel à l'américaine, sombre, surclimatisé, mais situé heureusement à quelques kilomètres de Rome, ce qui nous consola du lac de Côme, mais nous imposa de fades déjeuners américains arrosés de vins insipides qu'il fallait vraiment s'appliquer pour dénicher. J'ai oublié les thèmes débattus (et pourtant des « actes » durent être imprimés, comme pour les précédents). Ce sont les soirées qui me sont restées : le responsable financier du colloque, un New-Yorkais typique, toujours le même, nous distribuait chaque jour une impressionnante quantité de lires, largement suffisante pour régler taxis et somptueux dîners. Nous en avons profité pour visiter la ville, ou ce qu'on pouvait en atteindre, quartier par quartier, repérer des *trattorie* modestes et surtout non destinées aux touristes, nous attarder d'abord dans le Trastevere, puis autour du Panthéon et de la place Navone que nous avons eu la joie de retrouver plusieurs fois par la suite, et même d'y loger. Curieusement, des Romains me prenaient pour un des leurs : je dois avoir le profil... et puis je comprends assez bien cette langue.

Bien plus tard, je fus à nouveau invité à un colloque toujours international, mais qui se tint à Turin et où quelques Français passèrent ou s'arrêtèrent. On devait débattre de méthodologie certainement, de sociologie peut-être, d'économie sans doute, d'histoire aussi quand même. Une trentaine de personnages de nationalités variées étaient présents ; je retrouvai avec plaisir mon ancien « séminariste » polonais Topolski, devenu académicien, un peu arrondi, mais toujours fort savant et entiché de méthodologie. Parurent et parlèrent aussi des membres éminents de l'École des hautes études en sciences sociales (avatar de l'ex-VIe section, très grossie) avec son président en exercice, François Furet, et un futur président, Jacques Revel. Le colloque fut sérieux et chaleureux, mais un peu accablé par l'été piémontais. Séjournant à Menton, nous étions venus en voisins.

Daniel Roche nous avait vivement conseillé de passer par Cavour, qui était donc aussi un village, et de nous arrêter à telle auberge : nous y rencontrâmes une quarantaine de Cavouriens de tous âges fêtant joyeusement les noces d'or des grands-parents, l'aïeul restant coiffé de son chapeau noir : spectacle attendrissant et inoubliable qui me rappela des festivités angevines de ma lointaine jeunesse.

Le dernier jour du colloque, plusieurs participants avaient capitulé, dont presque tous les Français, à qui Paris manque toujours. Seul survivant de ce groupe, on me fit présider la dernière séance et conduire le groupe à la mairie de Turin où l'on nous attendait pour une fort amicale réception : l'adjoint à la culture parlait un français parfait, comme tous ses enfants, à qui l'italien était interdit à la maison. Tout s'acheva au banquet final, face au palais Carignano, dans le restaurant où le comte Cavour avait toujours son fauteuil disponible, sa table mise, avec des fleurs aux couleurs nationales. J'y retrouvai Franco Venturi, grande figure et ami des Meuvret (qui le recevait au temps de son exil de la période mussolinienne).

Pendant la plus grande partie du colloque, Christiane avait parcouru les rues à arcades, visité églises et magasins, et surtout le musée égyptologique, le plus important du monde après celui du Caire (qu'elle connaissait) et bien supérieur à ce qu'on peut trouver au Louvre. Je dérobai une matinée pour qu'elle me le présente. Revenus à Turin un peu plus tard, lors d'une « tournée » de conférences, nous avons retrouvé cette ville avec joie et découvert encore ce qui apparemment se dissimulait... jusqu'à un modeste restaurant qui fut le centre de la résistance piémontaise au fascisme et où l'on nous traita comme jadis, avec les ressources de la maison et le vin de la cave (nous étions accompagnés par d'anciens résistants).

On n'en finirait pas avec l'Italie s'il fallait tout conter :

ces arrêts à Venise en allant à Dubrovnik — l'admirable Raguse chère à Braudel — ; le dernier voyage avec notre fille vers Arezzo, Pompei et Paestum ; plus une ou deux fugues rapides place Navone...

Le dernier colloque, encore démographique, mais purement italien, fut sans doute le plus savoureux et le plus joyeux. C'était en réalité un colloque de vacances, en septembre. Provoqué par Massimo Livi (revu à Paris) il avait pour objet de former à notre discipline commune, la démographie historique donc, un groupe de jeunes Italiens assistants ou étudiants en mal de thèse. J'étais invité à faire profiter ces jeunes gens de ma vieille expérience. La session se tenait dans d'assez vastes locaux d'été qui appartenaient — sauf erreur — à l'université de Parme, non loin des Dolomites, à Bressanone/Brixen, localité bilingue. Après un voyage qui nous permit de voir le lac de Côme sous la tempête et le lac de Garde sous un soleil radieux, puis un arrêt à Trente où l'on nous servit un affreux café à l'allemande, je me souvins de l'habituelle recherche vestimentaire des Italiens, je passai une veste et nouai une cravate (c'était un septembre chaud). Et nous sommes arrivés dans une salle dite de travail où personne ne portait ni veste ni cravate. Cela ne gêna en rien les premiers contacts. Le soir, au dîner, une douzaine d'Italiens nous attendaient, en uniforme de cérémonie. Comme je parus surpris, on m'expliqua qu'il s'agissait de nous faire honneur et de nous rendre notre politesse. Quelques instants plus tard, vestes et cravates disparues, la plus franche gaieté s'installa. Puis l'on nous fit passer dans une de ces *ratzkeller* à la germanique où le vin blanc, léger, coulait aisément. Nous laissâmes nos Italiens achever la soirée à leur fantaisie.

Le colloque se poursuivit sagement, un peu tristement, sous la pluie. Un beau matin, le soleil éclata. On vint nous dire qu'il était bien dommage de rester enfermé par un temps pareil, et qu'une promenade dans les proches

Dolomites (avec l'adresse d'une auberge de qualité) nous conviendrait certainement mieux. Nous obéîmes et jouîmes (malgré le nombre ahurissant des *tornenti* routiers) de paysages d'une très grande beauté. Nous rencontrâmes même des historiens de la veille. Ce jour-là, les Dolomites avaient vaincu la démographie historique.

Plus récemment, l'administration française des Affaires culturelles, habituellement pingre, nous organisa un voyage (rapide) avec des conférences (beaucoup) de Turin à Naples, en passant par Gênes, Pise et Rome, le tout en chemin de fer ; et cette reprise de contact avec la Ferrovia di Stato ne manqua pas de pittoresque, ne serait-ce que parce que chaque contrôleur nous faisait payer gentiment un supplément (léger) aux billets dont on nous avait munis. En réalité, ce voyage fut presque entièrement organisé par notre ami Jean-Maurice Monnoyer qui s'occupait à Gênes des Affaires culturelles ou de l'Institut français, en l'absence habituelle du titulaire du poste. Ce long périple n'alla pas sans surprise ni, puisqu'il était italien, sans pittoresque : la lente découverte des *langhe* et des zones viticoles, les promenades inattendues dans le vieux Gênes et Naples la bruyante. J'y ajoutai, presque involontairement, des épisodes imprévus.

Ainsi, à Gênes, parlant de Mazarin et de son temps, je discourus près d'une heure et demie au lieu des trois quarts d'heure rituels qu'habituellement je respectais : j'avais oublié de sortir ma montre... Le plus étonnant fut que l'assemblée ne pipa pas et posa même des questions, bien que l'heure du déjeuner fût largement dépassée.

La seconde surprise eut pour cadre la salle de conférences de l'École française de Rome où je devais parler aussi du cardinal romain Mazarin, dont les souvenirs abondaient dans l'Urbs. Or, pénétrant dans la salle, j'aperçus le père Blet, ancien disciple de Meuvret et de Tapié, longuement fréquenté à Paris, historien remarquable, d'une culture aussi discrète que profonde et d'un charme certain, même pour un jésuite. Nous tombâmes pratiquement dans les bras l'un de l'autre, et commençâmes à bavarder. La salle attendait, notamment un superbe cardinal, escorté d'un petit secrétaire qui tenait une sorte de portefeuille bordé de rouge, tous deux portant ce type de vêtement mi-ecclésiastique mi-civil qui fait le charme du clergé romain.

La suite fut aussi inattendue. L'ambassadeur recevant au palais Farnèse un ministre de passage, en présence d'une foule qui attendait surtout d'investir le buffet, le mari de Jacqueline — récente et sympathique ex-étudiante parisienne, qui enseignait au lycée français de Rome —, haut fonctionnaire des Douanes françaises habitué du palais, entreprit de nous le faire visiter en détail, avec la complicité d'un porte-clés à qui je glissais discrètement quelques billets. Ce décor du Farnèse, fort impressionnant, avec trop de Carrache, m'écrasa d'ailleurs plus qu'il ne me ravit. Mais l'Histoire était présente, ô combien !

Dans ce périple italien, le plus surprenant fut peut-être l'étape pisane. Non seulement pour la tour penchée, tout ce qui l'entoure et ce qu'on peut découvrir aux environs avec un bon guide, mais pour l'École normale supérieure. Je ne connaissais que vaguement l'existence de cet établissement où pourtant Mandrou allait assez régulièrement. Cette école normale est vraiment aussi « supérieure » que les nôtres, bien qu'elle ne se trouve pas dans la capitale du pays (mais laquelle, au fait ?). On y entre par un concours fort sévère, qui sélectionne des élus peu nombreux, mais de qualité : une vingtaine, fort jeunes, tous francophones bien sûr (et anglophones aussi) dans la classe à laquelle je me suis adressé. J'avais rencontré à Paris le jeune professeur qui leur parlait d'histoire moderne, Viola, et il m'avait impressionné. Ce fut lui que je retrouvai dans cette classe, authentique et attentive. Deux matinées, peut-être trois, je proposai un exposé (en réalité indiqué par Viola) sur tel aspect de la période dite d'Ancien Régime, et pas seulement français. Le temps imparti étant atteint — quarante-cinq minutes —, les questions fusaient, venant des normaliens (filles et garçons) et de leur professeur. J'en ai rarement entendu d'aussi judicieuses, parfois d'aussi critiques, et même d'aussi embarrassantes. Une ou deux fois, je suis resté sans voix, avouant mon ignorance. C'était bien sûr ce qu'attendait Viola, qui avait bien préparé son affaire. Interprété comme de l'honnêteté, mon silence fut apprécié et même applaudi. Nous nous retrouvions tous pour les repas, à la caféteria des étudiants ou dans une simple auberge qu'ils fréquentaient. Le dernier soir, une étudiante me glissa à l'oreille : « Demain nous avons un examen ; alors, nous avons bu du vin. » Cette confidence (?) me laissa à son tour sans voix. L'ENS de Pise, qui admet les étrangers s'ils réussissent au concours (trilingue plus latin), est sûrement une grande institution, et même très belle, puisqu'elle est installée dans l'ancienne commanderie — fastueuse — des chevaliers de Malte.

Ce fut curieusement un colloque espagnol — dont l'évocation va venir — qui nous fournit l'occasion d'un dernier voyage d'historien en Italie. À Santiago de Compostelle, nous avions rencontré et remarqué, parmi tant d'autres, Aldo de Maddalena, le fameux historien de Milan, illustre par son talent, son esprit, sa culture et son caractère, ami de Braudel, et son jeune collègue Marzio Romani, étoile montante, accompagné de sa femme et de sa fille, avec lesquelles Christiane sympathisa très vite. Tous parlaient naturellement un français parfait, et le hasard voulut que nous nous rencontrions à chaque étape de notre retour depuis Compostelle jusqu'à nos terres respectives. De tout cela résulta une invitation en règle pour l'Universita comerciale Bocconi, la plus fameuse de Milan, où tous deux enseignaient.

Outre sa gare, je connaissais seulement de Milan sa cathédrale où nous montâmes, mes enfants et leur mère, un 2 août 1964 — fameux cinquantenaire oublié du 2 août 1914. Cette fois-là, après deux exposés à la Bocconi, nous pûmes entrer dans une connaissance intime de cette énorme ville dont les richesses et les curiosités sont tantôt exaltantes, tantôt inattendues. Aldo, Marzio et les chaleureux et spirituels collègues milanais Saba et Violante nous promenèrent et nous alimentèrent avec la qualité et la fantaisie qui caractérisent le plus souvent les Italiens, même de Lombardie. Le souvenir le plus cher est sans doute constitué par le voyage à Mantoue : Marzio Romani montra au passage l'essentiel de Vérone à Christiane (je connaissais depuis... 1951 !) et nous accueillit chez lui dans cette ville prenante et dans ce foyer chaleureux qu'il est impossible d'évoquer sans émotion.

Bien que les voyages de l'historien soient apparemment terminés, il a bien du mal à ne plus parler de l'Italie et même à la quitter. C'est en partie pourquoi nous avons pris pied à Menton d'où nous pouvons au moins atteindre la montagne ligure, avec ses villages perchés, ses ponts dits « génois », ses églises romanes ou baroques, ses forêts de châtaigniers et son langage (mêlé de vieux ligure ?) à peu près incompréhensible. Il est vrai qu'on nous y prend parfois pour des Italiens ayant migré en France et de retour au pays pour y vieillir et y mourir en paix.

CHAPITRE XXXI

Espagne

Comme un certaine nombre de Français des années soixante, j'ai visité, goûté et essayé de comprendre l'Espagne, toujours à Pâques, la famille supportant mal les étés torrides. Mis à part un passionnant début de printemps passé d'abord à Tolède (une semaine) puis à Grenade (semaine Sainte), nous avions surtout fréquenté la Catalogne, Sitgès d'abord, alors toute pure, puis, dans le sillage d'amis rennais, les environs de Bagur, Palamos (où résidait mon ami catalan Jordi Nadal) et Ampurias, ensemble inoubliable de ruines d'au moins trois civilisations alors abandonné à quelques archéologues et touristes-visiteurs qui n'ignoraient pas ce que fut Emporion. Nous aimions bien les Catalans, y compris ceux du Nord, rebaptisés Roussillonnais.

L'amitié de François Chevalier, rencontré au Mexique puis à la Sorbonne, nous valut un séjour à la Casa de Vélazquez, où je dus donner quelques conférences. En réalité, Madrid et son voisinage nous attiraient surtout. Sous la conduite vigilante, souriante et ô combien savante de Paul Le Flem, secrétaire de la Casa, on nous ouvrit des collections privées, des couvents habituellement clos, des bars et des restaurants vraiment « typiques » et l'on nous aida à bien découvrir l'Escorial et surtout Ségovie, sans secrets pour Le Flem qui en écumait les fonds d'archives. Heureuses découvertes ! Mais je ne connaissais de l'histoire d'Espagne que les conflits européens et les conquêtes coloniales — plus ce que disaient les manuels.

Puis, d'un coup, en 1973, tout changea : ce fut l'œuvre d'Antonio Eiras Roël, *Catedratico d'historia moderna* à la prestigieuse université de Santiago de Compostelle. Sa solidité, son talent, son ambition et son adresse visaient à faire de l'antique université, qu'il illustrait déjà, le centre d'un renouveau profond des études historiques espagnoles — j'allais dire : galiciennes —, loin de la possible omnipotence madrilène. Sa culture était (est toujours) considérable, sa connaissance des langues étrangères fort bonne, et il était visiblement plébiscité par quelques douzaines d'étudiants et d'étudiantes qu'il faisait travailler rudement, suivait de près et « casait » dès qu'il le pouvait. Son ambition, justifiée, était d'imposer son équipe sur le plan national, puis, si possible, international. Pour cela, il imagina de lancer des Journées internationales de méthodologie historique qui — avec l'appui (notamment financier) de l'université, de la province et sans doute de l'Opus Dei — réunirent dans cette ville fascinante, aux richesses artistiques quasi inépuisables, quelque deux cents historiens parmi lesquels les Français occupaient une place de choix (les *Jornadas* suivantes élargirent encore le cercle des nations). Je n'ai jamais pris le terme de « méthodologie » très au sérieux, pensant (peut-être à tort) que le travail et l'intelligence pouvaient en tenir lieu. Mais le mot, dans son vague un peu prétentieux, permet de rassembler beaucoup de gens, souvent les meilleurs.

L'idée centrale d'Antonio (une solitude amitié m'autorise à l'appeler ainsi) était de procurer aux historiens compostellains le modèle français qu'il estimait excellent, et tout particulièrement le modèle des modèles, qui pour lui était Ernest Labrousse. Cela ne l'avait pas

empêché d'inviter un autre chef de file, Roland Mousnier, plus le brio du jeune Le Roy Ladurie, plus l'historien démographe de service, ou celui qu'on croyait
encore tel, bien que son *Ancien Régime* vite traduit en
espagnol lui ait procuré une sorte d'élargissement. On
put ainsi voir ces quatre Français, entourant Don Antonio, ouvrir l'une des premières séances de travail. La
veille, les *Jornadas* avaient été solennellement inaugurées
dans la grande salle de l'université par le recteur, de hautes autorités politiques, Antonio bien sûr et deux Français, dont le signataire de ces lignes, qui siégeait sous un
Christ magnifique et avec un portrait géant du Caudillo
à sa droite...

Malgré des cérémonies, des visites, des concerts, des
festins délicats (mais heureusement vespéraux), les « sessions », les exposés, les discussions, allèrent bon train, et
permirent aux historiens présents, jeunes et moins jeunes, de se connaître, ce qui constitue probablement l'essentiel : les quelques obstacles de nature linguistique
étaient levés grâce aux Toulousains et à quelques Gali-
ciens bilingues. Ce premier congrès se termina par une
cérémonie grandiose à la cathédrale, avec chants, béné-
dictions et homélies (ou discours) ; on balança l'énorme
encensoir, le *botafumero*, pour nous honorer. On m'avait
installé dans le chœur avec Antonio et quelques notabilités, à deux pas de l'archevêque, que je saluais de la
manière rituelle... Ce fut impressionnant et beau.

Bientôt, et les congrès suivants le montrèrent bien,
l'école compostellane publia de solides monographies
sur plusieurs régions de Galice, puis des débuts de synthèse dans lesquels apparurent longtemps les influences
françaises. Antonio parvint rapidement à un véritable
renom, puis un prestige international, qui fit de lui l'un
des chefs de file (espagnol, et plus encore) dans les
grands congrès internationaux.

Je suis retourné trois fois encore à Compostelle et

retrouvais, désormais avec Christiane, cette ville si atta-
chante, les anciens étudiants devenus des maîtres ou
presque, tandis que des jeunes apparaissaient, plus
joyeux et plus à l'aise, semble-t-il, tandis que les enfants
d'Antonio grandissaient, qu'il s'attaquait à une magnifique *Histoire de l'Europe* (éditée à Barcelone !) et que son
prestige était solidement établi.

Aux troisième *Jornadas,* il nous promena de villes galiciennes intérieures en ports grandioses et à rias ensoleil-
lées, sans cesser de travailler dans les interstices, alors
que Mousnier et moi présidions plus ou moins ces activités avec l'autorité de récents retraités. À cette dernière
session étaient présents, avec un contingent français
assez bigarré (Jacquart, Morineau, Vovelle...) des repré-
sentants solides ou illustres de Belgique, comme Bru-
neel, de Suisse comme mon ex-séminariste Anne-Lise et
d'Italie avec la haute figure d'Aldo de Maddalena
accompagné de son jeune et talentueux collègue Marzio
Romani (et la *signora* et la *signorina,* charmantes).
Comme toujours, aux séances officielles s'ajoutaient les
contacts privés, probablement essentiels — notamment
pour nous, qui fûmes invités à Milan pour l'année suivante.

Avant de revenir encore lors d'un circuit espagnol
qu'on va évoquer, nous rencontrâmes à nouveau Antonio dans un colloque — encore un ! — sur les villes d'Europe au XVIIᵉ siècle, qui se tenait... à Porto. L'inimitié
me paraissant évidente entre Espagnols et Portugais, je
m'étonnai. J'appris alors qu'Antonio, Galicien, parlait le
galicien, assez proche du portugais, ce qui lui donnait
en somme droit de cité dans la patrie de Camoëns. Un
contingent non négligeable de Français se trouvaient à
Porto, presque tous gens du Sud-Ouest. En revanche, je
fus si surpris de constater que tant de Portugais comprenaient et parlaient assez bien le français que je me crus
autorisé, durant mon discours d'introduction au congrès

(bien préparé et pour une fois rédigé et distribué aux assistants) de lâcher mon texte et de démarrer dans une improvisation qui paraissait s'imposer. M'apercevant assez vite de l'effarement de l'auditoire, qui cherchait mon discours oral dans le discours écrit, je rattrapai ce dernier comme je pus. Cet incident — qui fit sourire — n'empêcha pas une visite des caves immenses où murissent les grands portos, avec dégustation très sélectionnée. Et le lendemain nous partîmes pour Coïmbra, fameuse université à l'architecture plus surprenante que belle. Naturellement, tout le monde parlait français. Je parlai, nous visitâmes, nous fûmes alimentés, et heureux de cette découverte.

De retour à Porto, nous retrouvâmes congressistes et puissances invitantes. Parmi elles, le fluet abbé Candido qui habitait la chapelle qu'il desservait ; il avait suivi mon séminaire parisien comme celui de Jean Delumeau et collaboré aimablement à ce livre appelé naguère *Mélanges* qu'on m'offrit aux environs de mon soixante-dixième anniversaire.

Puis un couple particulièrement attentif et délicat — dont le nom hélas ! m'échappe —, nous consacra une belle journée pour remonter lentement la côte portugaise, s'arrêtant à telle chapelle, tel lieu de pèlerinage, tel village aux *azulejos* particulièrement remarquables, nous offrant à déjeuner dans un très beau parc dont les ombrages affaiblissaient à peine le soleil d'automne commençant. Cela dit, je ne puis m'empêcher de constater que même à Paris l'entente est souvent aisée entre Français et Portugais, à condition que ces derniers ne se sentent pas méprisés. Et ce peuple courageux, au si riche passé, la mérite amplement.

Un peu plus tard, il fut proposé un jour au retraité que j'étais devenu une « mission » en Espagne comprenant, selon l'usage — pour des raisons financières bien sûr —, beaucoup de conférences en peu de journées. Un peu

288

surpris, mais devinant une initiative d'Eiras Roël (exact, mais il n'était pas seul), j'acceptai naturellement, à condition qu'on me laisse décider des sujets de discours et des lieux. Bref, je fis réduire le périple à Madrid, Compostelle, Valence et Barcelone, et je fis ajouter Séville, que je ne connaissais pas. Je présentai des types de conférences portant sur mes thèmes habituels : paysans, bourgeois et marchands, types de nobles, démographie et l'inévitable Louis XIV. Accueil toujours aimable, public attentif, déplacements faciles — sauf à l'arrivée à Compostelle où l'avion, gêné par le brouillard, manqua deux fois son atterrissage, à la grande frayeur des occupants. La révélation fut Séville que l'attaché culturel d'alors, Lavaud, nous montra dans ses vieux quartiers et ses auberges où l'on chantait et dansait (et dînait aussi) ; il nous laissa découvrir cathédrale et Giralda... Mais le français, comme l'anglais, sont rarement compris dans cette ville — gêne secondaire.

Le plus chaleureux souvenir concerne pourtant Barcelone que je ne connaissais qu'en touriste. À l'université — où le castillan est interdit —, je devais proposer une définition du ou des Ancien(s) Régime(s), et l'on m'avait réservé une petite salle de séminaire ; devant l'afflux des étudiants, on nous déménagea dans une plus grande, puis dans un véritable amphithéâtre. L'accueil particulièrement chaleureux voulait, je crois, remercier plus le Français qui était venu parler en Catalogne que l'historien de l'Ancien Régime. Public plus traditionnel le soir dans la grande salle de l'Institut français. Mais quelle subtile distinction chez le collègue catalan qui nous avait « traités » à midi et quelle cordialité au dîner offert par le directeur de l'Institut français, lointain successeur de mon ami Pierre Vilar, qui s'était fait chasser de ce poste au temps du franquisme !

Je me suis souvent demandé — et je n'ai pas à parler ici de l'accueil reçu en 1964 à Beyrouth et Damas — si les personnages souvent médiocres qui nous gouvernent ont un jour, une minute compris l'attachement qui s'exprime encore dans certains pays pour ce que fut et ce qui reste de la langue et de la culture françaises et pourquoi on songe si peu à l'utiliser, même politiquement.

CHAPITRE XXXII

Terres germaniques

Vers ma trentième année, je m'étais proposé d'apprendre l'allemand, au moins pour le lire. Pris par ma famille et par d'autres travaux, je n'ai pu réaliser ce vœu. Je m'en consolais avec mauvaise conscience en constatant que les Allemands avaient surtout brillé dans les domaines de l'histoire ancienne et médiévale. Du moins ai-je poussé mes enfants à apprendre cette langue, ce qu'ils firent et ce qui amena mon premier contact — très nordique — avec ce pays.

Je ne connais de l'Allemagne, que je ne comprends pas très bien, que ses régions quasi frontalières : Holstein, Luxembourg, Rhénanie, Bavière, plus ce qui fut le cœur du Saint Empire, Vienne, visitée deux fois avec dilection. Ces contacts s'étalent sur près de trente années, avec des trous.

Les premiers sont dus aux enfants. Le lycée de Beauvais était jumelé (avec échange de jeunes gens) avec celui de Plön, jolie petite ville lacustre située entre Lübeck et Kiel. Notre fils eut la chance d'être fort bien accueilli dans une famille où il se plut beaucoup et qu'il revit chaque année. Nous l'y avons rejoint deux fois. M. Stoepel était dentiste et comme tel avait soigné pendant quatre années les dentitions de la Feldkommandantur de Paris. Il avait habité la Cité universitaire, et connaissait Paris au moins aussi bien que nous. Son français, sa culture et son accueil étaient impeccables. Son épouse était l'image même de la mère de famille allemande. Ils avaient deux enfants, que nous accueillîmes à notre tour. Il est d'ailleurs assez remarquable que nos enfants, comme d'autres, considéraient avoir été mieux accueillis en Allemagne qu'en Angleterre — sauf notre fille, qui tomba dans un milieu charmant d'artistes, musiciens, fils de marionnettistes, n'accueillant que deux ou trois hôtes d'été, mais venus de pays différents : ainsi Annie se lia-t-elle, pour longtemps, avec une Viennoise... Quoi qu'il en soit, l'image s'était heureusement transformée depuis les « boches » de la guerre de 14 (dont j'entendis tant parler dans ma jeunesse) et celle, plus dure, des occupants de 1940 à 1944.

Du nord de l'Allemagne, le hasard voulut que les régions de la Moselle m'appellent à leur tour. Une première invitation officielle vint en 1983 : ce fut la seconde de la série des commémorations auxquelles on me demanda de participer (après le Canada, avant les États-Unis). Il s'agissait de Sarrelouis, ville fondée de toutes pièces à la limite du territoire lorrain par les collaborateurs de Louis XIV, qui désirait installer une place-forte puissante près des limites de l'Empire. L'ingénieur Choisy découvrit le site favorable, que Vauban approuva. La construction, commencée en 1680, dura trois ans. La ville resta française... jusqu'aux traités de 1815, soit pendant plus d'un siècle. Très endommagée par la récente guerre, elle a été exactement restaurée sur son plan primitif, et une partie de ses remparts subsiste. Pour ce tricentenaire, je fus donc choisi comme historien français du XVIIe siècle... et on me demanda naturellement d'évoquer la France de 1683. Mon intervention, forcément en français, n'avait pas été traduite en allemand au préalable, par un mauvais concours de circonstances. Cela n'empêcha pas les auditeurs, dont la plupart n'avaient compris goutte, de m'applaudir à l'allemande, selon une technique que j'ignorais : des séries de coups de poing frappés sur la table ; j'approchais alors de 70 ans, on s'instruit à tout âge. Quoi qu'il en soit, visite brève, belle ville, accueil poli.

Dans la même région, les autres visites revêtirent une autre qualité, et une réelle chaleur.

Bien que les villes et les gens ne se ressemblent que bien peu, je réunis dans le même bonheur de souvenir le Sarrebourg de Rainer Hudemann et la passionnante cité de Trèves où régnait, dans son secteur (un peu le mien) l'assez savoureux Irsigler. Tous les deux parlaient un français de qualité, savaient organiser à la fois le travail et les distractions et éprouvaient une visible sympathie pour tout ce qui venait de France. Dans une université comme dans l'autre, je présentai, comme d'habitude, un état de la recherche en France sur les sujets qui nous intéressaient les uns et les autres : démographie historique sans doute, mais aussi monde paysan, conjonctures économiques et régime politique ; par surcroît, en postface ou préface à un livre ancien ou à venir, une esquisse revue des personnalités de Louis XIV et de Mazarin. Suivaient des questions tantôt simple curiosité, tantôt aimables ou astucieux pièges.

Hudemann (qui a paru depuis à la télévision française) avait épousé une Bretonne rencontrée lors de son année de « séjour linguistique » à Rennes ; tous les deux, après nous avoir bien fait visiter Sarrebourg restaurée, organisèrent chez eux une intelligente soirée franco-allemande où nous avons pu rencontrer des gens fort séduisants et lever ensemble notre verre à une bonne compréhension de nos deux pays — enfin !

À Trêves, que je n'imaginais pas si riche en monuments romains, à côté d'une ville restaurée et reconstruite avec goût et précision, Irsigler nous servit naturellement de guide ; de plus, il eut la bonne idée

293

de nous en faire sortir. Il nous promena dans l'étonnant vignoble mosellan, tout en escaliers et alors en pleine vendange ; il nous montra de bien pittoresques villages, cousins de ceux d'Alsace, pourvus également de caves admirablement organisées... et garnies. Comme c'était aussi le temps de la chasse, cet œnologue et fin gourmet nous introduisit et nous « traita » dans des auberges vraiment « typiques » (comme on dit) où faisans et venaisons plus puissantes se mariaient remarquablement avec les vins de Moselle. Irsigler maniant sa Mercedes avec autant de maîtrise que les archives et les aliments du lieu, nous rentrâmes à Trêves avec une remarquable vélocité.

L'autre rive de la Moselle, nous la découvrîmes un peu plus tard, dans le grand Duché trilingue (la troisième langue étant le luxembourgeois) où nous avait invités notre collègue Trautsch rencontré lors d'une soutenance de thèse d'histoire rurale à Liège. Il existe en effet au Luxembourg des « grands-ducaux » (comme disent les Belges qui possèdent un morceau de ce très vieux pays — la France aussi, d'ailleurs) un « collège universitaire », dénomination bien modeste pour la qualité de son enseignement. Nous arrivâmes donc par une très belle journée d'automne avec une voiture qu'on nous parqua facilement (performance ici !) dans cette ville riche et riante qui domine un profond canyon de l'Alzette — sauf erreur, encore une ville fortifiée par Vauban — accueillis à l'hôtel Paulus, établissement ancien, digne et sobrement somptueux, posé juste au bord du gouffre. Puis nous entamâmes (c'est notre tradition) une petite visite personnelle avant de passer aux choses universitaires. Nous avons découvert une ville d'une propreté néerlandaise, bien fleurie, avec de larges avenues, une banque tous les cinquante mètres, d'agréables petites rues pavées dans la vieille ville et, dans une sorte de recoin, le palais grand-ducal, ancien et modeste, avec un soldat unique en faction ou en représentation. Au loin, sur le plateau, s'élevaient orgueilleusement les bâtisses ultra-modernes de la portion d'Europe qui ne siège ni à Strasbourg ni à Bruxelles.

On nous attendait pour un repas assez officiel, vite réchauffé par la gentillesse des hôtes, le charme du décor, l'excellence de la table et la vivacité de la conversation. Il fallait bien ensuite — mais j'étais là dans ce dessein — affronter l'exposé aux étudiants et chercheurs, puis la conférence publique. J'ai oublié les thèmes abordés, mais je crois bien que l'un d'eux, inhabituel, fut consacré aux problèmes militaires, parce que l'ombre de Vauban s'imposait... et que je venais de lire de près l'excellent Corvisier. Puis Trautsch réunit quelques amis proches chez lui, pour un dîner à la fois très luxembourgeois et très chaleureux.

Le lendemain, le temps demeurant magnifique, nous repartîmes doucement par ce qu'on appelle le chemin des écoliers, entre la Moselle à gauche et, à droite, des vignobles soignés et de charmants villages fleuris aux terrasses accueillantes. Après dégustation, nous rapportâmes à Paris quelques bouteilles d'un excellent vin blanc qui ne vieillit pas longtemps à la cave.

En 1965, dans un tout autre style, deux grands congrès internationaux se tinrent en terre germanique. Le premier, à Munich, fut braudélien et de style *Annales* (de l'époque) ; le second, à Vienne, fut non-braudélien et très classique, au meilleur et au pire sens du mot. Je travaillai au premier ; je me fis touriste au second.

Le congrès de Munich fut pratiquement l'un des derniers où je rencontrai des Européens de partout, des Américains et de nombreux (et solides) Japonais, passionnés par les thèmes apparemment vieillissants de la démographie venue à son summum, du monde paysan analysé dans des dizaines de régions, et des fluctuations économiques longues, moyennes ou courtes ; j'y vis pour la dernière fois Jean Meuvret entouré d'une cour nippo-

295

ne ; je reçus Emmanuel Le Roy Ladurie comme guide pour essayer de me faire goûter l'art du XXᵉ siècle dans l'un des deux grands musées de la ville ; j'y tâtai quelques chopes de bières variées ; j'y vis deux ou trois églises baroques, très italiennes, qui me ravirent. Ma fille et sa mère étaient de toutes les visites organisées « pour les dames », et m'auraient bien communiqué leur expérience si nous n'avions dû nous transporter rapidement à Vienne, pour le plus solennel des deux congrès internationaux.

Ce qu'on y fit, je n'en sais trop rien ; j'ai dû y faire acte de présence deux fois, quand tels amis prenaient la parole. Mais cette grande et saisissante capitale d'un pays devenu trop petit, je l'ai bien parcourue : le Ring, les petites rues, les vastes places, les églises spirituellement baroques (la cathédrale n'était alors qu'à demi reconstruite), le lourd palais de la Hofbourg, le trop riche musée, la relative élégance de Schönbrunn, l'élégance réussie du Belvédère bâti par ce prince Eugène que méprisa Louis XIV et que vénèrent toujours les Viennois ; et toutes ces ruelles et ces demeures modestes d'artistes que me fit découvrir Tapié qui me consacra une matinée entière, avant de monter se recueillir au Kahlenberg où les princes chrétiens (sauf les français) vainquirent enfin l'Infidèle — turc — avant de le repousser loin vers l'Est, grâce encore au prince Eugène. De Vienne aussi, la partie cultivée du congrès partit un matin en autocar pour visiter l'impressionnante abbaye de Melk (et sa richissime bibliothèque) juchée au-dessus du Danube en un site aussi admirable que son architecture. Retour organisé en bateau sur le Danube, avec l'inévitable halte dans un village de vignerons qui nous fêta en musique, en danses, en produits du terroir. Sur le bateau du retour, j'ai longtemps conversé avec l'ex-doyen de Lyon, Latreille, qui m'a entretenu gravement de la Jeunesse étudiante chrétienne et de la puissante « paroisse universitaire » : il pensait que, ayant été choisi par Henri Fréville (âme de ces deux mouvements, puis du MRP) pour lui succéder, je devais professer les mêmes et respectables opinions. Je me gardai bien de le détromper ; aussi eus-je droit au récit de son unique entrevue, glaciale, avec le général de Gaulle : ancien conseiller canonique du gouvernement, il osa réclamer, sans succès, le renvoi de quelques évêques par trop collaborateurs. Ce fut là aussi que mon ami de Louvain le chanoine Aubert m'expliqua brillamment ce que fut l'Église triomphante et même triomphaliste de la Contre-Réforme et donc l'art baroque qui la chanta et qu'elle favorisa... à Melk par exemple.

Le sort a voulu que, un bon quart de siècle plus tard, la ténacité vigilante de Jean-Maurice Monnoyer, qui déjà avait organisé notre périple italien, nous fasse parvenir une invitation pour Vienne où il résidait désormais. Je parlai donc à l'Institut français de Vienne à la fois de l'époque mazarine et du début du relèvement des Habsbourg, notamment sous l'influence du prince Eugène, dont le souvenir est toujours vivant dans cette cité — et son Belvédère toujours pieusement visité (il me souvient qu'une partie du congrès y dîna en 1965). Mais la conférence était en partie un prétexte. Nous étions venus pour voir Vienne, en quelque sorte dans son intimité, sous la conduite de ce garçon dont le goût égale la culture. Grâce à Jean-Maurice, nous découvrîmes des ruelles ignorées, des maisons raffinées, des pâtisseries et des brasseries (dont le café du Dr Freud), des caves à bière ou à vin hantées par les Viennois, des galeries de tableaux récents qui, pour une fois, ne me choquèrent pas... et ces petites et grandes églises, dont la cathédrale reconstituée, et Saint Michael où nous avons entendu, en entier, debout, dans le recueillement, le *Requiem* de Mozart, ici vénéré comme les autres musiciens qui habitèrent telle maison discrète, comme celle des Trois Jeunes Filles... J'ai quitté Vienne (après la grève rituelle d'Air-France) avec le sentiment poignant que ce serait sans doute là l'un de mes derniers grands voyages, tout au moins d'historien.

Je garde aussi de Vienne, je tiens à le redire, le souvenir d'un Victor-Lucien Tapié attentif, ému, me guidant voici trente ans, se recueillant au Kahlenberg, et clôturant, à l'Opéra, le grand congrès de 1965 avec la délicatesse et le panache qui étaient sa marque... Et aussi le souvenir affectueux de Jean-Maurice Monnoyer et des siens, qui nous ont accueillis deux fois — à Gênes, à Vienne — et que nous avons perdus de vue, comme tant d'autres...

CHAPITRE XXXIII

Grande-Bretagne

Je suis allé en Angleterre pour la première fois en 1963, appelé par une invitation venue de Cambridge. J'avais alors quarante-huit ans. Oxford suivit, attendant sagement cinq années. Londres clôtura cette modeste série en 1985. Trois invitations furent d'origine française, une quatrième strictement personnelle (elle émanait de Lawrence Stone) ; une seule, la première, émanait d'une université anglaise. C'est dire, en peu de mots, à mon échelon, la relative difficulté des relations franco-anglaises — cependant, trois de mes livres furent traduits en anglais. Il ne s'agit donc pas d'une mésentente de fond, mais probablement de forme.

Dieu sait pourtant avec quelle passion j'ai lu Shakespeare vers ma quinzième année, dans de petits livres rouges et reliés qui se débitaient sur les quais de Saumur, à une sorte de marché aux puces du samedi. Plus tard, j'abordai des éditions bilingues, pas seulement de Shakespeare. Mais rien d'historique.

Devenu historien dans les années cinquante, et principalement attiré par le XVIIᵉ siècle, pas seulement français, je fus amené à donner des cours, au niveau de l'agrégation, qui portaient parfois sur l'Angleterre comme sur les Pays-Bas, l'Espagne et le monde colonial. Je m'aperçus très vite que les ouvrages français, hormis quelques-uns,

299

étaient bien insuffisants, parfois fort médiocres, et souvent inexistants. Fort heureusement, je pouvais attraper et parfois conserver quelque temps les livres anglais (ou en anglais) dans quelque bibliothèque universitaire, Rennes ou Paris (et, à l'occasion, consultés à la Bibliothèque nationale). Ce n'est pas ici le lieu de dresser un florilège, mais enfin comment se passer des collections d'Oxford et surtout de Cambridge, du vieil et solide ouvrage de Trevelyan, de David Ogg, de Sir George Clark, de Charles Wilson, de Maurice Ashley enfin traduit (avec un titre faux) trop peu fréquenté par tel ou tel historien français). Faut-il redire le talent des historiens anglais de la terre — découverts en 1955 à partir d'Hoskins —, et répéter, sans doute en vain, que l'histoire (capitale) des Pays-Bas comme celle de tous les empires coloniaux ne pouvait, du moins hier, être abordée qu'à l'aide d'ouvrages écrits en anglais ? Je me permets d'ajouter qu'il existe actuellement en France bien peu d'historiens de la puissance et de la finesse de Joseph Bergin, et peut-être aucun qui puisse se hisser au niveau de Thomas Munk et de son *Seventeenth Century Europe* (1990).

Ces deux derniers n'étaient sans doute que des gamins lorsque, après une traversée mouvementée, nous prîmes à Victoria un taxi qui roulait à gauche (j'en fus presque incommodé !) et nous conduisit à un vaste hôtel proche de Piccadilly, à partir duquel nous avons entrepris de découvrir la ville. Après de robustes *breakfasts*, nous fîmes donc connaissance des autobus rouges, des *bobbies* géants, des *gentlemen* à chapeau melon et à parapluie bien roulé et surtout de trois de ses plus beaux musées, et de la Tamise dont les rives et les eaux n'étaient alors pas trop polluées. Puis un train typiquement anglais (ouvrir portes et fenêtres nous posa un petit problème...) nous conduisit, à une sage vitesse, vers Cambridge où nous attendait Peter Laslett.

300

Personnage long, mince, au faciès inoubliable, remuant pour un Anglais, Laslett était venu, ai-je cru comprendre, du journalisme ou de la radio et peut-être de la sociologie (non délirante en ce pays) pour se convertir à la démographie historique. Il fut bien connu, quelques années plus tard, par un ouvrage à la fois large et hasardeux sur *Le Monde que nous avons perdu,* puis par un autre sur les types de familles, fort neuf, presque astucieux, mais qui ne me convainquit pas vraiment. En 1963, son objectif consistait à prouver que la famine (que j'avais évoquée en Beauvaisis) n'existait pas, du moins en Angleterre (elle n'eût pas osé, et d'ailleurs la peste suffisait : c'était justement l'imminent tricentenaire de celle de Londres). Il avait d'ailleurs raison : en anglais, *starvation* ne tient pas compte de la signification beaucoup plus large du mot dans la langue française du XVIIe siècle : il recouvre les notions de cherté plus que de rareté, et d'épidémies dues aux aliments malsains, accentuées par la misère et la promiscuité.

Quoi qu'il en soit, Laslett était venu jusqu'à Rennes au début de l'été, avec femme et enfants, pour me communiquer ses premières réflexions et une invitation qui arrivait bien, puisque j'achevais de recouvrer la santé après de graves ennuis. En réalité, toute la famille Laslett venait en vacances en Bretagne, accompagnée d'une quantité considérable de nourriture anglaise, parce que personne ne supportait l'alimentation et surtout la cuisine française (la réciproque n'est pas fausse) — je crois même qu'ils transportaient de l'eau bien anglaise pour le thé. Aussi déclinèrent-ils gentiment, mais en l'argumentant comme ci-dessus, notre invitation à déjeuner (ou dîner). Nous ne fîmes pas de même chez eux, mais ce fut une épreuve.

Laslett nous attendait donc à la gare et nous installa dans un délicieux hôtel de la campagne anglaise, à l'entrée de Cambridge, au bord de la Cam, un fort joli site.

Le lendemain vint l'épreuve de l'exposé, en français, devant des étudiants anglais. Il devait être uniquement question de démographie historique, avec chiffres et graphiques à l'appui. Ce n'étaient pas les munitions qui me manquaient, mais le langage. Ayant risqué quelques mots d'anglais — pour traduire notamment conception, avortement, sépulture — je déclenchai par mon accent une franche hilarité qui dura suffisamment pour que je me promette de ne plus jamais parler anglais en Angleterre, du moins dans les universités. Promesse tenue. J'appris aussi que, par définition, un Anglais moyen ne cherche pas à comprendre, mais uniquement à être compris. Les Américains, plus ouverts, plus corrects, n'auraient jamais eu cette attitude. Mais enfin je n'avais pas encore vraiment appris l'anglais parlé, et il faut bien que jeunesse s'amuse, surtout à Cambridge. Sur le plan scientifique, Laslett comprit sans doute que le Beauvaisis (comme le Val de Loire) ne ressemblait pas à l'Angleterre, facilement ravitaillée par mer. Le contraire eût d'ailleurs surpris.

Nous allâmes ensuite visiter quelques collèges, tous riches d'histoire et aussi beaux que divers. Nous étions dans la magnifique chapelle de Trinity College (est-ce bien celui-là ?) lorsque retentirent les onze coups de onze heures. *Morning coffee*, s'écria Laslett. Nous lâchâmes la merveille pour aller bien loin recevoir une tasse d'un liquide brunâtre accompagné d'une molle petite galette... Cette heure était donc sacrée, hélas ! comme celle du thé !

M'attendait ensuite une de mes vieilles connaissances, le professeur Postan ; grand ami de Braudel, médiéviste de grand renom, homme d'esprit qui parlait une dizaine de langues avec le même accent, il contait volontiers qu'il ignorait sa nationalité exacte (en fait, anglaise !), ayant été conçu, prétendait-il, dans la Bessarabie russe, mais né dans la Bessarabie roumaine — probable galéjade

302

postanienne. Toujours est-il qu'après avoir remis Odette aux mains de Lady Postan, son épouse, il m'entraîna vers le réfectoire de je ne sais quel collège fort ancien. Les professeurs prennent leurs repas sur une sorte d'estrade qui domine les étudiants, ce que j'ignorais. La table était magnifique, la vaisselle, les verres, les couverts d'une surprenante délicatesse ; ce qu'on nous servit ne peut avoir de nom, même en anglais. Après l'épreuve, terminée par une chose demi-froide, Postan, presque hilare, me prit par le bras et m'entraîna dans un petit salon : « J'ai voulu, me dit-il en substance, que vous goûtiez la cuisine la plus mauvaise du plus médiocre collège ; maintenant voici la récompense. » Je m'attendis au rituel porto. « Mais non, me dit-il, le bourgogne du collège. » Ce fut en effet une remarquable récompense. Sauf en Belgique et à Dijon, je n'en avais jamais bu de meilleur. J'appris en passant qu'un ou deux professeurs d'Oxford étaient délégués, les bonnes années, pour aller en Bourgogne goûter (en fûts) les meilleurs crus, les acheter en barriques, expédiées ensuite à Cambridge avec les plus grandes précautions et mises en bouteilles au moment requis dans les caves les meilleures du meilleur collège, en attendant l'année dans laquelle les vins atteindraient leur summum. J'appris par la suite qu'à Oxford on faisait de même, mais plutôt avec du bordeaux.

Après avoir sensiblement vidé la bouteille, nous retrouvâmes les dames chez Lady Postan, dans une fort belle maison délicatement décorée et regorgeant d'œuvres d'art de petit volume et de grande qualité. Lady Postan avait servi à Odette des crevettes peu dégivrées et un poulet un peu cru. Mais le charme était présent. Puis on nous montra l'imposante cathédrale d'Ely, seule au milieu d'un quasi-désert.

Le lendemain, nous nous trouvâmes à Birmingham où je distribuai aussi quelques échantillons de démographie historique, décidément en vogue à cette époque, sur l'invitation du Dr Eversley, personnage savant, jeune et solennel, que j'ai retrouvé plusieurs fois par la suite : il avait la spécialité de parler l'anglais comme le français de la même et étrange manière, assez britannique, qui consiste à ouvrir à peine la bouche. Il nous montra gentiment Stratford-on-Avon, presque trop bien reconstitué.

Puis, un samedi, nous avons repris un de ces délicieux trains anglais qui traversaient en fumant des campagnes à la fois vertes et brumeuses : nous avons ainsi aperçu les couleurs rutilantes d'une chasse à courre, et surtout beaucoup d'Anglais cherchant dans le brouillard un ballon presque invisible afin de le propulser du pied, devant nul spectateur, donc pour le plaisir.

Nous retrouvâmes alors notre caravansérail de Piccadilly, de nouveaux musées, quelques boutiques et les délices inattendus de la *carvery* de l'hôtel où l'on pouvait se régaler d'admirables viandes non bouillies, sans sauce, et admirablement rôties. Cela présageait, après une sérieuse tempête sur le Channel, le dîner alors succulent qu'on trouvait encore dans les trains français.

J'ai raconté ailleurs, dans les pages qui concernent Princeton, notre deuxième voyage à Oxford, sur les terres anglaises de Lawrence Stone qui nous montra en détail les collèges, les églises, la célèbre bibliothèque — avec en supplément le spectacle nocturne donné au château de Blenheim, don de la reine Anne, avec des centaines d'acres, à John Churchill, duc de Marlborough, qui venait d'écraser l'armée française en 1704 près du village allemand du même nom. Ce fut une heureuse préface à notre voyage à Princeton dont les bâtiments universitaires avaient en partie copié ceux d'Oxford.

Le deuxième séjour à Oxford est probablement dû à la collaboration du directeur de la Maison française et de mon vieil ami Richard Cobb. L'invitation s'adressait aussi à Robert Mandrou (nous nous complétions et nous entendions fort bien). On nous organisa une sorte de duo

304

historique avec des intermèdes anglais. Il faisait, par extraordinaire, un soleil magnifique. Les étudiants s'étalaient au soleil, ramaient lentement sur la Tamise, tandis que quelques hardis garçons jouaient au cricket, dont j'essayai, sans résultat, de comprendre les règles. Un public nombreux avait suivi, comme de coutume, nos prestations alternées à la Maison française. Leur intérêt était accru du fait qu'un dîner très français suivait habituellement là conférence annoncée. On nous logeait et nous gardait deux jours, afin que nous puissions goûter aux charmes de la vieille ville et aux promenades le long de la rivière.

Un soir, Cobb organisa un grand dîner dans le cadre somptueux d'un des plus beaux collèges (All Souls ?), dîner servi dans une vaisselle de grand prix par des serviteurs vêtus à l'ancienne. Comme d'habitude, la qualité des liquides réussit presque à faire oublier l'étrangeté des mets (coquilles Saint-Jacques longuement bouillies, filet de bœuf ultra-cuit nappé d'une sauce apparemment au chocolat). Après quoi nous passâmes au salon où Mandrou et moi fûmes priés de déguster et comparer l'étonnante collection de vieux cognacs que conservait l'établissement. Nous fîmes de notre mieux. Sur quoi Cobb, la larme à l'œil et quasiment à genoux, nous supplia de rester à Oxford ou d'y revenir, nous promettant logèment et nourriture, à la condition expresse que nous n'y fournissions aucun travail. Les choses en restèrent là.

Ce fut, c'était, c'est toujours un personnage à la fois très séduisant et très difficile à définir que ce Richard Cobb que presque tous les archivistes et historiens « modernistes » de France et de Navarre ont connu et apprécié différemment, dès les années cinquante : il s'occupait alors de l'« armée révolutionnaire » (et non des armées constituées). J'ai dû le rencontrer chez Meuvret où il aimait venir se restaurer et parler, notamment quand j'y étais, le mercredi ou le jeudi. Meuvret, tout en proclamant qu'il avait « presque » tous les défauts, l'aimait en réalité beaucoup pour son esprit, son étonnante érudition, sa connaissance de nombreux milieux, historiques ou non, en France comme en Grande-Bretagne. Cobb, comme Meuvret, était intarissable sur les archives et les archivistes, alors volontiers folkloriques (on nous les a changés). Leurs recherches les amenaient tous les deux à faire des sortes de tours de France qu'ils racontaient plaisamment. Après une longue période où la fantaisie et le sérieux se complétaient, Cobb fut pratiquement obligé, si j'ai bien compris, d'accepter un poste de professeur dans une modeste université avant de gagner Oxford qu'il adorait et adore encore. On l'envoya au Pays de Galles, à Aberystwyth d'où il m'écrivit une longue lettre spirituellement désolée. Il en sortit par je ne sais quelle astuce pour débarquer, le 22 mars 1958 (pas 68 !), dans la salle de la Sorbonne où je soutenais ma thèse devant cinq personnages intarissables. Cet incroyable geste, bien dans le style de Cobb, me toucha beaucoup.

Élu enfin à Oxford, on le vit beaucoup moins, et d'ailleurs il n'aurait jamais eu l'idée de venir à Rennes où j'ai habité durant six années (mais il vint à Beauvais auparavant). Ce dut être vers cette époque qu'il eut comme étudiant à Oxford Robert Darnton (et Susan) qu'il conseilla pour son Ph. D américain. Ce dut être vers ce moment aussi que nous rompîmes des lances, sans le savoir. Excellent et percutant écrivain, il collaborait (je l'ignorais) au remarquable *Times Literary Supplement* où il donna un émouvant et élogieux compte rendu de mon livre sur *Louis XIV et vingt millions de Français*, texte non signé, selon la curieuse habitude anglaise (1966). Il s'en prit un jour dans sa chronique à l'École des hautes études et aux *Annales* en des termes passionnés et rudes. Pour une fois, j'envoyai une réplique assez vigoureuse sous la forme très anglaise d'une « Lettre à l'Éditeur »

306

qui fut intégralement traduite et publiée (ce n'est pas en France que...). Un mot de Cobb m'apprit la vérité, et n'hésita pas à me remercier de ma réplique.

J'ai retrouvé une quatrième fois Oxford et Cobb (heureux jeune père...), sur l'invitation couplée de l'Institut français de Londres et de Monica Charlot, la si accueillante et si remarquable biographe de la reine Victoria, qui dirigeait alors la Maison d'Oxford. À Londres certes, à Oxford surtout, conférences et questions ; la dernière, suivie d'un long aparté avec Cobb (auprès d'une bouteille de Martini), faillit nous faire oublier le dîner si français de Monica Charlot que tant de collègues anglais, y compris les plus critiques, attendaient poliment.

Le lendemain, je promenai Christiane dans Oxford et le long de la rivière, qu'elle ne connaissait pas, avant qu'on nous mette dans le bus pour Heathrow. En arrivant à Paris, un coup de téléphone du *Monde* m'apprit la mort de Braudel en me demandant une sorte d'oraison funèbre, livrable avant six heures du matin. J'y passai la nuit.

Ce fut mon dernier voyage à Oxford et mon dernier article pour *Le Monde*, qui par la suite rendit compte d'un livre posthume de Braudel d'une manière que je trouvai inacceptable.

ÉPILOGUE

France

Les pages précédentes pourraient laisser croire que j'ai passé une bonne partie de ce qu'on appelle une carrière à aller enseigner ou discourir à l'étranger. En fait, congrès et colloques sont presque toujours placés durant les vacances universitaires, sensiblement les mêmes dans les pays concernés. D'autre part, il entrait dans le statut des professeurs d'université de pouvoir obtenir une « autorisation d'absence » de six semaines chaque année pour des « missions » hors de France. En vingt années, 1958-1978, j'ai obtenu une trentaine de « semaines » de missions (Princeton, Japon, Canada, Côte-d'Ivoire).

J'ai quitté l'enseignement appelé naguère « secondaire » pour être « détaché » au Centre national de la recherche scientifique, comme tels autres « thésards » (on dit aujourd'hui « doctorants »), parmi lesquels Dupeux et René Rémond. En 1953, on m'a demandé de donner des cours (de préparation à des CAPES et à l'agrégation) dans une, puis deux écoles normales supérieures (technique, à Cachan et Saint-Cloud, mon ancienne école) : ce fut une riche et féconde expérience. En 1955, avec la quadruple bénédiction de Febvre, Braudel, Labrousse et Meuvret, j'étais élu directeur d'études — donc chargé de séminaires de recherche à la VIᵉ section de l'École pratique des hautes études (déjà fameuse, notamment hors

308

de France) qui occupait quelques mètres carrés dans la partie nord de l'aile Saint-Jacques de la Sorbonne. En 1958, sur l'invitation expresse d'Henri Fréville élu député — personnage aussi clair que chaleureux —, j'assurais sa suppléance à la faculté des Lettres de Rennes où j'ai trouvé, loin des intrigues parisiennes, des amitiés de toutes sortes. J'en sortis en 1965 (statutairement, je n'étais que suppléant) pour Nanterre nouvelle-née, puis pour la Sorbonne en 1969.

Ennuyeux, mais nécessaire, ce résumé contribue à comprendre la manière, souvent diverse étant donné la variété des auditoires, dont j'ai essayé d'enseigner l'histoire dite en France « moderne » (de la Renaissance à la Révolution exclue), avec une préférence pour le XVIIᵉ siècle.

J'ai toujours pensé qu'enseigner l'histoire (du moins dans l'enseignement supérieur, je suis incompétent pour le reste) ne nécessitait pas de théorification, méthodologie ou dissertation pédagogique préalables, même exprimées en langage clair. Il est d'autres domaines ou d'autres disciplines pour ces fréquents bavardages et les curieuses langues qu'ils ont instituées. Mais il semble que je sois l'un des derniers à soutenir ce point de vue.

Il convient avant tout d'être non pas un discoureur, mais un véritable historien qui domine le sujet proposé (ou choisi par lui), ce qui s'obtient à la fois par des lectures nombreuses, de qualité, pas seulement en français — et aussi, et surtout par le travail d'abord artisanal qui consiste à hanter, déchiffrer et comprendre divers fonds d'archives — ; seuls, ou presque, ceux-ci donnent à cet aspect de l'historien qu'est le chercheur des lumières directes, précieuses, parfois nouvelles. Qui n'a pas sérieusement cherché et beaucoup lu ne devrait pas être digne d'enseigner dans le supérieur, ou alors autre chose que l'histoire. Même modeste, le temps de l'apprentissage ne saurait être inférieur à dix ans — sauf rares exceptions, surtout en histoire dite contemporaine. On m'a assuré qu'on peut être excellent mathématicien à vingt ans ; historien, sûrement pas. Un homme de la stature de Georges Lefebvre s'est révélé autour de la cinquantaine ; Labrousse, du moins pour sa grande thèse, à peine moins, Braudel avait dépassé quarante ans (mais il y eut la captivité) ; Lucien Febvre lui-même approchait trente-cinq ans lorsqu'il publia sa thèse sur Philippe II et la Franche-Comté.

Bien dominer son sujet — ses sujets — ne suffit pas. Il faut naturellement savoir le rendre clair pour le public, très variable, auquel on s'adresse, le mettre donc à sa portée sans le déformer ou l'avilir. Pas toujours facile, puisqu'on risque d'être écrasé par la masse des connaissances et la variété des interprétations.

L'historien parle d'hommes et de femmes qui ont vécu à une certaine époque, en un certain milieu, souffert ou supporté telles charges ou tels malheurs, travaillé, senti aimé, prié, redouté... des êtres de chair et peut-être d'âme. Comment ne pas tenter, même si cela comporte des risques, de les faire vivre, revivre et oser parfois les ressusciter, pour autant qu'on puisse y atteindre ? Il n'est pas d'histoire morte, sinon par la carence, la tristesse ou l'outrecuidance de l'historien.

La plus grande partie de mon enseignement s'est naturellement adressée à des jeunes, parfois à des hommes et des femmes faits, assez souvent timides ou fiers. La plupart — surtout avant l'explosion de 1968 — n'osaient ni questionner ni même parler. J'ai toujours essayé d'aller vers eux, ce qui était plus facile quand les groupes d'auditeurs étaient réduits. Que cela ait réussi un peu, beaucoup ou non, ce n'est pas à moi de le dire. Mais il semble que ce ne fut pas une faillite.

310

Il existe bien des manières d'enseigner l'histoire. Elles dépendent d'abord du nombre d'auditeurs. À Rennes, en 1959, ils étaient une quarantaine en licence, quelque cent cinquante en propédeutique (ancêtre valeureux du DEUG) ; en cinq ans, leur nombre doubla largement, ce qui signifie que, même en licence, j'avais du mal à les connaître tous. À Nanterre, on dépassait les cinq cents en première année : l'enseignement supérieur tenait à un micro, et je n'ose parler de la démentielle Sorbonne avant qu'on ne la coupe en morceaux en 1971. En une vingtaine d'années, les séminaires de recherche étaient passés de quelques unités, inégales, à plusieurs douzaines, ce qui semblait déraisonnable (mais comment les chasser ?). Dans les ENS, bien sûr, ce fut toujours une élite, qui grossit un peu au fil des ans, que je n'ai jamais perdue de vue, et qui a bien vieilli (même en fuyant vers l'ENA).

En fin de compte, le professeur d'histoire que je fus peut s'identifier à une sorte de Maître-Jacques. Simple, vivant, un tantinet bateleur avec les plus jeunes, à qui il s'agit surtout de donner le goût de l'histoire. Une question souvent mise au programme comme la France à la fin de l'Ancien Régime, apparemment banale, se montrait en réalité fort riche parce qu'elle permettait des échappées dans toutes les directions : politique, économie, société, culture, littérature, mentalités. Elle pouvait servir à susciter (ou non) des sources d'intérêt, des débuts de passion, des idées de vocation, du moins chez les étudiants qui ne venaient pas là pour passer le temps. Au niveau de ce que fut la licence (éclatée désormais en « unités de valeur » à l'américaine, souvent en pire, qui découpent de petits morceaux dans un grand corps mal aperçu), les étudiants attendaient des ouvertures dans des directions jusque-là ignorées. Ainsi, à Rennes, le monde de la démographie historique (inconnu), celui de l'analphabétisme (connu depuis un siècle, et oublié), et

311

les grands thèmes de la sociologie religieuse de Boulard et Gabriel Le Bras, curieusement méconnus en une province si catholique... Ou bien, pour les Parisiens des arrondissements riches ou de la « bonne banlieue » affectés d'office à Nanterre et à sa boue primitive, une échappée vers l'Amérique d'avant, pendant et après la conquête, évoquée surtout d'après des livres de qualité (en anglais). En somme, un éveil et un élargissement d'horizon. Peu à peu, ces jeunes gens venaient parler du cours, de leurs projets, d'eux-mêmes, de plus en plus, à mesure qu'approchait l'éclat de mars 68, qui ne pouvait beaucoup surprendre, qu'il s'agissait de comprendre, sans s'associer aux inutiles violences postérieures.

À la Sorbonne, les étroites spécialisations de mes nombreux collègues — Espagne, Angleterre, Amériques, Allemagne, monde russe, ex-colonisation, puis XVIe siècle et même fin du XVIIIe me confinaient pratiquement au XVIIe siècle, à la France seule, aux paysans, et à la démographie dont j'étais las. Je cultivai comme je pus ce qui me restait. Mais la répétition finit par tuer l'enthousiasme. En outre, la masse des étudiants était devenue telle que le nombre, la place et le rôle de ceux qu'on appelait alors assistants ou maîtres-assistants ne pouvaient fort heureusement que croître. À Rennes comme à Nanterre et à Paris, nous avons travaillé ensemble avec confiance, sans doute efficacité et parfois plaisir. Je ne pense pas, dans un florilège aussi inconvenant qu'incomplet, avoir ici à les nommer tous, que je revois encore pour la plupart. Mais il m'est impossible de ne pas rendre un hommage tout particulier à celle qui fut l'une des plus attentives, des plus efficaces et des plus aimées, Marie Benabou, admirable lumière trop tôt éteinte.

Beaucoup de ceux-là m'aidaient à tenir des séminaires qui, dans les dix ou douze dernières années, furent particulièrement féconds. Il s'y préparait et discutait des mémoires de maîtrise (j'en eus trop, mais je fus très aidé), des thèses, et chacun exposait ou venait (parfois d'assez loin) présenter ses recherches en cours, ou analyser (et discuter) tel livre nouveau. Le séminaire continuait parfois dans un assez triste quadrilatère appelé bureau (et commun à plusieurs) où je devais souvent éluder telle confidence, ayant peu de goût pour l'office de confesseur. Plus tard, avec les proches, les prolongations atteignaient une brasserie belge de la rue Soufflot, découverte par Daniel Dessert, amateur de « trappistes » et l'un des grands fidèles.

Je partis un jour de 1978, au lendemain d'un deuil terrible, et d'ailleurs assez fatigué d'un métier dont beaucoup d'aspects ne m'intéressaient plus — sauf ces séminaires où je vis paraître puis éclater des talents hors du commun, un peu honteux pourtant du fait qu'il n'y avait plus que les êtres d'élite qui m'intéressaient. Je les ai conservés pourtant, ces séminaires, durant quelques années, mais dans un autre lieu, sous l'égide de l'ex-VIᵉ section qui venait de se baptiser École des hautes études en sciences sociales (le mot « histoire » avait depuis longtemps disparu, comme dans les programmes de ce qu'on appelait hier école primaire).

Puis, encouragé par ceux-là, par mes enfants et par Christiane, je me mis à revivre, donc à écrire, et à disserter ici ou là de temps à autre. Longtemps différé, le livre que voici doit être mon cinquième depuis que j'ai abandonné, sans regret, la vieille Sorbonne.

Table des matières

Troisième partie
CLIO DANS LE VASTE MONDE

Cet ouvrage a été composé par
NORD COMPO, Villeneuve-d'Ascq

Impression réalisée sur CAMERON par
BRODARD ET TAUPIN
La Flèche

pour le compte des Éditions Fayard
en décembre 1995

Imprimé en France
Dépôt légal : janvier 1996
N° d'édition : 2667 – N° d'impression : 1207N-5
35-57-9620-01/2
ISBN : 2-213-59620-4